Baedekers

MAINZ

Mainz

1:18 500

0 100 200 300 400 500m

Unwesentlich veränderter Auszug aus dem Amtlichen Stadtplan der Landeshauptstadt Mainz.

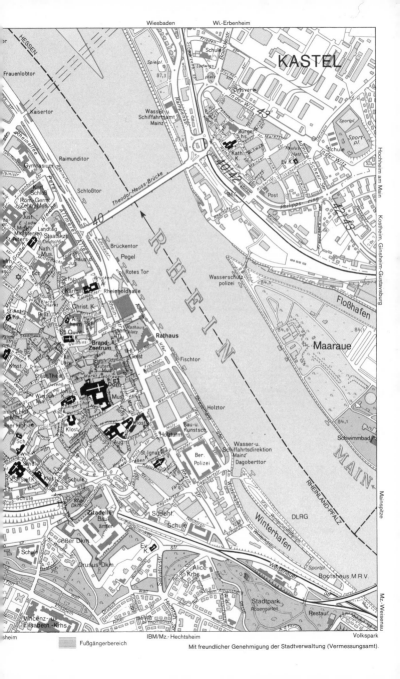

MAINZ

Rhein

Mz.–
Mombach

Mz.–Gonsenheim

MAINZ

Main

Mz.–
Finthen

Mz.–
Drais

Mz.–
Bretzenheim

Mz.–
Weisen-
au

Mz.–
Lerchenberg

Mz.–
Marien-
born

Mz.–
Hechtsheim

Mz.–
Lauben-
heim

Rhein

Mz.–
Ebers-
heim

MAINZ
und seine
Stadtteile

Gesamtfläche des Stadtgebietes	97,68	qkm
Größte Ausdehnung		
von Norden nach Süden.......................................	15,5	km
von Osten nach Westen.......................................	14,5	km
Gesamtlänge der Stadtgrenze	63	km
Länge des Rheinufers	16,5	km

Baedekers MAINZ

STADTFÜHRER
VON
KARL BAEDEKER

Mit 25 Karten und Plänen
und 54 Zeichnungen

KARL BAEDEKER
VERLAG

STERNCHEN (*)
als Mittel zur Hervorhebung bedeutender Bau- und Kunstwerke,
Naturschönheiten, Aussichten
oder auch besonders guter Hotels und Restaurants
hat Karl Baedeker im Jahre 1844 eingeführt;
sie werden auch hier verwendet.
Besonders Beachtenswertes ist durch ein Sternchen (*)
einzigartige Sehenswürdigkeiten sind durch zwei Sterne (**) gekennzeichnet.

Titelbild:
Dom St. Stephan
(Stadt Mainz,
Amt für Öffentlichkeitsarbeit)

© 1989 Karl Baedeker GmbH, Ostfildern-Kemnat und München
Druck: Druckhaus Langenscheidt KG, Berlin-Schöneberg
Printed in Germany
ISBN 3−87954−074−8

VORWORT

Die Entwicklung der Stadt Mainz hat Baedeker in seinen Reisehandbüchern seit Mitte des 19. Jahrhunderts begleitet. Erstmals beschrieb Karl Baedeker (1801–1859) Mainz in seiner "Rheinreise" von 1835. Der Verlag brachte 1975, zum hundertjährigen Domjubiläum, einen eigenen, von *Dr. Peter Baumgarten* bearbeiteten Band heraus. Die vorliegende 5. Auflage wurde mit tatkräftiger Unterstützung der Stadt Mainz aktualisiert. *Gerhard Zwick* vom Verkehrsverein bearbeitete die praktischen Angaben, *Friedrich Schütz* sah den historischen Teil und die Stadtbeschreibung durch. Die Fäden liefen bei *Susanne Sauerland* zusammen. Ihnen allen sei an dieser Stelle gedankt. Die Karten und Pläne stammen von der Kartographischen Anstalt *Georg Schiffner* in Lahr, die Skizzen zeichnete der Mainzer Architekt *Erdmann Baier*.

Um alle Sehenswürdigkeiten und Besonderheiten kennenzulernen, wird der vorliegende Stadtführer vielen Mainz-Besuchern und Ortsansässigen willkommene und unentbehrliche Hilfe leisten. Aus Erfahrung wissen wir jedoch, daß Irrtümer und Fehler trotz aller Genauigkeit der Recherche nie ganz vermeiden sind. Wir bitten deshalb, die Redaktion (Neusser Straße 3, 8000 München 40) durch Berichtigungen oder Verbesserungsvorschläge für künftige Auflagen zu unterstützen.

Karl Baedeker Verlag

INHALT

I. PRAKTISCHE ANGABEN VON A–Z

Auskunft

Verkehrsverein Mainz (VVM), Bahnhofstr. 15, Tel. 23 37 41, Telex 4–187 725 vvm d; Tourist-Information, Mo–Fr 9–18, Sa 9–13 Uhr, So geschlossen. Touristische Auskünfte, Zimmervermittlung, Geldwechsel, Durchführung von Stadt- und Domführungen sowie Ausflugsfahrten, Kartenvorverkauf, Stadtplan, Souvenirs; das Mainzer Adreßbuch kann eingesehen werden.

Kongreßdirektion Mainz (Rheingoldhalle, Kurfürstliches Schloß, Bürgerhäuser), Rheinstr. 66, Tel. 242–0, Telefax 242 105, Telex KODIMZ 6 131 958.

Auto →Automobilclubs →Autovermietung →Parken.

Automobilclubs

ADAC, Große Bleiche 47, Tel. 23 46 01; *ADAC-Pannenhilfe Rhein-Main*, Tel. 1 92 11; *Auto Club Europa* (ACE) e.V., Kaiserstr. 26, Tel. 23 19 11; *Mainzer Automobil-Club* (AvD), Am Rodelberg 21, Tel. 5 34 37; *DTC*, Bahnhofstr. 15, Tel. 23 37 41.

Autovermietung

Becker, Bonifaziusplatz 1, Tel. 6 00 66; *Heidel*, Mombacher Str. 44, Tel. 5 23 31; *InterRent*, Rheinstr. 107, Tel. 67 70 73; *Raule*, Zwerchallee 1, Tel. 68 20 30; – *Autohobby* (Mietwerkstatt), Industriestr. 5, Tel. 68 20 66.

Bäder

Freibäder: Am Taubertsberg, Wallstr. 9: Mo 12–20, Di–Sa 9–20, So 9–19 Uhr, Liegewiese 22 500 qm; *Am Großen Sand*, Obere Kreuzstr. 9–13: Mo 7–20, Di 12–20, Mi–Sa 7–20, So 9–19 Uhr (Mai und Sept. bis 19 Uhr), Liegewiese 40 000 qm.

Hallenbäder: Am Taubertsberg, Wallstr. 9: Mo geschlossen, Di–Fr 7–22, Sa 7–19, So 7–12 Uhr; Warmwasserbadetage Di, Mi; *Am Großen Sand*, Obere Kreuzstr. 9–13: Mo 7–9 und 15–20 Uhr, Di geschlossen, Mi 7–8 und 14–21 Uhr, Do 7–8 und.15–18 Uhr, Fr 7–21, Sa 7–18, So 7–12 Uhr; Warmwasserbadetag Fr.

Bahnhof und Bahnreise

Hauptbahnhof, am Westrand der Altstadt, für alle Züge. – *Bahnhof Mainz-Süd,* unterhalb der Zitadelle (Jakobsberg), nur für Eil- und Personenzüge. Zwischen beiden Bahnhöfen (1,8 km) führt die Bahnstrecke durch zwei Tunnel unter dem Kästrich und der Zitadelle hindurch. − *Bahnhof Mainz-Kastel,* auf dem rechten Rheinufer, an der Strecke Wiesbaden-Frankfurt/ Darmstadt (D-Zug-Station). Weitere Bahnhöfe in Mombach, Gonsenheim, Marienborn, ferner Haltestellen Weisenau, Laubenheim sowie "Mainz-Nord" und "Waggonfabrik". Bahnbusse vom Hauptbahnhof (Verkehrsstelle Tel. 15 57 41). − Auskunft (Fahrpläne, Fahrpreise) erteilt die Deutsche Bundesbahn, Hauptbahnhof, unter Tel. 1 94 19 (8−19 Uhr).

Banken
Banken und Sparkassen haben zu den gewohnten Zeiten geöffnet; im Innenstadtbereich gibt es eine Reihe von Geldautomaten, die rund um die Uhr mittels Scheckkarte benutzt werden können. Geld wechseln kann man auch in den *Wechselstuben am Hauptbahnhof* (werktags 7.30−12 und 12.30−19.15 Uhr) und beim *Verkehrsverein,* Bahnhofstr. 15 (Mo−Fr 9−18, Sa 9−13 Uhr, So geschlossen).

Behindertenhilfe
COMMIT (Club für Behinderte und ihre Freunde in Mainz und Umgebung), Kaiser-Karl-Ring 9, Tel. 67 29 11.

Besuchsordnung
Die genannten *Öffnungszeiten* gelten, sofern nicht weiter erläutert, für das Sommerhalbjahr (im Winterhalbjahr zuweilen verkürzt; telefonische Nachfrage ratsam). In alphabetischer Ordnung stehen Archive, Bibliotheken und Büchereien, Friedhöfe, Kirchen, Museen und Sammlungen sowie diverse Einrichtungen. Einzelbeschreibungen findet man anhand des Registers.

Bei beschränkter Zeit (1 Tag): Dom, Bischöfliches Dom- und Diözesanmuseum, Domplätze, Gutenberg-Museum, Rathaus, Rheinuferpromenade; Altstadt, Seminarkirche, St. Ignaz, St. Stephan; Gutenbergplatz, Schillerplatz; Landesmuseum Mainz, St. Peter, Römisch-Germanisches Zentralmuseum; Zitadelle, Kupferberg-Terrasse.

ARCHIVE

Bischöfliches Dom- und Diözesanarchiv, Grebenstr. 12, Tel. 25 31 55. − Archiv: Mo−Fr 9−12 und 14−16.30 Uhr (Fr bis 16 Uhr). − Lesesaal: Mo−Fr 9−12 und 14−18 Uhr.
Bischöfliches Priesterseminar, Archiv, Grebenstr. 9, Tel. 25 31 55. − Mo−Fr 9−12, Mo und Mi 14−16.30 Uhr.
Deutsches Kabarettarchiv (Reinhard Hippen), Rheinstr. 48, Tel. 22 19 12. − Benutzung nach Vereinbarung.
Fastnachtsarchiv, Rathaus, Tel. 12-26 57.
Kursbucharchiv der Deutschen Bundesbahn, Kaiserstr. 3, Tel. 15 56 83. − Mo−Fr 9.30−11 Uhr.

Stadtarchiv, Rheinallee 3b, Tel. 12-26 51. − Lesesäle: Mo−Fr
9−12.30 und 14−18, Sa 9−12.30 Uhr.

BIBLIOTHEKEN UND BÜCHEREIEN

Akademie der Wissenschaften und der Literatur, Geschwister-
Scholl-Str. 2, Tel. 5 77−0. − Bibliothek und Arbeitsstelle für
Exilliteratur (Lion-Feuchtwanger-Gedächtnisraum): Mo−Fr
8−12.30 und 13.30−16.30 Uhr.

Bischöfliches Priesterseminar, Augustinerstr. 34, Tel. 23 21 86.
Bibliothek: Mo−Fr 9−12 und 14−18 Uhr.

Gutenberg-Museum, Liebfrauenplatz 5, Tel. 12-26 40. − Präsenzbibliothek und Arbeitsräume: Mo−Fr 8.30−12.30 und
14−17.30 Uhr.

Institut für Europäische Geschichte, Alte Universitätsstr. 19,
(Domus Universitatis), Tel. 22 48 70. − Bibliothek: Mo−Fr
9−13 und 14−18 Uhr.

Jüdische Bibliothek →Universitätsbibliothek.

Jugendbücherei, Bonifaziuszentrum, Tel. 12−26 59 und
12−24 72. − Di−Fr 14−18, Sa 10−13 Uhr; Zweigstellen Lerchenberg, Gonsenheim, Mombach, Weisenau, Autobücherei
(Tel. 12−28 43).

Musikbibliothek, Bonifaziuszentrum, Tel. 12−24 73. − Mi
10−18, Do 10−19 Uhr, 1. und 3. Sa im Monat von 10−13 Uhr.

Öffentliche Bücherei − Anna Seghers − (Stadt- bzw. Volksbü-
cherei, mit 6 Zweigstellen; Autobücherei mit 7 Haltepunkten;
insgesamt ca. 220 000 Bücher), Bonifaziuszentrum, Tel.
12−26 59. − Do 10−19, Di, Mi und Fr 10−18, Sa 10−13 Uhr.

Stadtbibliothek und *Stadtarchiv,* Rheinallee 3b, Tel. 12−26 51.
− Lesesäle: Mo−Fr 9−12.30 und 14−18, Sa 9−12.30 Uhr. −
Ausleihe: Mo−Sa 10−12.30, Mo, Mi, Do, Fr 15−18 Uhr. −
Münzkabinett →Museen.

Universitätsbibliothek der Johannes Gutenberg-Universität, auf
dem Campus Universitatis, Jakob-Welder-Weg 6, Tel.
39 22 14; im gleichen Gebäude die *Jüdische Bibliothek.* −
Großer Lesesaal: Mo−Fr 8−18 Uhr. − Ausleihe: Mo−Fr
10−18 Uhr.

FRIEDHÖFE

Hauptfriedhof (Aureusfriedhof), Untere Zahlbacher Str., Verwaltung Tel. 12-1, sowie *Waldfriedhöfe* in Mombach und Gonsenheim. − Täglich bis zum Einbruch der Dunkelheit zugänglich.

Alter Jüdischer Friedhof, zwischen Wall- und Mombacher Str. −
Sofern geschlossen, Schlüssel bei der Verwaltung, Tel. 12-
33 37/12-33 40.

Neuer Jüdischer Friedhof, Untere Zahlbacher Str. − Anmeldung bei der Verwaltung, Tel. 12-33 37/12-33 40.

KIRCHEN

Gottesdienste und Information über Kirchenmusik in den Wochenendausgaben der Tagespresse.

Augustinerkirche (Seminarkirche), Augustinerstr. 34 (Bischöfl. Priesterseminar Tel. 23 21 86). − Täglich 8−17 Uhr; für Behinderte bedingt geeignet.

Christuskirche, Kaiserstraße (Pfarramt Tel. 23 46 77). − April −Sept. Mo−Mi und Fr 9−18 Uhr (Eingang Südportal); für Behinderte bedingt geeignet.

Dom St. Martin, Haupteingang zwischen den Häusern Markt 10 und 12; für Behinderte mit Ausnahme der Krypten bedingt geeignet. − *Besichtigung* (nicht während des Gottesdienstes): Mai−Sept. Mo−Fr 9−18.30, Sa 9−16, So 12.30−14.45 und 16−18.30 Uhr; Okt.−April Mo−Fr 9−17, Sa 9−12 und 14−16 Uhr, So 14−14.45 und 16−16.30 Uhr. *Führungen* nach Vereinbarung; Anmeldung beim Dompfarramt, Domstr. 10, Tel. 22 37 27, oder beim Verkehrsverein (→Auskunft).

Karmeliterkirche, Karmeliterstr. 7, Tel. 23 26 45. − Täglich 14.30−18 Uhr.

St. Antonius (Antoniterkapelle, Armklarakirche), Adolf-Kolping-Str. 8. − Auskunft im Kolpinghaus, Adolf-Kolping-Str. 15, Tel. 23 24 74.

St. Christoph, Christofsstr. 18. − Ruine jederzeit, Kapellenschlüssel bei den Karmelitern, Karmeliterstr. 7, ansonsten Auskunft Tel. 23 26 45.

St. Ignaz, Kapuzinerstr. 40 (Pfarramt Nr. 36, Tel. 22 42 64). − Mo−Sa 10−12 und 14−18 Uhr.

St. Johannis, Ecke Schöffer- und Johannisstr. Pfarramt Tel. 23 42 27). − Besichtigung nach Vereinbarung; für Behinderte bedingt geeignet.

St. Peter, Große Bleiche/Petersplatz (Pfarramt Petersstr. 3, Tel. 22 20 35). − Nur zu Gottesdiensten geöffnet (Sa 18, So 9.30 und 11.30 Uhr); für Behinderte bedingt geeignet.

St. Quintin, Ecke Schuster- und Quintinsstr. (Pfarramt Tel. 22 37 27). − Täglich bis zum Einbruch der Dunkelheit; für Behinderte bedingt geeignet.

St. Stephan (Chagall-Fenster), Stephansplatz (Stephansberg; Pfarramt Tel. 23 16 40). − Kirche und Kreuzgang täglich 10−12 und 14−17 Uhr; für Behinderte bedingt geeignet.

MUSEEN UND SAMMLUNGEN

Bischöfliches Dom- und Diözesanmuseum im Domkreuzgang, Domstr. 3 (Eingang durch den Dom), Tel. 25 33 44. − Mo −Sa 9−12, Mo, Di, Mi, Fr 14−17 Uhr.

Brückenturm-Galerie der Stadt Mainz (wechselnde Kunstausstellungen), im Brückenturm zwischen Brand-Einkaufszentrum und Rathausplatz: So−Fr 11−18, Sa 11−14 Uhr.

Gutenberg-Museum (Weltmuseum der Druckkunst), Liebfrauenplatz 5, Tel. 12-26 40; für Behinderte geeignet. – Museum: Di–Sa 10–18 Uhr, So 10–13 Uhr. – Gutenberg-Werkstatt: Demonstrationen täglich ab 10.30 Uhr. – Gutenberg-Film: Vorführungen Di–So 11.15 Uhr (ab 20 Pers.). – Präsenzbibliothek und Arbeitsräume → Bibliotheken. Das Museum ist vom 1.–31. Jan. geschlossen.

Kupferberg-Sektkellerei, Kupferberg-Terrasse 15–19, Tel. 555–0. – Haus-Sammlung und historische Keller; Führung mit anschl. Sektprobe nur nach Terminvereinbarung.

Landesmuseum Mainz (vorm. Altertumsmuseum und Gemäldegalerie), Große Bleiche 49–51, Tel. 23 29 55, Di–So 10–17 Uhr; Erdgeschoß für Behinderte geeignet.

Münzkabinett im 1. Obergeschoß der Stadtbibliothek, Rheinallee 3b, Tel. 12–26 56. Führungen nur nach Vereinbarung.

Musikverlag B. Schott's Söhne, Weihergarten 1–11, Tel. 246–0. – (Vertrieb: Mainz-Hechtsheim, Carl-Zeiss-Str. 1, Tel. 505–0). – Haus-Museum und Notenstecherei nur nach Vereinbarung. – Innenhof während der Geschäftszeit zugänglich.

Naturhistorisches Museum, Mitternacht/Ecke Reichklarastraße, Tel. 12–26 46. – Di–So 10–17, Do 10–20 Uhr.

Römisch-Germanisches Zentralmuseum, Ernst-Ludwig-Platz 2⁴/10 (Eingang von der Großen Bleiche über den Schloßhof), Tel. 23 22 31. – Steinhalle und Ausstellungsräume im Kurfürstlichen Schloß: Di–So 10–18 Uhr.

DIVERSES

Chantré & Cie. (Eckes), 6501 Nieder-Olm, Bahnstr. 6, Tel. 0 61 36/3 50. – Besichtigung der Weinbrennerei (eine der größten Europas) nach Vereinbarung. – "Kleine Galerie Eckes" →Galerien.

Johannes-Gutenberg-Universität, Campus Universitatis, Saarstraße, Tel. 3 9-0. – Sammlungen der Institute für Anthropologie, Ethnologie, Geologie und Medizinhistorie nach Vereinbarung mit dem jeweiligen Institut. Universitätsgelände frei zugänglich. Botanischer Garten (Eingang Albert-Schweitzer-Str.), Auskunft beim Institut für Spezielle Botanik, Tel. 39-23 69.

Kurfürstliches Schloß, Rheinallee/Diether-von-Isenburg-Straße, Tel. Kongreßdirektion 242–0. – Festsäle →Veranstaltungen in der Tagespresse. – Ausstellungsräume des Römisch-Germanischen Zentralmuseums →Museen.

Rathaus, zwischen Rheinstraße und Adenauerufer am Rhein, Tel. Stadtverwaltung 12–1. – Eingangsgeschoß mit Informationsschalter, Foyer und Infothek zu den Amtsstunden zugänglich. – Sonderausstellungen, Konzerte u.a. Veranstaltungen →Tagespresse; Führungen zu besonderen Anlässen.

Stadtpark (Favorite) frei zugänglich; *Tropenhäuser* (Orchideen-haus, Kakteenhaus, Blütenhaus) und *Vogelhaus,* Sept.–Feb. 9–16, März–Aug. 9–18 Uhr.
Südwestfunk, SWF-Landesstudio Rheinland-Pfalz, Wallstr. 39, Tel. 302–1. – Nur nach Vereinbarung.
Volkshochschule, Karmeliterplatz 1, Tel. 23 29 01. Geschäfts-zeit Mo–Fr 8.30–12.30 und 14.30–20 Uhr.
Volkssternwarte mit *Planetarium* in der Volkshochschule, Anne-Frank-Schule am Petersplatz (Eingang Mitternacht, neben dem Naturhistor. Museum). – Mo und Fr – außer während der Schulferien – an sternklaren Abenden ab 19.30 Uhr; Son-nenbeobachtungen Sa 10–12 Uhr. Anmeldung in jedem Falle angeraten (Tel. 23 29 02).
Zweites Deutsches Fernsehen, ZDF-Sendezentrum am Lerchen-berg, Tel. 70-1. – Zutritt nur nach Voranmeldung.
Zitadelle auf dem Jakobsberg. – Zitadellenbereich und Eichel-stein (Drusus-Denkmal) bis zum Einbruch der Dunkelheit zu-gänglich.

Bibliotheken und Archive →Besuchsordnung.

Bücher und Karten über Mainz (Auswahl)
Bildbände: Mainz-Bilder aus einer geliebten Stadt von Werner Hanfgarn und Klaus Benz. – *"Die alte Stadt Moguntia kommt immer mehr zur Ehr'"* von Susanne Fashon (Verlag H. Schmidt, Mainz). – *Mainz* (Verlag Stapp, Berlin). – *100 Jahre Mainz* (Mainz in alten Ansichtskarten). – *Mainz* (Text von K.H. Esser). – *Mainz* (Text von A.M. Keim). – *Das goldene Mainz – Ein Führer zu seinen Kunstdenkmälern* von Fritz Arens (Hans P. Eppinger-Verlag, Schwäbisch Hall). – *Mainz zwischen Dom, St. Stephan und Holzturm – Ein Führer durch die Mainzer Altstadt* von Wilhelm Jung (Verlag H. Schmidt, Mainz). – *Der Dom zu Mainz – Ein Handbuch* von August Schuchert und Wilhelm Jung (Verlag Druckhaus Schmidt & Bödige, Mainz). – *Le-bendiges Rheinland-Pfalz – Perspektiven aus Kultur und Geschichte des Landes.* – *Mittelrhein.* – *Im Zauber des Mittelrheins* (Texte dreisprachig). – *Gutenberg* von Hel-mut Presser (rororo-Bildmonographie).

Geschichte: Geschichte der Stadt Mainz (in 10 Teilen, Verlag Walter Rau, Düssel-dorf), erschienen sind die Bände II "Mainz in seiner Blütezeit als Freie Stadt (1244–1328)" und V "Mainz vom Verlust der Stadtfreiheit bis zum Ende des Dreißig-jährigen Krieges (1462–1648)", mit einem historischen Stadtplan "Mainz um 1620". – *Mainz – Geschichte und Stadtbauentwicklung* (Rheinische Kunststätten). – *Hand-buch der historischen Stätten Deutschlands – Rheinland-Pfalz/Saarland.* – *Zweitau-send Jahre, wo du gehst und stehst* von Karl Schramm (Verlag Hermann Emig, Amor-bach). – *Mainz – Die alte Aurea Moguntia* von Heinz Biehn. – *Die Römer an Rhein und Mosel* von Charles-Marie Ternes (Philipp Reclam, Stuttgart). – *Die Römer an Rhein und Main* von Armin und Renate Schmid. – *Fotografische Erinnerungen 1845–1945* (Mainz 1980). – *Mainz – so wie es war* von A.M. Keim, H. Mathy und F. Schütz (Düsseldorf 1981). – *Mainz ehemals, gestern und heute. Eine Stadt im Wandel der letzten 60 Jahre* (Stuttgart 1984). – *Das Bistum Mainz. Von der Römerzeit bis zum 2. Vatikanischen Konzil* (Frankfurt/M. 1988).

Kultur- und Kunstgeschichte: Führer zu vor- und frühgeschichtlichen Denkmälern – Mainz (Verlag Philipp v. Zabern, Mainz). – Georg Dehio, *Handbuch der deutschen*

Kunstdenkmäler, Band Rheinland-Pfalz/Saarland. – *Reclam-Kunstführer* Bundesrepublik 2 – Rheinland und Westfalen. – *Mainz – Bischöfliches Dom- und Diözesanmuseum. – 1000 Jahre Mainzer Dom – 975–1975 – Werden und Wandel.* Katalog der Jubiläumsausstellung von 1975 im Bischöflichen Dom- und Diözesanmuseum. – *Im 1000jährigen Mainzer Dom* (Metz-Verlag, Tübingen).

Diverses: F a s t n a c h t : *Der Fastnachtsbrunnen in Mainz* von Karl Schramm (Verlag H. Schmidt, Mainz). – *11 mal Politischer Karneval* von A.M. Keim (Verlag v. Hase & Koehler, Mainz). – *Fassenacht in Mainz. Kulturgeschichte eines Volksfestes* von Günter Schenk (Stuttgart 1986). – M u n d a r t u n d H e i t e r e s : *Mainzer Wörterbuch* von Karl Schramm. – *Wenn Schambes schennt – Rheinhessisch-Mainzer Schimpf-Lexikon* von Hans-Jörg Koch (Verlag der Rheinhessischen Druckwerkstätte, Alzey). – *Aufs Maul geschaut* von A.M. Keim und Hannes Gaab (Verlag H. Schmidt, Mainz). – *Mainzer Erinnerungen, Mainzer Originale, Sonderlinge und Spaßvögel,* alle von Franz Bissinger (Rheingold-Verlag, Mainz). – *Der un annere. 27 Erzählungen in Mainzer Mundart* von Inge Reitz-Sbresny (Mainz 1984). – M u s i k : *Mainzer Musikgeschichte, Tausend Jahre Mainzer Musik,* beide von Adam Gottron. – J a h r b ü c h e r : *Mainzer Zeitschrift – Mittelrheinisches Jahrbuch für Archäologie, Kunst und Geschichte* (seit 1906; Vorläufer seit 1853 "Zeitschrift des Vereins zur Erforschung der rheinischen Geschichte und Altertümer"); *Jahrbuch der Vereinigung der Freunde der Universität Mainz"; Heimatjahrbuch – Kreis Mainz-Bingen; Jahrbuch des Römisch-Germanischen Zentralmuseums; Mainzer Naturwissenschaftliches Archiv* (Hg.: Naturhistorisches Museum und Rheinische Naturforschende Gesellschaft seit 1967; Vorläufer seit 1961 "Zeitschrift der Rheinischen Naturforschenden Gesellschaft"); *Gutenberg-Jahrbuch* (in 5 Sprachen) der Internationalen Gutenberg-Gesellschaft. *Kunst aktuell,* halbjährlich erscheinende Kulturzeitschrift (hgg. vom Kultusministerium und der Landesbank Rheinland-Pfalz). – Bücher über G u t e n - b e r g und B u c h w e s e n , Faksimile- und Sonderdrucke am Verkaufsstand des Gutenberg-Museums.

Stadtpläne: Amtliche Stadtpläne der Landeshauptstädte Wiesbaden und Mainz 1 : 15 000, Vermessungsämter. – *Generalstadtplan Wiesbaden/Mainz* 1 : 22 000 (Innenstadt 1 : 11 000, Großraum 1 : 200 000), Mairs Geographischer Verlag, Stuttgart. – *Falk-Plan Mainz/Wiesbaden* 1 : 19/33 000. – *Falk-Plan Mainz* 1 : 15 000, Falk-Verlag, Hamburg. – *Stadtplan Mainz* 1 : 16 000 (mit allen Vororten), Schmidt & Bödige, Mainz. – *Rhein-Main-Städte-Atlas* 1 : 20 000, Reise- und Verkehrsverlag, Stuttgart. – *Bollmann-Bildplan Das Goldene Mainz* (Innenstadt; Rückseite Gesamtstadtplan), Bollmann-Bildkarten-Verlag, Braunschweig. – *Freizeitkarte Mainz* 1 : 20 000, Stadtverwaltung Mainz. – *Stadtplan Landeshauptstadt Mainz* (Innenstadt) 1 : 5 000, Verkehrsverein Mainz. – *Mainz zur Römerzeit.* Stadtplan mit Erläuterungen von Rolf Dörrlamm und Hans G. Frenz.

Landkarten: Amtliche Topographische Karten 1 : 25 000 Meßtischblatt 6015, im Maßstab 1 : 100 000 Blatt C 6314. – *Kreis- und Heimatkarte* 1 : 100 000 Blatt 62, Ernst-Verlag, München. – *Kreiskarte Mainz-Bingen* 1 : 75 000, Städteverlag E. v. Wagner & J. Mitterhuber, Stuttgart-Bad Cannstadt. – *Deutsche Generalkarte* 1 : 200 000 Blätter 12, 13, 15 bzw. 16, *Deutsche Freizeitkarte* 1 : 150 000 Blätter 12, 13, 15 bzw. 16, *Große Umgebungskarten* (Großraumkarten für Auto und Fahrrad) 1 : 100 000 Blätter Darmstadt und Frankfurt/M., alle Mairs Geographischer Verlag, Stuttgart.

Cafés

Bachmann, Betzelsstr. 20–24/Ecke Am Jesuitenbogen, Tel. 22 46 31; *Café Allianzhaus,* Große Bleiche 60–62, Tel. 22 22 41; *Café am Museum,* Schießgartenstr. 1, Tel. 23 14 89;

Dinges, Mailandsgasse 2−6 (Rebstockplatz), Tel. 22 71 92;
Dom-Café, Markt 12−16 (beim Domeingang), Tel. 22 23 65;
Grün, Gaustr. 61, Tel. 22 57 65; *Janson,* Schillerstr. 40, Tel.
22 57 83; *Korfmann,* Markt 11−13, Tel. 23 13 53; *Rheingold-
terrasse,* Auf dem Rathausplatz 1, über dem Rheinufer, Tel.
23 30 00; (*Aussicht), auch Restaurant; *'S Kleine Janson,* Neubrunnenstr. 4a, Tel. 22 71 43; *Zucker,* Bahnhofstr. 10, Tel.
23 59 59. − Div. ital. Eisdielen.

Campingplätze

Maaraue, auf der Insel Maaraue (6503 Mainz-Kostheim), Tel.
0 61 34/43 83; 2 ha in parkähnlichem Landschaftsschutzgebiet
an der Mainmündung (*Blick auf Mainz), mit allen erforderlichen Einrichtungen, Abstellplatz für Boote und Trailer; geöffnet April−September; Freischwimmbad in der Nähe; − *Jungen-
felder Aue,* in Laubenheim, am linken Rheinufer. − Ferner Zelt-
gelegenheit im Freizeitgelände auf der Rheininsel *Rettbergsaue.*

Discotheken

L'Escalier, Am Winterhafen 19, Tel. 23 43 11; *Palatin,* Gonsenheim, Kurt-Schumacher-Str. 54, Tel. 4 17 58; *Palm-Beach,* Industriestr. (Rheinallee-Zentrum), Tel. 68 16 05; *Tangente Jour,*
Kötherhofstr. 3, Tel. 22 85 55; *Terminus,* Industriestr. 22
(Rheinallee-Zentrum), Tel. 68 88 47; *Tiffany,* Große Bleiche
17, Tel. 23 17 74.

Einkaufen

Als *Souvenirs* sind Wein und Sekt zu nennen (im Fachhandel erhältlich). − In verschiedenen Läden der südlichen Altstadt (Augustinerstr.) kann man alte *Stadtansichten* erwerben. − Am Verkaufsstand im *Gutenberg-Museum* werden verschiedene biblio-
phile Schriften, Faksimile- und Sonderdrucke angeboten; beliebtes Mitbringsel ist das winzige "Vaterunser in sieben Sprachen". Der *Verkehrsverein* bietet eine Reihe von *Mainz-Anden-
ken* an, darunter Trinkgefäße (div. Gläser, Becher, Krüge), Ka-
cheln, Servietten etc. sowie Kalender ("Mainzer Geschichtska-
lender").
Schallplatten: "Choralschola des Mainzer-Domchores − Glok-
ken des Mainzer Doms" (Tonstudio Vleugels, Hardheim-Rü-
dental); „Mainzer Barockmusik am Hofe des Kurfürsten Lothar
Franz von Schönborn" (aus der Columbia-Serie 'Musik in alten
Städten und Residenzen'); "Musica Sacra im Hohen Dom zu
Mainz"; "Die Botschaft des Mainzer Fastnachtsbrunnens",
Wortgottesdienst in St. Stephan am 23. Januar 1967 (Quadriga).

Essen und Trinken
Typische Mainzer Speisen: 'Määnzer Handkäs mit Musik', d.i. in Scheiben geschnittener Magermilchweichkäse, angerichtet mit Zwiebeln, Essig, Öl und Pfeffer, dazu Butterbrot; 'Weck, Worscht un Woi', d. i. ein Brötchen (meist 'Paarweck' = Doppelbrötchen) mit Fleischwurst und Wein; Spargelgerichte zur Saison; Laugenbrezeln (trockener als die schwäbischen; vielfach an Straßenständen); zur Fastnachtszeit werden am Straßenrand vereinzelt Eßkastanien (Maronen; mundartl. 'Keste') geröstet. − Informationen über *Wein* erhält man beim Deutschen Weininstitut und bei der Deutschen Wein-Information, Gutenbergplatz 3, Tel. 28 29−0; ebenso bei Rheinhessenwein e.V., An der Brunnenstube 33−35, Tel. 68 10 58. (siehe auch S. 38). − *Bier* wird in Mainz von der Sonnenbrauerei gebraut.
→Cafés →Restaurants.

Fahrradverleih
Fahrrad-Laden, Albinistr. 15, Tel. 22 50 13. Eine Freizeitkarte, in der Radwege (auch Wander- und Sportwege) eingezeichnet sind, ist beim Verkehrsverein und im Buchhandel erhältlich.

Flughafen und Flugreise
Flughafen Rhein-Main Frankfurt, 30 km östlich; im 30-Minuten-Takt Zugverbindung (FVV-Verbundtarif) vom bzw. zum Mainzer Hauptbahnhof. − Büro der *Deutschen Lufthansa,* Bonifaziusplatz 1b, Tel. 67 40 21.

Friedhöfe →Besuchsordnung.

Fundbüros
Klarastr. 4, Tel. 12−2432 (Mo−Fr 8.30−12 u. 13.30−16 Uhr); *Verkehrsbetriebe,* Mozartstr. 8, Tel. 12−46 51 (Mo-Fr 7−12 u. 12.30−15.30 Uhr); Fundstellen ferner im Hauptbahnhof und auf der Hauptpost.

Galerien und Kunstzentren
Brückenturm-Galerie der Stadt Mainz, gegenüber dem Rathaus; *Galerie und Kunstantiquariat Brumme, Kirschgarten 11; van der Koelen,* Hinter der Kapelle 54, Bretzenheim; *Galerie und Kunsthandlung Krabler,* Hintere Bleiche 7; *Flamenco-Studio Manolo Lohnes,* Albanusstr. 10; *Kunsthaus Lunkenheimer,* Inselstr. 4; *Rehberg,* Uferstr. 17; *Rousin,* Zanggasse 1.

Kleine Galerie Eckes, 6501 Nieder-Olm, Ludwig-Eckes-Allee 6 (Mo−Do 8−16, Fr 8-13, So 8.30−12.30 Uhr, Sa geschl.). − Jugendstil-Werbegrafik in der *Haus-Sammlung der Kupferberg-*

Sektkellerei und *Keramikatelier Gefäßplastik* im Fort Malakoff (Karin Scholz-Schäfer), Uferstr. 4, Tel. 23 43 52. − Tag der offenen Tür: Mi 14−22 Uhr. − Wechselnde Kunstausstellungen im *Eisenturm,* Rheinstr. 59/Am Brand.

Hotels

Insgesamt stehen in Mainz rund 4 000 Fremdenbetten zur Verfügung. Wir nennen eine Auswahl bewährter Häuser. − Die hochgestellte Ziffer hinter dem Hotelnamen bezeichnet die Preisklasse für eine Übernachtung (1 Person) mit Frühstück incl. MwSt.
Hotel[1] ca. 100−200 DM, Hotel[2] ca. 80−140 DM, Hotel[3] ca. 70−120 DM, Hotel[4] ca. 60−100 DM, Hotel[5] ca. 40−80 DM. − In Klammern ist in der Regel die Merkmalseinteilung der Gästezimmer angegeben: I=einfach, II=gut, III=sehr gut, F=Fremdenheim, G=Gasthof oder Pension, HG=Hotel garni, H=Hotel, HL=Luxushotel. − Besondere Qualitäten werden durch einen vorangestellten "Baedeker-Stern" (*) oder kennzeichnende Zusätze hervorgehoben. − Mainzer Hotels ohne eigenen Telex-Anschluß sind über den Verkehrsverein Mainz per Telex erreichbar unter (Name des Hotels) via 4−187 725 vvmd". − B. = Betten, EZ. = Einzelzimmer, Z. = Zimmer.

INNERE STADT. − A m R h e i n :
Hilton International Mainz[1], (HL), Rheinstr. 68, mit der Rheingoldhalle verbunden, Tel. 24 50, Telex 4−187 570; 800 B., 70 EZ., alle Z. mit Bad und WC; für Behinderte gut geeignet; mehrere Restaurants (s.dort), Rheinterrasse, großer Ballsaal ("Goldsaal"), Tanzbar; eigene Garagen und Parkplätze. − *Hotel Hof Ehrenfels[4],* (III HG), Grebenstr. 5−7, Tel. 22 43 34, 42 B., 22. Z., alle Z. mit Dusche/WC. − *Mainzer Hof[2]* (III H), Kaiserstr. 98, Ecke Rheinallee 5, Tel. 23 37 71, Telex 4−187 787; 115 B., 31 EZ., alle Z. mit Bad oder Dusche; für Behinderte bis auf den Eingang gut geeignet; Frühstücksbuffet; Promenade-Bar. − *Stadt Coblenz[5]* (IG), Rheinstr. 49, in einem Barockhaus von 1750, Tel. 22 76 02; 18 B., 6 EZ.
N a h e d e m H a u p t b a h n h o f :
Central Hotel Eden[3] (III H), Bahnhofplatz 8, Tel. 67 40 01, Telex 4−187 794; 87 B., 41 EZ.; für Behinderte mit Begleitperson gut geeignet. − *City-Hotel Neubrunnenhof[3]* (HG), Große Bleiche 26, Tel. 23 22 37, Telex 4−187 320; 67 B., 15 EZ. − *Europahotel[2]* (III H), Kaiserstr. 7, Tel. 635−0, Telex 4−187 702; 145 B., 35 EZ.; für Behinderte mit Begleitperson bzw. schmalem Rollstuhl geeignet; Grill-Restaurant; reichhaltiges Frühstück; Toscana-Bar. − *Hammer[3]* (III HG), Bahnhofplatz 6, Tel. 61 10 61, Telex 4−187 739; 60 B., 16 EZ. − *Mira[5]* (II HG), Bonifaziusstr. 4 (bei der Bonifaziuskirche), Tel. 61 30 87, Telex 4−187 725; 69 B., 17 EZ.; für Behinderte weitgehend geeignet; eigene Garagen. − *Moguntia[3]* (HG), Nackstr. 48, Tel. 67 10 41; 39 B., 4 EZ. − *Pfeil-Continental[5]* (II HG), Bahnhofstr. 15, Tel. 23 21 79, Telex 4−187 725; 36 B., 16 EZ. − *Schottenhof[4]* (III

HG), Schottstr. 6, Tel. 23 29 68−9, Telex 4−187 664; 50 B., 20 EZ. *Stadt Mainz[3]* (III HG), Frauenlobstr. 14, Tel. 67 40 84, Telex 4−187 312; 90 B. in 45 Z., alle mit Dusche. −

GRÜNGÜRTEL − Nahe den Unikliniken:
Am Römerwall[4] (II HG), Am Römerwall 53−55, Tel. 23 21 35; 75 B., 27 EZ.
− Nahe dem Stadtpark:
Favorite Parkhotel[2], Karl-Weiser-Str. 1, Tel. 8 20 91,Telex 4−187 266; 82 B. in 41 Z. − *MAG-Hotel[3]*, Hechtsheimer Str. 37, Tel. 5 79 02, Telex 4−187 699; 943 B., 239 EZ. − *Stiftswingert[4]* (HG), Tel. 8 24 41−2, Telex 4−187 370; 42 B., 18 EZ., eigene Garagen, Parkplätze.

VORORTE. − In Bretzenheim:
Novotel Mainz Süd[2], Essenheimer Str. 200, Tel. 36 10 54, Telex 4−187 236; 242 B. in 121 Z. − *Römerstein[4]*, Draiser Str. 136f, Tel. 36 40 36, Telex 4−187 779; 20 B. in 10 Z.
− In Finthen:
Kurmainz[2] (III HG), Flugplatzstr. 44, Tel. 49 10, Telex 4−187 001; 125 B., EZ 15, alle Z. mit Dusche und WC; Hallenbad, Sauna, Solarium, eigene Garagen und Parkplätze. − *Zum Babbelnit[5]*, Kurmainzstr. 22, Tel. 4 00 00; 22 B., 2 EZ.
− In Gonsenheim:
Waldhorn[4] (III Hg), Vierzehn-Nothelfer-Str. 39, Tel. 47 20 57−8, in ruhiger Lage am Wald; 40 B. in 20 Z.
− In Hechtsheim:
Am Hechenberg[4] (III H), Am Schinnergraben 82, Tel. 50 70 01; 74 B., 14 EZ. − *Hechtsheimer Hof[3]* (HG), Alte Mainzer Str. 31, Tel. 50 90 16−7; 47 B., 1 EZ.
− In Lerchenberg:
Hotel Am Lerchenberg[5], Hindemithstr. 5, Tel. 7 30 01−3, Telex 6−131 923; 81 B., 25 EZ.
− In Marienborn:
Hotel Pelzer[5] (HG), Klein-Winternheimer-Str. 12a, Tel. 36 40 12; 20 B., 6 EZ.
− In Weisenau:
Bristol Hotel Mainz[1], Friedrich-Ebert-Str. 20, Tel. 80 60, Telex 4-187 136; 150 B. in 75 Z. − *Mainzer Schoppenstecher[5]*, Wormser Str. 111, Tel. 8 54 26; 36 B., 4 EZ.

AUSSERHALB. − In Budenheim (6501; 9 km nordwestl., linksrhein.):
Berghotel[4] (III H), Finther Str. 32, Tel. 0 61 39/67 03; 25 B., 8 EZ., Hallenbad, Sauna. − *Waldhotel Taunus[5]*, Binger Str. 94a, Tel. 0 61 39/64 35; 120 B., 60 EZ.

– In K a s t e l (6503; 3 km östl. rechtsmain.):
Balle[4], Mainzer Str. 38–44; Tel. 0 61 34/6 20 51; 32 B., 6 EZ;
Restaurant. – *Zum Schnackel[4]*, Boelckestr. 5; Tel. 0 61 34/
6 20 17–8; 30 B., 6 EZ.
– In K o s t h e i m (6502; 4 km östl. rechtsmain.):
Zum Engel[5] (II G), Mainufer 22, Tel. 0 61 34/6 22 19; 44 B., 14
EZ.
– In G u s t a v s b u r g (6095 Ginsheim-Gustavsburg 1; 5 km
östl. linksmain.):
Alte Post[5], (II HG), Dr.-Herrmann-Str. 28, Tel. 0 61 44/5 20 41;
70 B., 38 EZ.
– In H o c h h e i m a m M a i n (6203; 8 km östl., rechtsmain.):
Hotel-Weingut Duchmann[4], Mainzer Str. 5, Tel. 0 61 46/20 81;
105 B., 23 EZ., Restaurant, eigene Garagen und Parkplätze. –
Gasthaus Stadt Saaz[5], Jahnstr. 5, Tel. 0 61 46/97 76; 16 B., 7 EZ.
– *Rheingauer Tor[4]* (HG), Taunusstr. 9, Tel. 0 61 46/40 07; 33
B., 17 EZ.
– In S t a d e c k e n - E l s h e i m :
Gästehaus Christian[4], Christian-Reichert-Str. 3, Tel. 0 61 36/
36 11; 15 B., 1 EZ.

Jahreskalender
Neujahr bis Aschermittwoch *Mainzer Fastnacht* ('Määnzer Fassenacht'); Prunkfremdensitzungen und Maskenbälle in allen
Festsälen; Umzüge. Rosenmontag und Fastnachtsdienstag sind
zwar keine offiziellen Feiertage, Büros und Geschäfte bleiben jedoch weitgehend geschlossen.

Neujahrstag	11.11 Uhr: Neujahrsparade
Fastnachtssamstag	14.11 Uhr: Jugendmaskenzug; im An-schluß Einzug und Vereidigung der närri-schen Rekruten.
Fastnachtssonntag	11.11 Uhr: Parade der närrischen Garden; 15.11 Uhr: Remmi-Demmi auf der Lu(d-wigsstraße).
Rosenmontag	11.44 Uhr: *Rosenmontagszug.
Fastnachtsdienstag	15.11 Uhr: Närrischer Korso 'Kappen-fahrt'.
März/April	*Landesausstellung Rheinland-Pfalz* (8 Ta-ge), im Volkspark-Ausstellungsgelände (18 Hallen), 30 000 qm Freigelände).
Mai	*Mainzer Weinbörse* (3 Tage Mitte des Mo-nats): überregionale Weinfachmesse für Wiederverkäufer. *Mini-Pressen-Messe* (biennal; bei ungerader Jahreszahl) auf

dem Liebfrauenplatz: Klein- und Kleinst-
verlage stellen ihre Produkte vor.

Pfingsten
Open-Ohr-Festival: Lieder, Chansons,
Texte.

Juni
Mainzer Johannisnacht (3 Tage um den 24.
6. herum; tgl. 15−24 Uhr): Johannes Gutenberg gewidmetes Volksfest rund um
den Dom, mit Buchdruckergautschen auf
dem Gutenbergplatz, Johannisball in der
Rheingoldhalle, Schifferstechen am Stresemannufer, folkloristische Darbietungen
sowie Johannes-Feuerwerk am Rheinufer.

Sommer
Vielseitiges *Sommerprogramm* (ca. 30
Veranstaltungen).

Juli .
Flugplatzrennen: Motorsportveranstaltung
auf dem Flugplatz Finthen.
Internationale Ruderregatta im Industriehafen.

August
Internationale Mainzer Mineralien-Börse
(erstes Wochenende) in der Rheingoldhalle.

August/September
Mainzer Weinmarkt (letztes August- und
erstes September-Wochenende, tgl. 15−3
Uhr): Volksfest im Volkspark mit Groß-
feuerwerk.

September
Automobilrennen um den Preis der Stadt
Mainz auf dem Hockenheimring.
Mainzer Winzertage (Weinlese): abwech-
selnd von den drei weinbautreibenden
Stadtteilen Ebersheim, Laubenheim und
Hechtsheim ausgerichtet.

Oktober
Mainzer Tage der Fernsehkritik in der letzten Oktoberwoche: vom ZDF veranstalte-
tes öffentliches Diskussionsforum.

November
Martinsritt (11.11.): St. Martin zu Pferde
und Kinder der kathol. Pfarrgemeinden
ziehen mit Gesang, Fackeln und Laternen
durch die Stadt.
Internationale Winterwanderung (10 bzw.
20 km).

Dezember
Weihnachtsmarkt (1.−24. Dez.) auf dem
Markt vor dem Dom: div. Veranstaltungen
(Singen und Spielen).
Nikolausfeier der Mainzer Kinder auf dem
Gutenbergplatz.

Jugendherberge
Am Fort Weisenau, 5 km südöstl., Tel. 8 53 32, 190 B.; hier auch ein *Jugendgästehaus* mit 30 B.

Kartenvorverkauf
Verkehrsverein Mainz e.V., Bahnhofstr. 15, Tel. 23 37 41; *Theater der Landeshauptstadt Mainz*, Gutenbergplatz, Tel. 12-33 65/ 6; *Mainzer Kammerspiele*, Emmerich-Josef-Str. 13, Tel. 22 50 02; *Mainzer-Forum-Theater 'unterhaus'*, Münsterstr. 5, Tel. 23 21 21; *Kulturzentrum Mainz e.V.*,Dagobertstr. 20b, Tel. 22 18 04; *Kartenhaus*, Schillerstr. 11, Tel. 22 87 29; *Kartenvorverkauf Zosel*, Ludwigstr. 12 (im Hertie-Möbelhaus), Tel. 22 19 35.

Kinos
Broadway, Neubrunnenplatz 1; *Capitol*, Neubrunnenstr. 9; *CC-Kino-Center*, Große Bleiche 17−21 (City-Haus); *City*, Spritzengasse 4; *Residenz und Prinzess*, Schillerstr. 30−32; *Rex-Kino-Center*, Markt 11; *Skala*, Hintere Bleiche 8. − *Kino- und Theaterprogramm:* Tel. 11 51.

Autokino Main-Taunus, 28 km nordöstlich, beim Main-Taunus-Einkaufszentrum (Sulzbach; Autobahn A 66/Rhein-Main-Schnellweg bis zur Ausfahrt F.-Höchst). − *Landesfilmdienst Rheinland-Pfalz e.V.*, Petersstr. 3.

Kirchen →Besuchsordnung.

Kirchliche Institutionen und Glaubensgemeinschaften
Kath. Bischöfliches Ordinariat, Bischofsplatz 2, Tel. 253−0; *Ev. Gesamtgemeinde*, Kaiserstr. 37, Tel. 67 70 51; *Neuapostolische Kirche*, Adam-Karillon-Str. 25, Tel. 61 12 52; Ev.-Methodistische Kirche, Hindenburgstr. 3, Tel. 67 53 01; *Ev.-Freikirchliche Gemeinde* (Baptisten), Gartenfeldstr. 11, Tel. 61 31 25; *Freireligiöse Gemeinde*, Gartenfeldstr. 1, Tel. 67 49 40; *Bahá'í-Gemeinde*, Tel. 7 22 62; *Jehovas Zeugen*, Binger Str. 22, Tel. 83 12 65; *Jüdische Gemeinde* (Synagoge), Forsterstr. 2, Tel. 61 39 90.
Kirchliche Nachrichten: Tel. 11 57.
Telefonseelsorge: Tel. 1 11 01 u. 1 11 02; Beratungsstelle 'Offene Tür der Glaubensinformation', Schusterstr. 2, Tel. 22 05 11, Mo−Fr 10−12 und 15−19, Sa 10−12 Uhr.

Konzerte
Spielstätten: Kurfürstliches Schloß; Rheingoldhalle; Theater der Landeshauptstadt Mainz (Großes Haus; Theater in der Uni);

Eltzer Hof; Rathaus (Wandelkonzerte); Hilton Hotel (Goldsaal); Weihergarten (Musikverlag Schott; Serenaden); Bürgerhäuser in den Vororten; Stadtpark (Sommerkonzerte); Kulturzentrum Mainz e.V. -
Kirchenmusik: Christuskirche; St. Johannis-Kirche; Altmünsterkirche; Dom und Kapitelsaal; St. Stephan (Kirche und
Kreuzgang); Seminarkirche (Augustinerkirche); St. Alban, Antoniterkapelle; St. Georg (Bretzenheim); u.a.

Das Kulturdezernat gibt das Saisonprogramm "Konzerte in
Mainz" heraus. − Ein Informationsblatt über die Veranstal-
tungsreihe "Stunde der Kirchenmusik" erscheint jeweils zum
Halbjahresbeginn.
Orchestergemeinschaften: Städtisches Orchester; Kammeror-
chester; Bachorchester; Collegium Musicum; Peter-Cornelius-
Konservatorium; Instrumentalensemble des Musikwissenschaftlichen Institutes; Jugendorchester; Bläserensemble; Arbeits-
kreis Kammermusik; Arbeitsgemeinschaft Neue Musik; Bischöfliches Institut für Kirchenmusik; Akkordeonorchester; u.a.
Chöre: Bachchor; Domchor; Kammerchor; Johanniskantorei;
Kantorei der Altmünstergemeinde; Singakademie; Lieder-
kranz; u.a.; div. Gesangvereine.

Märkte
Wochenmärkte jeden Dienstag, Freitag und Samstag auf den
Domplätzen, 7−13 Uhr. − *Flohmarkt* jeden dritten Samstag am
Rheinufer bei der Theodor-Heuss-Brücke.

Museen →Besuchsordnung.

Nachtleben →Discotheken → Spielbank → Tanzlokale.

Notfälle
Notrufe: Unfall/Überfall/Polizei: Tel. 110; Feuer: Tel. 112; *Not-
falldienstzentrale:* Tel. 67 90 97; *Deutsches Rotes Kreuz:* Tel.
23 21 41 (Rettungsleitstelle: Tel. 23 23 23); *Universitätskliniken*
(Klinikum, ehem. Städt. Krankenhaus), Langenbeckstr. 1, Tel.
17-1.

Öffentliche Verkehrsmittel
Hauptknotenpunkt für den Nahverkehr ist der Hauptbahnhof.
Die Verkehrsbetriebe der Stadtwerke Mainz (rund 700 Mitarbeiter) unterhalten insgesamt 15 Autobus- und 3 Straßenbahnli-
nien (189 bzw. 34 km Linienlänge; 132 bzw. 32 Fahrzeuge). Auskunft (Fahrpläne, Fahrpreise) erteilen die Verkehrsbetriebe,
Mozartstr. 8, Tel. 12-47 58 (7−12, 12.30−15.30 Uhr).

Fahrausweise sind als Mehrfahrtenkarten (Sammelkarten) an den Automaten und Vorverkaufsstellen, Einzelfahrscheine nur bei den Fahrzeugführern erhältlich. Sie berechtigen auch zum Umsteigen, sofern das Fahrziel nicht unmittelbar zu erreichen ist oder wenn durch Umsteigen Fahrtzeit und/oder Fahrweg verkürzt werden können (zur Weiterfahrt ist der nächste Anschlußwagen zu benutzen); Fahrtunterbrechungen, Rund- oder Rückfahrten sind nicht gestattet. Mit den Linien 6, 9 und 28 kann man mit einem in Mainz gelösten Fahrschein in das Liniennetz der Stadtwerke Wiesbaden überwechseln (und umgekehrt). Im Rahmen eines Verkehrsverbundes gelten die Fahrausweise der Mainzer Verkehrsbetriebe auch für Fahrten mit Autobussen der Deutschen Bundesbahn (Bahnbusse) auf bestimmten Streckenabschnitten innerhalb des Mainzer Stadtgebietes. Da alle Fahrzeuge ohne Schaffner verkehren, muß der Fahrgast die Scheinentwertung sofort nach Fahrtantritt selbst vornehmen. Ein Liniennetzplan ist bei den Verkehrsbetrieben (Bahnhofsvorplatz), beim Verkehrsverein und bei allen gekennzeichneten Läden (Kioske, Schreibwarenhandel) erhältlich.
→Fundbüro der Verkehrsbetriebe

Öffnungszeiten →Besuchsordnung.

Parken
Öffentliche Parkhäuser (Parkdecks, Tiefgaragen): Einkaufszentrum am Brand; Rathaus; Rheingoldhalle; Schloßplatz; Schirrhof/Kultusministerium (Mittlere Bleiche); Altmünster-Zentrum (Proviantamt); Holzhof (nördlich unterhalb der Zitadelle); Deutschhausplatz; Löhrstr. (Hilton); bei den Kaufhäusern Hertie (Bischofsplatz) und Kaufhof (Schusterstr.); City-Parkhaus (Am Kronberger Hof).
Größere Parkplätze: Rheinufer zwischen Theodor-Heuss-Brücke und Kaisertor; Balthasar-Maler-Platz (zwischen Großer und Mittlerer Bleiche); beim Südbahnhof; Tritonplatz.

Post
Hauptpost, Bahnhofstr. 2, Tel. 14 90, Nachtschalter werktags 18−21, Sa 13−20, So 8−20 Uhr; weitere Stadtpostämter: Am Brand, Kreißigstraße, An der Goldgrube, Frauenlobstraße und auf dem Forum der Johannes Gutenberg-Universität.
Postleitzahl: D−6500; *Telefonvorwahl:* 0 61 31

Restaurants
(Eine Auswahl). − SPEISEGASTSTÄTTEN:
Rheingrill im Hotel Hilton International Mainz, Tel. 24 51 29; mit Aussicht auf den schiffsbelebten Rhein, internationale Spezialitäten, Diätspeisen und -getränke. − *L'Échalote* im Central

Hotel Eden, Tel. 61 43 31; internationale Spezialitäten, Diät-speisen, Weinraritäten. – *La Poularde* im Europahotel, Tel. 63 51 52, mit Piano-Bar, exclusives Abendrestaurant. – *Rats- und Zunftstuben 'Heilig Geist'* (So abends geschl.), Rentengasse 2, Tel. 22 57 57; im ehem. Heiliggeistspital (13. Jh.; Originalge-wölbe). – *Intercity-Restaurant* im Hauptbahnhof, Tel. 23 16 63; gute Küche, Diätspeisen und Getränke, Terrasse. – *Stadt Mainz*, Große Bleiche 31–33 (Colonia-Haus), Tel. 23 41 30. – *Wienerwald*, Bahnhofplatz 4, Tel. 22 58 19; Gutenbergplatz 4, Tel. 23 16 11. – **Stadtparkrestaurant* an der Favorite (Mo ge-schl.), Karl-Weiser-Str. 1, Tel. 8 27 30; gute Küche, Café mit ei-gener Konditorei, von der Terrasse prächtiger Blick auf den Rhein, die Mainmündung und zum Taunus; eigene Parkplätze.

VEGETARISCHE KÜCHE:
Broccoli (Mo–Sa 11–15 Uhr, Mi–Sa 18–22 Uhr; So geschl.), Neubrunnenstr. 8 (im Neubrunnen-Institut), Tel. 22 21 09; wechselnde Mittagskarte.

BIER- UND SPEISELOKALE:
Brauereigaststätte Thomasbräu, Große Bleiche 29 (am Neubrun-nenplatz), Tel. 23 41 83; Diätgerichte. – *Brauhaus Zur Sonne* (So u. feiertags geschl.), Betzelsstr. 23 (beim Kaufhof; zwischen Schusterstr. und Tritonplatz), Tel. 23 16 10; Diätspeisen. – *Doctor Flotte* (So geschl.), Kirschgarten 1, Tel. 23 41 70. – *Fischrestaurant Jackob* (So u. feiertags geschl.), Fischtorstr. 7, Tel. 22 92 99. – *Fischtor*, Fischtorstr. 1, Tel. 23 42 10. – *Kar-täuser Hof*, Kartäuserstr. 14, Tel. 22 29 56. – *L'Arcade*, Leich-hof 14, Tel. 22 19 90. – *Mac Boss*, Augustinerstr. 57, Tel. 23 16 25. – *Marktschänke* (Mo geschl.), Markt 7–9, Tel. 22 48 81. – *Martinsstube* (So geschl.), Mitternacht 18, Tel. 22 16 35; auch Diätkost. – *Oscar's*, Augustinerstr. 54, Tel. 23 10 78. – *Specht* (Haus von 1557), Rotekopfgasse 2, Tel. 23 17 70. – *Zum Salvator* (Mi geschl.), Große Langgasse 4, Tel. 22 06 44; Diätgerichte. – *Zur Andau*, Gaustr. 77, Tel. 23 15 86. – *Zur Bierpumpe* (So geschl.), Frauenlobstr. 59, Tel. 61 11 71.

AUSLÄNDISCHE KÜCHE: – Chinesisch:
Happy-Garden, Münsterstr. 8, Tel. 23 44 08. – *Jade*, Am Kronberger Hof 1 (City-Parkhaus), Tel. 23 41 54. – *Lotus*, Parcusstr. 11–13, Tel. 23 16 73. – *Maling*, Gu-tenbergplatz 2 (Pavillon gegenüber dem Theater, 1. Stock), Tel. 23 16 21. – *Manda-rin*, Bonifaziusplatz 3, Tel. 67 82 26. – *Man-Wah*, Am Brand 42, Tel. 23 16 69.

– Französisch:
*Drei Lilien (Tel. 22 50 68; Di geschl.), Ballplatz 2, marktfrische Küche, mit moder-nem Bistro Drei Lilien-Keller. – **Leiningerhof* (Tel. 22 84 84; So geschl.), Wein-torstr. 6 – **Walderdorff* (Tel. 22 25 15; So u. feiertags geschl.), Karmeliterplatz 4. – Vorbestellung bei allen ratsam.

– Griechisch:
Akropolis, Münsterstr. 17–19, Tel. 23 51 07. – *Delphi,* Hintere Flachsmarktstr. 2, Tel. 22 43 43. – *Dionysos,* Germanikusstr. 4 (Am Kästrich), Tel. 57 25 11. – *Korfu,* Rheinallee 2, Tel. 67 32 42. – *Naxos,* Weintorstr. 21, Tel. 22 93 70. – *Poseidon,* Große Bleiche 19–21/Zanggasse 3–5, Tel. 22 24 03.

– Italienisch:
Como Lario, Neubrunnenstr. 7, Tel. 23 40 28. – *Cucina San Marco,* Am Stiftswingert 4, Tel. 8 29 62. – *Il Gondoliere,* Holzstr. 34 (beim Holzturm), Tel. 23 41 23. – *La Vecchia Roma,* Schottstr. 7, Tel. 63 28 28. – *Patrizier* (Sa geschl.), Schießgartenstr. 12, Tel. 22 08 53. – *Rimini* (Mo geschl.), Aliceplatz 6, Tel. 23 43 44. – *Roma,* Bahnhofstr. 6, Tel. 22 90 58. – div. Pizzerias.

– Jugoslawisch:
Lipizzaner (Di geschl.), Rheinstr. 49, Tel. 22 54 74. – *Warsteiner Stuben,* Gaustr. 2, Tel. 22 20 00. – *Zum Gutenberg,* Franziskanerstr. 5, Tel. 23 40 64.

– Thailändisch:
Chiang Mai Thai, Emmeransstr. 32, Tel. 22 66 26. – *Muangthai,* Am Winterhafen 19, Tel. 22 86 81.

AUSSERHALB: – Auf dem Lenneberg (Budenheim):
Restaurant Lenneberg (Waldgaststätte; Mo geschl.), Am *Lennebergturm,* Tel. 47 42 91; (*Aussicht).
– In Finthen:
Krone (Mo geschl.), Flugplatzstr. 3, Tel. 4 02 77. – *Traube,* Poststr. 4, Tel. 4 02 49.
– In Hechtsheim:
Zum Jägerhaus, Neue Mainzer Str. 114, Tel. 50 96 15; Gartenterrasse.
– In Hochheim am Main:
Nassauer Hof (Mi geschl.), Delkenheimer Str. 1, Tel. 0 61 46/53 26; Gartenlokal.
– In Kostheim:
Rhein-Main-Terrassen (Mo geschl.), Maaraue 21, Tel. 0 61 34/2 37 00.

WEINRESTAURANTS, WEINSTUBEN und WEINHÄUSER:

Alt-Deutsche-Weinstube (ab 16 Uhr; So geschl.), Liebfrauenplatz 7, Tel. 23 40 57. – *Gebert's Weinstuben* (ab 11.30 Uhr; Sa geschl.), Frauenlobstr. 94, Tel. 61 16 19. – *Haus des Deutschen Weines* (So geschl.), Gutenbergplatz 3–5 neben dem Theater), Tel. 22 86 76; Speiselokal (auch Diätkost) und Weinstube, mit Weinen aus allen Anbaugebieten Deutschlands, über 200 Sorten Flaschenweine, über 40 offene Weine. – *Mainzer Weinkeller* (tgl. ab 18.30 Uhr), Frauenlobstr. 14, Tel. 67 22 50. – *Römische Weinstube* im Erdgeschoß des Hotels Mainz Hilton, Tel. 24 51 25; gute Weine, deftige Speisen, gelungene Innengestaltung. – *Weinhaus Dietz* (ab 16 Uhr; Sa geschl.), Dominikanerstr. 2, Tel. 23 46 00. – *Weinhaus Erbacher Hof* (tgl. ab 15 Uhr, Sa 17 Uhr), Grebenstr. 18, Tel. 22 48 23. – *Weinhaus Hottum* (tgl. ab 16 Uhr), Grebenstr. 3, Tel. 22 33 70. – *Weinhaus Quintin* (tgl. ab 17 Uhr), Kleine Quintinstr. 2, Tel. 22 24 96; genannt 'Flehlappe' (= Tuch zum Niederknien auf dem Steinboden der St. Quintinskirche, früher vom Wirt ausgeliehen). –

Weinhaus Raugraf (ab 16.30 Uhr; Sa geschl.), Parcusstr. 1, Tel. 22 76 55. − *Weinhaus Rote-Kopf* (ab 16 Uhr; Sa geschl.), Fischergasse 3, Tel. 23 10 13. − *Weinhaus Schreiner* (ab 16 Uhr; Sa u. So auch 10−14 Uhr; Mo geschl.), Rheinstr. 38, Tel. 22 57 20. − *Weinhaus Weinel* (ab 11 Uhr; Sa geschl.), Hintere Bleiche 8, Tel. 22 39 10. − *Weinhaus Weißlilienkeller* (tgl. ab 16, Sa ab 18 Uhr), Weißliliengasse 5, Tel. 23 14 30. − *Weinhaus Wilhelmi* (tgl. ab 17 Uhr), Rheinstr. 51, Tel. 22 49 49. − *Weinhaus Zum Beichtstuhl* (ab 16 Uhr; So u. feiertags geschl.), Kapuzinerstr. 30, Tel. 23 31 20. − *Weinhaus Zum Spiegel* (ab 16 Uhr; Sa, So u. feiertags geschl.), Leichhof 1, Tel. 22 82 15. − *Weinstube am Brand* (tgl. ab 16 Uhr), Mailandsgasse 3, Tel. 23 43 04. − *Weinstube Bacchus* (ab 18 Uhr; So geschl.), Jakobsbergstr. 7, Tel. 22 42 29. − *Weinstube Lösch* (ab 16 Uhr; feiertags geschl.), Jakobsbergstr. 9, Tel. 22 03 83. − *Weinstube Templer* (tgl. ab 16 Uhr), Kapuzinerstr. 29, Tel. 22 27 00. − *Weinstube Winzerkeller* (ab 16 Uhr; So geschl.), Emmerich-Josef-Str. 9, Tel. 23 31 12. − *Zur Reblaus* (ab 18 Uhr; Sa, So und feiertags geschl.), Schottstr. 5, Tel. 61 17 98; Originalabfüllungen bekannter Weingüter, warme Küche bis 24 Uhr, Diätspeisen.

Von *Studenten* gern besucht: *Zwiebel* (ab 18.30 Uhr), Lauterenstr. 37, Ecke Fischtorplatz, Tel. 22 50 11; offene Feuerstelle, kl. Speisen, Suppen. − *Augustinerkeller,* Augustinerstr. 26, Tel. 22 26 62.

WEINPROBIERSTÄTTEN: − *Rheingauer Wein-Cabinet* am Dom, Markt 10 (beim Domeingang), Tel. 22 88 58.

Rundfunk und Fernsehen
Südwestfunk, Landesstudio Rheinland-Pfalz, Wallstr. 39, Tel. 302−1. − *Zweites Deutsches Fernsehen,* ZDF-Sendezentrum am Lerchenberg, Tel. 70-1. Zutritt nur nach Voranmeldung. − *SAT 1,* Satelliten Fernsehen GmbH, Hegelstr. 61, Tel. 380−0.

Schiffahrt
Nur im Sommerhalbjahr. − Anlegestelle und Agenturkiosk der *Köln-Düsseldorfer Deutsche Rheinschiffahrt AG* (KD, Tel. 22 45 11; vgl. Teil IX 'Der Rhein') am Adenauerufer vor dem Rathaus; Personen- und Schnellschiffe (weiße Schiffe der KD) über Koblenz nach Köln sowie nach Frankfurt (Main), Tragflügelboot "Rhein-Pfeil" zwischen Mainz und Köln. − Lokale *Motorboote* vom Fischtor nach Kostheim und Ginsheim, außerdem nach Wiesbaden-Biebrich. − *Ausflugsfahrten* zu verschiedenen Zielorten an Rhein und Main, auch Sonderfahrten mit Musik und Tanz an Bord.

Souvenirs →Einkaufen.

Spielbank
Die Spielbank Mainz befindet sich in der Rheinstraße 68, zwischen dem Hilton-Hotel und der Rheingoldhalle, Tel. 23 29 38/9; Roulette, Black Jack, Baccara u.a.; geöffnet ab 15 Uhr.

Sport
In Mainz gibt es 80 städtische oder private Sport-, Turn- oder Gymnastikhallen sowie 32 Sportplätze und 125 Tennisplätze. Stadion in Gonsenheim, Dr.-Martin-Luther-King-Weg (früher Bruchweg); *Bezirkssportanlagen* in Bretzenheim, Mombach, Laubenheim, Lerchenberg und Weisenau sowie weitere Sportanlagen in allen Mainzer Vororten; Sportzentrum auf dem Forum Universitatis. – *Freizeitgelände* am Goetheplatz (Neustadt), am Hartenberg, im Volkspark, Gonsenheimer Wald und Ober-Olmer Wald. Auskünfte über Sportvereine und weitere Sportanlagen erteilt das Sportamt der *Stadt Mainz*, Klarastr. 4, Tel. 12–2851 oder 12–25 67.

*Bäder→*dort.
Bowling: City Bowling, Am Kronenberger Hof 1; *Rhein Bowling,* Rheinallee 179.
Eislauf: Eislaufcenter, Dr.-Martin-Luther-King-Weg 19 (neben städt. Stadion), Tel. 38 10 05, Laufzeiten: Mo–Fr 9–12, 12.30–14.30, 15–18, 20–22 Uhr, Sa 9–12, 12.30–14.30, 15–18, 19–22 Uhr, So 9–12, 13–17, 20–22 Uhr.
Kegeln: Bürgerhaus Mainz-Finthen, Fontana Halle, Am Obstmarkt 24; *Bürgerhaus Mainz-Hechtsheim,* Im Heuergrund 6; *Bürgerhaus Mainz-Lerchenberg,* Hebbelstr. 2; *Kegelzentrum Weisenau,* Jakob-Anstatt-Str. 9b; *Kulturhalle Mainz-Marienborn,* An der Kirschhecke.
Minigolfanlagen im Hartenbergpark und im Volkspark.
Reiten: Reitanlagen in Gonsenheim, Hechtsheim, Laubenheim und Ebersheim.
Rollschuhbahnen im Hartenbergpark, Volkspark, auf dem Goetheplatz und der Bezirkssportanlage Mainz-Bretzenheim.
Sauna – Innenstadt: *Bienefeld Fitneß-Center,* Große Langgasse 1; *Sauna-Dampfbad im Neubrunneninstitut,* Neubrunnenstr. 8. – In Finthen: *Kornely,* Jupiterweg 33; *Sauna-Garten,* Katzenberg 9. – In Gonsenheim: *Sauna Am Lenneberg,* Finthener Landstr. 24. – In Weisenau: *Sportstudio Diehl,* August-Herber-Str. 24; u.a.
Tennis: Öffentl. Tennisplätze stehen auf der Bezirkssportanlage in Mainz-Bretzenheim, Albert-Stohr-Str. 46, Tel. 3 46 16, zur Verfügung. – *Tennishallen: An der Goldgrube,* Ebersheimer Weg 46, Tel. 5 38 62; *Karst,* Albert-Stohr-Str. 46, Tel. 3 35 75; *Mainz-Weisenau,* Jakob-Anstatt-Str. 9a, Tel. 83 24 35; *Tennis- u. Fitness-Oase,* Sertoriusring 100, Tel. 47 57 47.

Stadtführungen
Kunsthistorischer Stadtrundgang: Jeden Samstag 10 Uhr (Dauer ca. 2 Stunden) ab Verkehrsverein Mainz, Bahnhofstr. 15. – Gruppenführungen nach Vereinbarung.

Tanzlokale
Astoria-Club, Gonsenheim, An der Ochsenwiese 18, Tel. 4 16 11; – *Atrium-Bar* im Hotel Hilton International Mainz, Tel. 24 51 60; – *Evergreen,* Bauhofstr. 3a (Eltzer Hof), Tel. 22 45 94.

Taxi

Hauptstandplatz auf dem Bahnhofsplatz. – *Allgemeine Funkta-xen-Zentrale,* Kaiser-Wilhelm-Ring 2, Tel. 6 00 11. – *Taxiruf,* Tel. 6 00 11, 67 60 00, 22 71 11, 22 70 00; *Minicar,* Erthalstr. 1, Tel. 67 10 71; u.a.

Theater

Theater der Landeshauptstadt Mainz, Großes Haus (Gutenberg-platz, Tel. 12 33 65/6): Oper, Operette, Schauspiel; ferner Sin-fonie- sowie Jugend- und Kinderkonzerte. – *Theater im Guten-bergmuseum* (Liebfrauenplatz) und *Theater in der Universität* (Forum Universitatis): Kammerspiel, Boulevardtheater, zeitge-nössisches Schauspiel. – *Mainzer Forum-Theater 'unterhaus'* (gegr. 1966; Münsterstr. 5, Tel. 23 21 21): literarische Klein-kunst, Kabarett, Avantgarde und jüngstes Theater, Chansons, Songs etc. (alljährl. Verleihung des Deutschen Kleinkunstprei-ses: 'Unterhausglocke'). – *Volksbühne,* Alte Universitätsstr. 9, Tel. 22 64 65. – *Mainzer Kammerspiele,* Emmerich-Josef-Str. 13, Tel. 22 50 02: Forum zeitgenöss. Dramatik. – *Kulturzen-trum Mainz e.V.,* Dagobertstr. 20b, Tel. 22 18 04: avantgardisti-scher Jugendtreff mit regelmäßigen Live-Konzerten.

Unterhaltung →Discotheken →Kinos →Konzerte →Spielbank→ Tanzlokale →Theater.

Unterkunft→ Campingplätze →Hotels →Jugendherberge.

Verkehr →Auto →Bahnhof und Bahnreise →Fahrradverleih → Flughafen und Flugreise →Öffentliche Verkehrsmittel →Schiff-fahrt →Taxi.

Zeitungen

Tageszeitungen: AZ/Allgemeine Zeitung/Mainzer Anzeiger mit Wochenbeilage "rtv" im Rahmen der Zeitungsgruppe Rhein-Main-Nahe; *Mainzer Rhein-Zeitung.* – *Mainzer Wochenblatt.* – *Blitz-Tip.* – **Monatsschriften:** *Mainz, Vierteljahreshefte* für Kul-tur–Politik–Wirtschaft–Geschichte der Stadt Mainz; *Mainz und seine Altstadt* (ca. alle drei Monate); *Forum,* Offizieller Ver-anstaltungskalender Mainz–Wiesbaden.

II. GESAMTBILD UND GESCHICHTE

Mainz (50° nördl. Breite, 8°16′26′′ östl. Länge; 82−245 m ü.d.M.), die Hauptstadt des deutschen Bundeslandes Rheinland-Pfalz und Universitätsstadt, alter Kurfürsten- und Erzbischofssitz mit großer geschichtlicher Vergangenheit, liegt breit hingestreckt am *Rhein,* und zwar am linken Ufer des Flusses, der sich von hier in einem Knie von Südosten nach Nordwesten wendet, und in den hier von Osten der *Main,* sein größter Nebenfluß, mündet. Mainz erfreut sich einer geographisch äußerst günstigen Mittellage in dem fruchtbaren *Mainzer Becken* (eine tertiäre Senke), dem nördlichen Teil der Oberrheinischen Tiefebene, wo sich das Rheinhessische Hügelland von Süden und der Taunus von Norden an den Rhein heranschieben, und bildet den westlichen Schwerpunkt des Rhein-Main-Wirtschaftsraumes.

Das MAINZER STADTWAPPEN zeigt zwei je sechsspeichige, durch ein Kreuz verbundene, schräg von oben links nach unten rechts gestellte silberne Räder auf rotem, unten rundem Schild.

Einer volkstümlichen Legende zufolge soll Erzbischof Willigis, angeblich der Sohn eines Wagners, das Rad zum Trotz gegen die Adligen als Wappen angenommen haben. Eine archäologische Hypothese sieht in dem Wappenrad die Fortführung des Sonnenrades des keltischen Gottes Mogo, zumal sich auf römischen Steinen aus dem Mainzer Raum oft ein Rad findet. Die christliche Deutung des aus dem Christusmonogramm entwickelten Rades beruft sich auf Radmotive der Münzen des Mainzer Erzstiftes (10.−13. Jh.). − Der Radschild – ein einzelnes silbernes Rad mit 5−8 Speichen in rotem Grund – war seit dem 13. Jh. das Wappen des Mainzer Erzstiftes und Kurstaates. Für die Stadt verdoppelte man das Rad und fügte ein Kreuz als Verbindung zwischen die beiden zuerst senkrecht stehenden Räder (14. Jh.). Das Doppelradwappen bestand bis zur Französischen Revolution, wurde 1792 zunächst abgeschafft, 1811 mit napoleonischen Zeichen versehen und hatte dann verschiedene Übergangsformen, bis es Großherzog Ernst Ludwig von Hessen 1915 der Stadt in der Form des 16.−18. Jhs. neu verliehen.

Das Mainzer S t a d t b i l d ist geprägt durch den Rheinstrom, von dem die türmereiche alte Stadt amphitheatralisch zu einem Höhenkranz ansteigt, der sie als natürlicher Festungsring im Südwesten umschließt. An die innere Stadt mit dem Dom und der verwinkelten Altstadt sowie dem weiträumiger bebauten Geschäfts- und Verwaltungsbereich schließt im Nordwesten die regelmäßig angelegte Neustadt mit einem ausgedehnten Industriegebiet und den Wirtschaftshäfen. Auf den Anhöhen im Süden und Westen umzieht den Stadtkern ein Grüngürtel mit eingestreuter Bebauung im Verlauf der

ehem. Festungsanlagen, jenseits dessen neuere Siedlungen und ein-
gemeindete Orte liegen. Darüber hinaus reihen sich – wie eine Faust
mit ausgestrecktem Daumen (vgl. Übersichtskarte S. 1) ins rheinhessische Hinterland hineinragend – z.T. erst in jüngster Zeit einge-
meindete Vororte, die in den alten Ortskernen noch ihr ländliches
Gepräge bewahrt haben und durch die südliche Hälfte des Mainzer
Autobahnringes untereinander verbunden werden (Stadtgebiet:
97,68 qkm; 1939: 93,12 qkm). – Die industriereichen Vorstädte auf
dem rechten Rheinufer (1939 über die Hälfte der Stadtfläche) – durch
drei Straßen- und zwei Eisenbahnbrücken verbunden – wurden durch
die politische Neuordnung nach dem Zweiten Weltkrieg abgetrennt
und dem Lande Hessen zugeschlagen. So kamen Gustavsburg und
Ginsheim (heute Ginsheim-Gustavsburg) und Bischofsheim zum
hessischen Landkreis Groß-Gerau, Amöneburg, Kastel und Kostheim (AKK) werden von der hessischen Landeshauptstadt Wiesbaden, mit der über die Landesgrenzen hinweg feste Bande bestehen
(1967 Nachbarschaftsvertrag; Energie- und Nahverkehrsverbund),
treuhänderisch verwaltet.

Trotz wiederholter Belagerungen der einstigen Festungsstadt in
früheren Jahrhunderten und den verheerenden Zerstörungen des
Zweiten Weltkrieges besitzt Mainz in seinen sakralen und profanen
Bauten noch zahlreiche eindrucksvolle Zeugen einer glanzvollen
Vergangenheit. Nach mühsamer Wiederaufbauarbeit in der Nach-
kriegszeit kann die Stadt heute eine ansehnliche Reihe von gelunge-
nen Wiederherstellungen und Neubauten vorweisen. – Die schönsten
Panoramablicke auf die Stadt bieten sich einerseits vom rechten
Rheinufer bzw. von der südlichen Eisenbahnbrücke (auch für Fuß-
gänger und Radfahrer) und andererseits von der Höhe des Kästrichs
(Kupferberg-Terrasse) oder des Windmühlenberges bei der Zitadelle.

Das Mainzer K l i m a ist bei ergiebiger Sonnenbestrahlung und
geringen Niederschlägen sehr mild. Das Mainzer Becken gehört zu
den wärmsten und trockensten Gegenden Deutschlands. Infolge der
sich in den Wintermonaten über der Rheinebene häufig bildenden,
gegen Abstrahlung schützenden Wolkendecke hat Mainz jahres-
durchschnittlich nur rund 60 Frosttage (Berlin 85). Im Sommer
herrscht geringere Bewölkung, wodurch die Erwärmung begünstigt

wird, und es kommt zu der relativ großen Zahl von etwa 40 Sommer-
tagen mit mindestens 25°C (Berlin 34). Die Lufttemperaturen be-
tragen im Jahresmittel 10°C; der wärmste Monat ist der Juli (19°C),
der kälteste der Januar (1°C). Die jährliche Gesamtniederschlags-
höhe beträgt durchschnittlich nur 515 mm (Berlin 540, Hamburg
740 mm). – Als Relikt aus der asiatisch-europäischen Steppenzeit er-
weist sich der Mainzer Sandbruch mit seiner eigenartigen, für diese
Breiten ungewöhnlichen *Steppenflora.*

Dank seiner geographischen Zentrallage ist Mainz für den V e r -
k e h r vorbildlich erschlossen. Man erreicht die Stadt zu Lande
sowohl mit der *Eisenbahn* (elektrifizierte Hauptstrecken auf beiden
Ufern von Rhein und Main, Lokalbahn aus dem rhein-hessischen
Hinterland; zwei Eisenbahnbrücken über den Rhein; Transportleitzentrale der Deutschen Bundesbahn, früher DB-Direktion; Container-
Bahnhof) als auch auf mehreren *Bundesautobahnen* (in den geschlossenen Umgehungsring münden die A 60 vom AB-Dreieck Rüssels-
heim bzw. von Bingen und die A 66, der ehem. Rhein-Main-Schnell-
weg, vom AB-Kreuz Wiesbaden; A 63 von Alzey; zwei Autobahn-
brücken über den Rhein; Zubringer ins Zentrum z.T. auf Schnellstra-
ßen) und *Bundesstraßen* (B 9, linksrheinisch; B 40 von Frankfurt/M.
bzw. Kaiserslautern, Straßenbrücke über den Rhein; B 42 rechtsrhei-
nisch; B 455 aus dem Taunus; Stadtkerntangenten; zweite Rheinbrükke geplant). – Von größter Wichtigkeit für den Güterverkehr ist der
Rhein, Europas meistbefahrene Wasserstraße (Häfen; Wasser- und
Schiffahrtsdirektion; Rheinpegel), dem hier der ebenfalls verkehrsreiche *Main* (Rhein-Main-Donau-Großschiffahrtsweg im Ausbau) zu-
fließt und auf dem während des Sommerhalbjahres auch Passagier-
schiffe verkehren (internat. Fernlinie Basel–Rotterdam; klassische
Rheinfahrt Mainz–Koblenz–Köln; lokale Verbindungen zu den nä-
heren rechtsrhein. Uferorten; auch Mainfahrten). – Nur rund 30 km
östlich von Mainz entfernt liegt der interkontinentale *Rhein-Main-
Flughafen,* der größte und wichtigste Lufthafen Deutschlands, zu dem
direkte Schnellverbindungen (S-Bahn, Autobahn) bestehen. Die lo-
kalen Flugplätze bei Mainz-Finthen und Wiesbaden-Erbenheim dienen z.Z. fast ausschließlich militärischen Zwecken (US Aviation).

Als rheinland-pfälzische L a n d e s h a u p t s t a d t ist Mainz Sitz
der Landesregierung, des Landtags, zahlreicher Landesbehörden,
Landesämter, Landesanstalten, -verbände, -vereine und -kammern
sowie der Landeszentralbank, des Landesrechenzentrums, der Süd-
deutschen Eisen-und-Stahl-Berufsgenossenschaft und eines Bun-
deswehrbereichskommandos (auch wichtiger Standort US-ameri-
kan. Militärs). − Als selbst kreisfreie Großstadt mit rund 188 000
Einwohnern ist Mainz ferner Sitz der Verwaltung des 1969 gebilde-
ten Kreises Mainz-Bingen (522 qkm), der entsprechenden Gerich-
te, eines katholischen Bischofs (vgl. Geschichte), eines evangelischen Propstes und einer jüdischen Gemeinde.

EINWOHNERZAHLEN

1450	5 500	1848	40 000	1925	108 500	1954	112 000
1600	20 000	1875	50 300	1930	131 000	1961	134 400
1792	32 000	1890	64 000	1935	144 000	1967	150 000
1814	23 000	1904	76 900	1945	45 000	1970	177 000
1834	32 000	1911	110 600	1947	78 200	1975	185 200

1987 betrug die Einwohnerzahl der Stadt Mainz 187 688, davon rund 20 000
Ausländer. Konfessionelle Anteile: 49,6 % römisch-katholisch, 31,6 % evan-
gelisch, 0,2 % freireligiös, 5,3 % Sonstige, 13,3 % ohne Angaben.

Das K u l t u r l e b e n der Stadt wird in erster Linie durch die 1946
neu gegründete, alle herkömmlichen Fakultäten sowie etliche neuge-
schaffene Fachbereiche umfassende *Johannes-Gutenberg-Universität*
und diverse andere wissenschschaftliche Institute geprägt. Neben den
gewohnten Grund-, Haupt-, Ober-, Berufs-, Fach- und Privatschulen
seien das Bischöfliche Priesterseminar, das Peter-Cornelius-Konser-
vatorium, die Landesfachhochschule mit den Abteilungen Mainz I (In-
genieurwesen, Design) und II (angewandte Wirtschaftswissenschaften) sowie das Institut Français und die Deutsch-Französische Gesellschaft hervorgehoben. Mainz hat mehrere Museen von überregionaler
Bedeutung, wichtige Bibliotheken und einige Kunstgalerien, besitzt
ein traditionsreiches und reges Theater- und Musikleben und ist Sitz
der Akademie der Wissenschaften und der Literatur sowie der Internationalen Gutenberg-Gesellschaft. Auch sei auf die zahlreichen, vorwiegend im Dienste der Sozialarbeit stehenden Klöster hingewiesen.
Seit 1951 unterhält der *Südwestfunk* in Mainz ein Landesstudio für den
Hörfunk, seit 1966 auch für das Fernsehen; das *Zweite Deutsche Fernsehen* hat seit seiner Gründung (1961) seinen Anstaltssitz in Mainz. −
Neben der altbekannten Tageszeitung *Allgemeine Zeitung* (AZ), der
'Mutter' der FAZ, werden in der Mainzer Verlagsanstalt (MVA) die
Fachblätter "Die Tabakzeitung" und "Tabak Journal International"
publiziert; des weiteren erscheinen in Mainz die Monatsschrift "Dia-
betes-Journal" (Kirchheim-Verlag), die Kunstzeitschriften "KUNST-
magazin" (früher "Magazin KUNST"), "Das Kunstjahrbuch" (beide
Alexander-Baier-Presse) und "Kunstform International" (D. Becht-

loff), die Kulturzeitschrift "Kunst aktuell" (Kultusministerium und Landesbank Rheinland-Pfalz) sowie mehrere Fachzeitschriften in dem renommierten Musikverlag B. Schott's Söhne, der noch eine Noten-handstecherei unterhält. Die Stadt Mainz gibt seit 1981 die Zeitschrift „Mainz. Vierteljahreshefte für Kultur, Wirtschaft, Geschichte" heraus. Seit 1987 erscheint als neue Tageszeitung die „Mainzer Rhein-Zeitung". Mainz ist Sitz der Arbeitsgemeinschaft deutschsprachiger Kulturzeitschriften. Auch eine Reihe namhafter *Buchverlage* ist in Mainz ansässig: Dessart, Eggebrecht, v. Hase & Koehler, Kirchheim, Hermann Schmidt, Krausskopf, Florian Kupferberg, Mathias Grüne-wald, Rheingold, Will & Rothe, Philipp v. Zabern u.a. – Die Mainzer Firma *Frenz* (1868 als 'Annoncen-Expedition' gegr.) ist vermutlich die älteste deutsche Werbeagentur.

MAINZER PARTNERSTÄDTE

Dijon in F r a n k r e i c h; alte burgundische Hauptstadt (röm. *Divio*), heute Hauptort (150 000 Einw.) des ostfrz. Département Côte d'Or; Universitäts-und Bischofssitz, mit reichen Kunstdenkmälern; Weinhandel, Industrie.

Watford in E n g l a n d; Industriestadt (Druckerei; 80 000 Einw.) in der süd-englischen Grafschaft Hertford, ca. 25 km nordwestlich vom Londoner Stadt-zentrum.

Zagreb (*Agram*) in J u g o s l a w i e n; alte Hauptstadt von Kroatien, mit 580 000 Einw. die zweitgrößte Stadt Jugoslawiens; Erzbistum, Universität; In-dustrie.

Valencia in S p a n i e n; mit 650 000 Einwohnern die drittgrößte Stadt des Lan-des (Industrie, Handel, Hafen, Stierkampf). Von den Griechen gegründet, war Valencia im Mittelalter Hauptstadt eines Königreiches; mildes, trockenes Klima.

Haifa in I s r a e l; mit 250 000 Einw. die drittgrößte Stadt Israels und Zentrum der Schwerindustrie sowie des internationalen Handels; erstmals im 3. Jh. ge-nannt; seit jüdischer Einwanderung im 19. Jh. erfuhr die Stadt eine stete Auf-wärtsentwicklung; Universität.

Erfurt (200 000 Einw.), heute Hauptstadt des gleichnamigen DDR-Bezirkes. Die historische Verwandtschaft zwischen beiden Städten ist noch am Erfurter Wappen zu erkennen, das eines der beiden Mainzer Räder zeigt und damit an den weitreichenden Einfluß des Mainzer Kurstaates erinnert.

Die Verbundenheit mit der alten deutschen Hauptstadt **Berlin** dokumentiert sich in der 1959–64 erbauten *Berliner Siedlung* südlich vom Rodelberg sowie dem *Berliner Meilenstein* an der Auffahrt zur Theodor-Heuss-Brücke, der den Berliner Bären und die Aufschrift "BERLIN 563 km" zeigt.

FAHRZEUGE mit dem Namen "Mainz". – *Kreuzer "Mainz"* (4350 BRT) der Deutschen Kriegsmarine; sank zusammen mit zwei weiteren Kreuzern und einem Torpedoboot am 28. August 1914 bei einem Seegefecht mit britischen Kriegsschiffen in der Nordsee vor Helgoland, wobei alle 183 Besatzungsmit-glieder (unter Kap. z. S. Wilh. Paschen) ums Leben kamen. Gedenkobelisk am Rheinufer (Fischtor). – *Motorschiff "Mainz"* (3200 BRT), ein Fischfang-fabrikschiff (Hecktrawler) mit Heimathafen Bremerhaven. – *Tankmotorschiff "Mainz"* der Mineralölgesellschaft Esso. – *Fahrgastschiff "Mainz"*, Schaufelrad-dampfer der Köln-Düsseldorfer Rheinschiffahrt. – *Europa-Jet "Mainz"*, Mittel-streckenflugzeug vom Typ Boeing 727 der Deutschen Lufthansa. – *Hub-schrauber "Mainz"*, Militärhelikopter der in Mainz-Finthen stationierten US-Luftstaffel '295th Aviation Company'.

Die **Mainzer Fastnacht** (mundartlich 'Määnzer Fassenacht'; Gruß: "Heláu", wobei die rechte Hand an die linke Schläfe geführt wird) ist das größte, von allen Schichten der Bevölkerung mit echter Anteilnahme und Begeisterung begangene Volksfest. „Närrische Generalversammlungen" finden am 11. 11. statt. Die sogen. K a m p a g n e beginnt am 1. 1., öffentliche Veranstaltungen finden ab Neujahr statt und gipfeln in den drei 'tollen' Tagen vor dem Aschermittwoch.

Der Ursprung des Fastnachtstreibens ist ungewiß. Die Bezeichnung *Karneval* kommt nach Deutschland erst im 19. Jh. aus dem italienischen 'carnevale' (= etwa 'das Entfernen der Fleischkost zur Fastenzeit'). Erste genauere Berichte über die Mainzer Fastnacht gehen wohl ins 15. Jh. zurück. Die Form, in der sie heute gefeiert wird, wurde 1837/38 gefunden, als man den ersten *Rosenmontagszug* und die erste *Sitzungsfastnacht* organisierte.

Träger der zahllosen Fastnachtsveranstaltungen (Sitzungen, meist unter Leitung eines 'Präsidenten', z.T. nur für Herren, mit Büttenreden – hier 'Vorträge' –, musikalischen, kabarettistischen und Balletteinlagen; Kostüm- und Maskenbälle; Straßenumzüge mit großen Motiv- und Prunkwagen, Musikkapellen, Tanzgruppen, Reitern, überdimensionalen 'Schwellköpfen' u.v.a.; Kappenfahrten) sind außer den Karnevalsvereinen, -gesellschaften, -korporationen mit ihren 'Komitees' die *Garden*, die in meist prächtige Phantasieuniformen (urspr. zur Verulkung des Militärs) paradieren. Während der Kampagne 'regiert' neben dem *Komitee* nur bei besonderen Anlässen ein *Fastnachtsprinzenpaar* die Stadt. Bei den großen Umzügen (1978 war der Rosenmontagszug 7 km lang!) der letzten Fastnachtstage werden von den vorbeifahrenden Wagen in großen Mengen Süßigkeiten und kleine Geschenke unter das lärmende Narrenvolk geworfen; auch wird auf den Straßen getanzt.

Jedes Jahr entstehen neue K a r n e v a l s s c h l a g e r, die sowohl von Solisten als auch von Gruppen vorgetragen werden. Als Interpreten vor allem durch Rundfunk, Fernsehen und Tonträger überall im deutschsprachigen Raum bekannt geworden sind der Mainzer Dachdeckermeister *Ernst Neger* (geb. 1909) mit dem zum festen Fastnachtsliederrepertoire gehörenden "Heile, heile Gänsje", Margit Sponheimer, die *Mainzer Hofsänger* und die *Gonsbach-Lerchen.* Bei allen erdenklichen Gelegenheiten intoniert man den „Narrhalla-Marsch", den sein Komponist, der österreichische Militärkapellmeister *Carl Zulehner,* 1839 erstmals spielen ließ (Textbeginn: „Ritz am Baa, Ritz am Baa, morje fängt die Faßnacht aa...").

„Das Narrenschiff" Teil des Fastnachtsbrunnens (s. S. 93)

"Heile, heile Gänsje,

's is bald widder gut,

's Kätzje hot e Schwänzje,

's is bald widder gut,

heile, heile Mausespeck,

in hunnert Jahr is alles weg!"

Beliebtes Mainzer Fastnachtslied, von Martin Mundo.

Die *Farben* der Mainzer Fastnacht sind Rot-Weiß-Blau-Gelb. Aktive Fastnachter tragen eine *Narrenkappe* mit Schellen an den Zipfeln. Für besonders närrische Leistungen werden *Fastnachtsorden* verliehen. Zwei typisch Mainzer Fastnachtsfiguren sind der den Beginn der närrischen Zeit ankündigende *Bájaß mit Laterne* und der das Zeitgeschehen in Narrenfreiheit kritisierende *Till*. Im Jahr 1843 war erstmals die Mainzer Fastnachtszeitung „Narhalla" erschienen; 1967 wurde der *Fastnachtsbrunnen* auf dem Schillerplatz enthüllt; 1972 gründete man ein *Fastnachtsarchiv*, für das noch ein geeigneter Ausstellungsraum gesucht wird.

Die bekanntesten MAINZER GARDEN sind die Ranzengarde (gegr. 1837), die Kleppergarde (1856), die Prinzengarde (1884), die Garde der Prinzessin (1886), die Freischützengarde (1901), die Burggrafengarde (1948), die Husarengarde (1951), die Füsiliergarde (1953) u.a. – Die beiden führenden FASTNACHTSVEREINE sind der *Mainzer Carneval-Verein* (MCV; gegr. 1838) und der *Mainzer Carneval-Club* (MCC; 1899), altbekannt sind auch die Haubinger (1857), der Gonsenheimer Carneval-Verein (1892), der Carnevalverein 'Eiskalte Brüder' (1893) und der Mainzer Narren-Club.

Hauptveranstaltungen der Fastnachtszeit s. Jahreskalender.

W i r t s c h a f t (Industrie- und Handelskammer, Handwerkskammer am Ort). – Mainz ist von altersher einer der Hauptplätze für den rheinischen *Weinhandel* (Staatl. Weinbaudomänenverwaltung) mit zahlreichen Wein- und Sektkellereien (Kupferberg, Karolus, Burg Weisenau; Weinbrennereien und Spirituosenfabriken in der Umgebung), ferner Mittelpunkt der regionalen Obst- und Gemüsegärtnerei, deren Ernten in der für diesen Raum bedeutenden Großmarkthalle umgeschlagen werden. Aus dem Bereich der *Nahrungs- und Genußmittel* sind des weiteren zu nennen die Bierbrauereien Binding (früher MAB = Mainzer Aktien-Bier) und Zur Sonne, das deutsche Nestléwerk (Nescafé, Nesquik), die Gewürzfabriken der Moguntia-Werke sowie die Ölmühlen Jb. Schmidt Söhne und Soya. – In den letzten Jahrzehnten hat sich die *Industrie* zu einem höchst bedeutsamen Wirtschaftsfaktor entwickelt, in der Produktionsstätten für Wissenschaft und Haushalt im Jenaer Glaswerk Schott & Gen. chemische Erzeugnisse und Metallverarbeitung vorherrschen. Erwähnung verdienen hier die Fertigung von Spezialgläsern für Technik, (eine der bedeutendsten Glashütten der Welt; seit 1951/52 in Mainz) sowie von Autobussen und Spezialfahrzeugen bei Magirus-Deutz (Hauptwerk in Ulm); die Herstellung von Baustoffen (Heidelberger Zement, Dyckerhoff), von Zahnpflegemitteln und Kosmetika (Blendax, M. Astor u.a.), von Pflegemitteln für Schuhe, Leder, Böden, Möbel, Öfen und Autoteile (Werner & Mertz: Erdal, Rex, Solitär, Tanal, Glänzer u.a.), von Kunststoffen (Resart), Farben und Lacken (u.a. zur Straßenmarkierung), Pharmazeutika (Novo), Industriechemikalien (Degussa), Hygienepapieren (Hakle = Hans Klenk) sowie Schreibpapier und Bürobedarf (MK = Max Krause, jetzt Gutenberg). Der multinationale IBM-Konzern betreibt ein großes Werk für Computer (EDV-Anlagen) und Büromaschinen. Ferner gibt es Fabriken für Maschinen- und Werkzeugbau, für Aufzüge, Sondermaschinen, Glasapparaturen, Behälter und Verpackungen, feinmechanische Geräte sowie für Rundfunk- und Fernsehtechnik. Weit über die Grenzen des Landes hinaus bekannt sind die Erzeugnisse der Rheinischen Musikinstrumenten-Fabrik Gebr. Alexander (v.a. Blechblasinstrumente, 'Wagner-Hörner'). Die einst bekannte Möbeltischlerei ist nicht mehr bedeutsam; der früher berühmte Geigenbau (Blütezeit der 'Diehl'-Instrumente im 18./19. Jh.) wird nicht mehr betrieben. – Hier muß auch auf die großen Industrieanlagen hingewiesen werden, die sich zwar nicht (mehr) auf Mainzer Stadtgebiet, jedoch in unmittelbarer Nähe befinden: Chemische Werke Kalle in Biebrich, Albert und Dyckerhoff in Amöneburg, Gaszählerfabrik Elster in Kastel, Papier- und Zellstoffwerke Apura sowie Linde-Werke (Eismaschinen, Hausgeräte) in Kostheim, MAN (Brücken- und Maschinenbau) in Ginsheim-Gustavsburg, chemische Fabriken und Glashütten (Sekt- und Weinbrandflaschen) in Budenheim.

Als Handelsplatz steht Mainz im Wettbewerb mit Wiesbaden und Frankfurt am Main. Als nach Mannheim/Ludwigshafen wichtigster Umschlagplatz am Mittelrhein verfügt Mainz über ansehnliche, gegen Ende des 19. Jhs. erbaute und nach 1945 ausgebaute *Hafenanlagen* (Zoll- und Binnenhafen sowie Industrie- und Stromhafen im Nordwesten, kleiner Winterhafen im Süden der Stadt; Rheinhäfen bei Kastel und Gustavsburg, Mainhäfen bei Kostheim). Der Güterumschlag an den insgesamt ca. $2^1/_2$ km langen Kaianlagen der linksrheinischen Mainzer Häfen betrug 1987 rund 3,5 Mio. t (1938: 0,77 Mio. t). – Nach dem Zweiten Weltkrieg war Mainz auch ein wichtiger *Werftplatz* geworden (Rheinwerft in Mombach, 1976 stillgelegt; Schiffswerft in Gustavsburg; Ruthof-Werft in Kastel 1975 stillgelegt).

Kleine Weinkunde

Neben seinen landschaftlichen Reizen hat das Rheinland vor allem dem hier angebauten Wein seinen Weltruf zu verdanken. Die besten Weine gedeihen im Rheingau und auf verschiedenen Gemarkungen von Rheinhessen; die Sorten zeichnen sich durch Güte und Charakter aus. Dies liegt nicht zuletzt daran, daß die Bearbeitung der Weinberge und die Behandlung des Weins kaum anderswo so sorgfältig durchgeführt wird wie im Rheinland. Die volle Reife, welche die Weintraube hier erreicht, verdankt sie nicht nur den hohen Sommertemperaturen und dem Überwiegen sonniger Tage, sondern auch dem zeitigeren Frühjahr und den warmen Herbsttagen. Von ausschlaggebender Bedeutung ist auch die Bodenbeschaffenheit. – Die Weinrebe wuchs in Deutschland ursprünglich wild, und den Weingenuß sollen schon griechische Händler am Rhein bekanntgemacht haben. Der durch die Römer dann weit verbreitete Weinbau verfiel nach deren Abzug wieder; er wurde erst im Mittelalter von Klöstern und Kirchen erneut aufgenommen und im Rheinland heimisch gemacht. Naturreinen, ungewürzten Wein weiß man jedoch erst seit dem beginnenden 19. Jh. zu schätzen.

In mühsamer Arbeit haben die Winzer durch den Bau von Mauern und das Hinaufschaffen von fruchtbarer Erde an den vor kalten Nordwinden geschützten Südhängen die terrassenförmigen Weinberge geschaffen, in denen sich durch sorgfältige Zuchtwahl die besten K e l t e r t r a u b e n entwickelten: für Weißwein der kleinbeerige *Riesling* (in allen guten Lagen angebaut), daneben *Silvaner* und *Müller-Thurgau* sowie für Rotwein (nur in wenigen Lagen) *Burgunder* und *Portugieser,* die mit der Schale vergoren werden, um die Farbe zu erhalten. Durch Aufpfropfen der Edelreiser auf die reblausimmunen amerikanischen Unterlagsreben gelang es Anfang des 20. Jhs., den deutschen Wein vor der Reblaus zu schützen. – Alle 20-50 Jahre müssen die Weinberge erneuert werden, die jungen Pfropfreben entwickeln sich dann in 3-4 Jahren zu tragfähigen Weinstöcken.

Nach der W e i n l e s e (Oktober) werden die Trauben gemahlen und gekeltert, der entstehende *Most* beginnt bald zu gären und ist als 'Sauser', später als 'Federweißer' geschätzt. Wenn sich die Hefe abgesetzt hat, und der Wein sich klärt (Mitte bis Ende November), wird er vom Trub abgezogen, geschwefelt und in frische Fässer gefüllt, die man spundvoll hält. Im Frühjahr wird er dann geschönt, gefiltert und im Laufe des Sommers oder Herbstes auf Flaschen gezogen. Traubenmoste aus geringeren Lagen werden in ungünstigen Jahren verbessert, d. h. mit Zucker versetzt. Gut ausgebaute Weine halten sich 10-20 Jahre, nehmen aber mit der Zeit eine Altersfirne an, die nicht jedem zusagt. Es besteht der Brauch, Rheinweine in braunen Flaschen zu liefern (Mosel- und süddeutsche Weine in grünen). – Im Gegensatz zu Südeuropa, wo die Sonne den Wein alljährlich geraten läßt, wechselt die Güte der J a h r g ä n g e in den Rheinlanden in hohem Grade. Die besten Weinjahre unseres Jahrhunderts waren 1900, 04, 11, 17, 21, 25, 29, 37, 42, 45, 47, 49, 53, 59, 61, 66, 69, 71, 73, 76; doch haben die Zahlen keine unbedingte Geltung für das ganze Weingebiet.

Nach dem neuen bundesdeutschen **Weingesetz von 1971** werden die Weine nicht mehr nach Lagen, sondern allein nach ihrem Mostzuckergehalt eingestuft. Es gibt nunmehr d r e i G r u n d q u a l i t ä t s k l a s s e n : *Tafelwein* ist einfacher Tischwein ohne jede Nachweispflicht; *Qualitätswein* muß aus bestimmten 'Gebieten' stammen, ein Mindestmostgewicht haben und eine Prüfnummer führen; *Qualitätswein mit Prädikat,* die traditionellen Spitzenweine, denen kein Zucker zugesetzt werden darf, mit herkömmlichen, jedoch jetzt genau festgelegten Bezeichnungen (Prädikate) in der Rangfolge 'Kabinett', 'Spätlese' (aus spätgelesenen, vollreifen Trauben), 'Auslese' (nach Aussonderung nicht einwandfreier Trauben), 'Beerenauslese' (nur aus überreifen oder edelfaulen Beeren), 'Trockenbeerenauslese' (aus sehr spät gelesenen und durch Edelfäule eingeschrumpften Beeren) und 'Eiswein' (aus bei Lese und Kelterung gefrorenen Beeren).

Die R h e i n g a u e r W e i n e (3500 ha Rebfläche), die besonders auf dem kalihaltigen, leicht verwitterten Serizitschiefer der älteren Gebirgsschichten und auf tertiärem Cyrenenmergel gedeihen, gehören zu den berühmtesten Weißweinen der Welt. Ihr Geschmack wird als fruchtig, würzig und bukettreich bezeichnet. *Steinberger, Johannisberger, Rüdesheimer, Erbacher, Rauenthaler, Kiedricher, Winkeler* und *Hochheimer* zählen zu den edelsten Sorten; aber auch aus *Eltville, Geisenheim, Hallgarten, Hattenheim, Lorch, Martinsthal, Niederwalluf, Oestrich* und *Mittelheim* kommen erstklassige Gewächse; bei *Assmannshausen* gedeiht einer der bekanntesten deutschen Rotweine.

Die R h e i n h e s s i s c h e n W e i n e (21 000 ha Rebfläche) zeichnen sich in den ersten Lagen an der Rheinfront nicht weniger aus als die Rheingauer. Sie verbinden einen heiteren, duftigen Charakter mit einer harmonischen Säure. Die Vielfalt der Bodenarten erzeugt einen großen Reichtum an Geschmacksrichtungen. Die Wormser *Liebfrauenmilch,* deren wohlklingender Name zugleich Gattungsbegriff für ähnlich milde und gute Weine anderer Gegenden

Rheinhessens geworden ist, fehlt auf keiner guten Weißweinkarte. Sie wächst auf Lößböden, dem weite Landstriche ihre Fruchtbarkeit verdanken. Die am Rhein gelegenen Orte geben den führenden Sorten ihre Namen: *Wormser, Bechtheimer, Alsheimer, Guntersblumer; Oppenheimer* und *Dienheimer* gedeihen auf kalkhaltigem Cerithienboden, das kalireiche Rotliegende bringt den berühmten *Niersteiner* und den *Nackenheimer* hervor, nördlich schließt sich der *Bodenheimer* und der *Laubenheimer* (jetzt ein 'Mainzer') an; der bekannte *Ingelheimer Rotwein* wächst auf Cyrenenmergel und Flugsand, Weißwein dort und bei *Gau-Algesheim* auf Corbicula-Kalkschichten. Von ganz anderer Art ist der feurige *Binger Scharlachberg,* der mit weiteren guten Lagen wie der *Eisler* und *Kempter* an den Hängen des Rochusberges auf verwittertem Schieferquarzit reift. Das Innere Rheinhessens besitzt namhafte Weine bei *Alzey, Gau-Bickelheim* und im Selztal; im übrigen liefert das Hügelland auf schweren Mergel- und Kalkböden einen eher würzigen Landwein, der im Südwesten auf kalkhaltigem Quarzitporphyr besonders bukettreich wird.

SCHAUMWEIN. – Im Gegensatz zu den stillen enthalten die moussierenden Weine viel gelöste Kohlensäure und je nach Geschmack Zusätze von in Wein gelöstem Kandiszucker ('Likör'). Verwendet wird meist ein Verschnitt (Cuvée) sorgfältig ausgesuchter Weine, den man in größeren Fässern herstellt. Nach längerer Faßlagerung wird der Wein unter Zusatz von Reinzuchthefe und Zucker auf starkwandige Flaschen gezogen, in denen sich dann in gleichmäßig temperierten Kellern während 6–8 Wochen die zweite Gärung und die eigentliche Reife vollziehen. Schließlich wird die Hefe ausfiltriert oder nach herkömmlicher Art degorgiert: Nach einer Erfindung der berühmten Veuve Cliquot steckt man die Flaschen mit dem Kopf nach unten in Rüttelpulte; mehrere Wochen lang wird dann jede einzeln täglich ein kleines Stück gedreht und leicht gerüttelt, wobei sich die Hefe auf den Korken senkt, mit dem sie leicht zu entfernen ist. Der Sekt wird dann entweder in dieser Form ('nature', 'brut' = strengherb) oder mit Zuckerzusatz ('extra sec', 'extra dry' = sehr trocken, d.h. sehr herb; 'sec', 'dry' = leicht süß; 'demi-sec' = süß; 'doux' = sehr süß) trinkfertig gemacht, jedoch erst nach weiterem mehrmonatigem Lagern versandt. – Schaumweine (franz. 'vins mousseux') werden seit einigen Jahrhunderten hergestellt, doch kommt das Hauptverdienst *Dom Pérignon* (1631–1715), einem Pater Kellermeister der Abtei Haut-Villers in der Champagne, zu, der u. a. einen druckfesten Flaschenverschluß erfand. Der Name C h a m p a g n e r (franz. 'Champagne'), der nur ganz bestimmten französischen Schaumweinen aus der Champagne zusteht, kam erst in den Revolutionskriegen (1793–1815) auf, als fremde Heere in der Champagne standen. – Die Bezeichnung S e k t (von italien. 'secco' = trocken) für in Deutschland hergestellten Schaumwein soll auf den Schauspieler *Ludwig Devrient* (1784–1832) zurückgehen. Daß sich aus deutschen Weinen Schaumwein herstellen läßt, wurde 1826 entdeckt, doch nahm die Sektproduktion in Deutschland erst gegen Ende des 19. Jhs. einen größeren Aufschwung. Bedeutende Sektkellereien befinden sich in Wiesbaden (Henkell in Biebrich, Söhnlein in Schierstein), Mainz (Kupferberg, Besichtigung s. Besuchsordnung), Eltville (Matheus Müller) und Koblenz (Deinhard), ferner in Rüdesheim, Bingen, Geisenheim, Gau-Algesheim, Hochheim am Main und Worms. Den Löwenanteil der bundesdeutschen Sektfabrikation hat der Raum Mainz/Wiesbaden.

WEINBRAND ist ein Destillat aus Wein, dessen Bukettstoffe und Alkohole zum großen Teil vom Wasser geschieden worden sind. Seine charakteristische bräunlich-gelbe Farbe und seinen duftigen Geschmack erhält er durch langjährige Lagerung in kleinen Fässern aus luftdurchlässigem Holz. Die stets gleichmäßige Qualität wird durch Verschnitt von Weinbränden verschiedener Herkunft und Jahrgänge nach der Lagerung erzielt. In Mainz und Umgebung sind bedeutende Weinbrennereien ansässig. Europas größte ist 'Chantré-Eckes' in Nieder-Olm; altbekannt ist auch 'Asbach' in Rüdesheim.

In Mainz wurde seit der Römerzeit Wein angebaut. Als man die Rebhänge des Kästrichs im 19. Jh. nach und nach verbaute, wurde die Weinerzeugung bedeutungslos. Nach der Eingemeindung von Ebersheim und Laubenheim verfügt die Stadt jedoch wieder über eine ansehnliche Rebfläche von über 300 ha. Als wichtigste Lagen gelten 'Domherr' und 'St. Alban'. – Mainz ist Sitz des einzigen deutschen Weinbauministeriums (rheinl.-pfälz. Min. f. Landwirtschaft, Weinbau und Umweltschutz), eines Universitätsinstitutes für Weinkunde, der Verwaltung der Staatlichen Weinbaudomänen, des Deutschen Weininstitutes, der Deutschen Wein-Information, des Stabilisierungsfonds für Wein und des Rheinhessenwein-Vereins sowie des Deutschen Weinwirtschaftsverlages (Diemer & Meininger); 1864 wurde in Mainz die "Deutsche Wein-Zeitung" gegründet. Es bestehen über 100 Weinhandlungen und 10 Sektkellereien; die Mainzer Speditionsfirma *WEKAWE* ist Deutschlands größtes Spezialunternehmen für Weintransporte.

An dem traditionsreichen Weinhandelsplatz Mainz wird selbstredend viel Wein getrunken, und die Mainzer 'Schoppenstecher' (Denkmal an der Schillerstraße) sind gute Weinkenner. Fast überall in den Gaststätten gibt es außer den Flaschenweinen auch aus Literflaschen ausgeschenkte 'offene' Weine, die den geringeren Flaschenweinen oft vorzuziehen sind. – Der Mainzer trinkt den Wein aus einem becherförmigen, 'Stange' oder 'Halbe' (spr. 'Halwe') genannten Schoppenglas, das $^{5}/_{8}$ l faßt, aber nur mit $^{1}/_{4}$ l gefüllt wird, damit sich das Weinbukett ausreichend entfalten kann. – Neben verschiedenen vornehmeren Weinrestaurants (voran das 'Haus des Deutschen Weins' am Gutenbergplatz) und Weinprobierstätten gibt es eine Vielzahl von gemütlichen Weinstuben und noch mehr einfache-
ren Weinhäusern, in denen der Mainzer gern schon am Nachmittag einen 'Dämmerschoppen' trinkt. – In den Weinorten auf dem Lande schenken die Winzer Weine eigenen Wachstums (meist aus dem Vorjahr) selbst aus und zeigen dies durch Kränze oder Tannensträuße an ihren Häusern an (Straußwirtschaften).

Oberste Repräsentanz der Weinkultur ist die 1954 neu gegründete *Ehrbare Mainzer Weinzunft von 1443,* die unter Führung ihres 'Symposiarchen' die Kenntnis und Pflege des Weins zu vertiefen und für einen kultivierten Weingenuß zu werben bemüht ist. – Alle zwei Jahre im Spätherbst verleiht die Stadt einem prominenten Weinkenner ihren *Schoppenstecher-Preis.* – Der *Mainzer Weinmarkt* (s. Jahreskalender) ist das größte Weinfest am Rhein.

Geschichte

Mainz zu Beginn des 19. Jahrhunderts

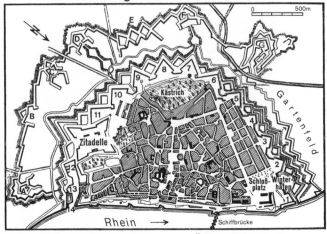

Innerer Bastionenring (1657-1680 unter
Kurfürst Johann Philipp v. Schönborn angelegt)

1 Raimundibastion	8 Bonifacibastion
2 Damiansbastion	9 Martinsbastion
3 Felicitasbastion	10 Philippibastion
4 Leopoldsbastion	11 Johannesbastion
5 Paulsbastion	12 Albanibastion
6 Georgsbastion	13 Katharinenbastion
7 Alexanderbastion	14 Nikolaibastion
Alexanderturm	

Äußerer Schanzenring
('Detachierte Forts'; 1713-1735 von
Maximilian v. Welsch angelegt)

A Fort Carl (Karlsschanze)
B Fort Welsch
C Fort Elisabeth (Elisabethenschanze)
D Fort Philipp (Philippsschanze)
E Doppel-Tenaille
F Fort Joseph (Josephsschanze)
G Fort Hauptstein (Franziskenschanze)

Das milde Klima und die Fruchtbarkeit des Bodens begünstigten schon
in vorgeschichtlicher Zeit die Ansiedlung im Rhein-Main-Gebiet.
Die 1921 bei Erdarbeiten auf dem Mainzer Linsenberg (Am Römerberg)
entdeckten Funde lassen auf einen Rastplatz aus der spätpaläolithischen
Periode schließen. Wegen der Überschwemmungsgefahren in der Flußnie-
derung wurde zunächst der sicherere Höhenkranz um die spätere Stadt besiedelt. – Mainz gehört zu den ältesten Orten am Rhein und wurde durch seine
Lage an dem seit alters umstrittenen Einfallstor in das mittlere Deutschland
zu einem Kreuzungspunkt uralter Völker- und Handelsstraßen. Der Name, vom
lateinischen **Mogontiacum** *(Moguntiacum, Magontiacum)* abgeleitet, geht auf den
keltischen Lichtgott *Mogo* (Mogon, Magon; Mogona) zurück.

Es wird vermutet, daß die Römer im Jahre 38 v. Chr. unter ihrem Statthalter
in Gallien *Marcus Vipsanius Agrippa* bei einer bestehenden Keltensied-
lung ein FELDLAGER auf der Hochfläche im Südwesten der heutigen Stadt
anlegten. Sicher ist, daß *Drusus*, der Stiefsohn des Kaisers Augustus, um 13 v.
Chr. seinen Feldzug gegen die Germanen in Mainz begann (er verunglückte 9
v. Chr. auf dem Rückmarsch von der Elbe tödlich; der Eichelstein auf der Zitadelle gilt als sein Denkmal). Seit etwa 10 n. Chr. war Mogontiacum Haupt-
waffenplatz und Sitz des militärischen Oberbefehlshabers für Obergermanien
(Germania superior); 90 n. Chr. waren zwei Legionen (später nur noch eine)
im Heerlager auf dem Kästrich (wohl von latein. 'castrum') stationiert, das
sich durch einen von einer Quelle bei Finthen (Fintheim, von latein. 'ad fontes') herangeführten AQUÄDUKT mit Wasser versorgte ('Römersteine' im

Zahlbachtal). Die Zivilbevölkerung (Soldatenfamilien, Handwerker, Händler, Rheinschiffer) siedelte rings um das Castrum (Jupitersäule). Am Rheinufer bestand ein Hafen, bei Weisenau ein Kohortenlager. Im Jahre 235 wird Kaiser *Severus Alexander* in Bretzenheim (latein. Sicila Brittanorum) ermordet. Während des 2. und 3. Jhs. erlebte die nun schon reiche Hauptstadt der seit um 300 in Germania prima umbenannten Provinz ihre erste Blütezeit (297 'civitas' mit fester Mauer); am Hang des Jakobsberges (Südbahnhof) war ein römisches THEATER (116 m im Durchmesser; ca. 16 000 Plätze) angelegt. Bereits seit dem ausgehenden 1. Jh. n. Chr. führte eine feste RHEINBRÜKKE zum rechten Ufer, wo das Castellum Mattiacorum (Kastel) den Brückenkopf deckte. Gegen Ende des 3. Jhs. wurden die Germanenüberfälle zunehmend existenzbedrohender; 400 endete die Römerherrschaft am Rhein. In der Völkerwanderung erlosch Mainz fast gänzlich (406 Plünderung und Zerstörung durch Alanen, Sweben, Vandalen und Burgunder).

Rheinbrücke Mainz-Kastel auf einem bei Lyon in der Saône gefundenen Bleimedaillon (4. Jh. n. Chr.; Bibl. Nat., Paris)

Erst vom 6./7. Jh. bezeugen fränkische Münzprägungen ein Wiederaufleben von Mainz als Rheinhandels- und Marktplatz (751 'civitas publica' bzw. 'urbs'). Bedeutung gewann die Stadt erst wieder in der Karolingerzeit, als der Germanenmissionar Bonifatius („Apostel der Deutschen") 746 das Bistum Mainz übernahm und die Stadt unter dessen Nachfolger Lullus um 780 zur Erzbischofsmetropole erhoben wurde (Geschichte des Erzbistums s.S. 46). – *Karl der Große* bevorzugte zwar seine Pfalzen in Frankfurt und Ingelheim, richtete jedoch in Mainz eine Münzstätte ein und ließ auf den Steinpfeilern der alten römischen Rheinbrücke eine hölzerne schlagen, die aber schon 813 abbrannte. Auch ließ er seine 794 in Frankfurt verstorbene (dritte) Gemahlin *Fastrada* in der Kirche des Reichsklosters St. Alban beisetzen. – Am 18. August 858 erschütterte ein heftiges Erdbeben die Stadt und ihre Umgebung.

Spätestens seit dem 9. Jh. waren die Mainzer Erzbischöfe auch weltliche Oberherren der Stadt. Das jüdische 'Magenza' erlebte bis zu den Kreuzzügen seine größte wirtschaftliche und geistige Blüte. Die Mainzer Rabbinerhochschule 'Jeschiva' war damals bestimmend für den gesamten aschkenasischen Kulturkreis (jüd. Grabsteine des 11. Jhs. auf dem alten Judenfriedhof). – In mehr als hundertjährigem Kampf mit den geistlichen Herren errangen die Bürger 1119/22 Gerichtsfreiheit und Selbstverwaltungsbefugnisse (Inschrift am Marktportal des Domes). Nach erbittertem Streit der Oberschicht mit dem Erzbischof *Arnold von Selenhofen* (1153–60) und dessen Ermordung wurde Mainz von Kaiser *Barbarossa* mit der Reichsacht belegt, was der weiteren Entfaltung einen empfindlichen Rückschlag versetzte (zur Strafe wurden u.a. die Stadtmauern zerstört). Doch feierte Barbarossa zu Pfingsten 1184 die Schwertleite seiner beiden ältesten Söhne – das weithin gerühmte und wohl glanzvollste REICHSFEST des Mittelalters – auf der Maaraue gegenüber der Stadt. Um 1200 wurden die Stadtmauern wieder instand gesetzt.

Das **13. Jahrhundert** brachte wieder einen steilen Aufstieg; 1244 erhielt Mainz erneut das Privileg der Stadtfreiheit, 1250 wurde die Sperrfestung Burg Weisenau niedergerissen. Als Haupt des 1254 gegründeten Rheinischen Städtebundes (über 70 Mitglieder) gelangte das **Goldene Mainz** ('Aurea Moguntia') zu höchster Blüte. Mehrere Reichstage wurden hier abgehalten,

1277 ein Rathaus erwähnt. 1300−17 das Kaufhaus erbaut; auch entstand eine Münze. Im 14 Jh. entbranten STÄNDEKÄMPFE zwischen den Adelsgeschlechtern im Rat und den Zünften, die 1352 ihre Gleichberechtigung durchsetzten; 1444 konnten sie die Macht ganz übernehmen. Den Handel bedrückte jedoch eine wachsende Schuldenlast; Mainz geriet immer mehr in die Abhängigkeit von dem aufblühenden Nachbarn Frankfurt. Um das Jahr 1450 gründete *Johannes Gutenberg* in Mainz seine Druckerei.

In der **Mainzer Stiftsfehde** des Jahres **1462** wurde die Stadt im Streit der Erzbischöfe Diether von Isenburg und *Adolf II. von Nassau* (Papstkandidat) um den Mainzer Stuhl von Adolf im Straßenkampf erobert und ging aller ihrer Freiheiten verlustig. Die letzten Patrizier (darunter auch Gutenberg) wurden ausgewiesen, die Juden enteignet. Bis zum Ende des 18. Jhs. sollte Mainz nun landesherrlich regiert bleiben. Da der Sieger in der Stiftsfehde die Verschuldung der Stadt ignorierte, waren die städtischen Finanzen mit einem Schlage 'saniert'. Nach Adolfs Tod gründete der wiedergewählte *Diether von Isenburg* 1476 die UNIVERSITÄT (Geschichte s. dort) und baute die Martinsburg, wo die Kurfürsten fortan residierten (später im Schloß).

Unter *Albrecht von Brandenburg* (1514−45) entfaltete sich in Mainz ein reiches künstlerisches Leben (Marktbrunnen). Im Bauernkrieg von 1525 zwangen aufständische Bürger das Domkapitel zur vorübergehenden Anerkennung einer freiheitlicheren Verfassung. 1552 versetzte der Überfall des Markgrafen Albrecht Alcibiades von Kulmbach-Bayreuth die Stadt in Angst und Schrecken (u.a. Unterdrückung des kathol. Gottesdienstes). − Der D r e i ß i g j ä h r i g e K r i e g verhinderte die Weiterentwicklung. Der Schwedenkönig *Gustav Adolf* konnte den strategisch wichtigen Platz Mainz 1631 leicht einnehmen (Plünderung des Domschatzes); die schwedische Regierung unter dem Kanzler *Oxenstierna* residierte in der vom Erzbischof verlassenen Martinsburg; die Befestigungen links und rechts des Rheins (Gustavsburg) wurden verstärkt. Nach langer Belagerung durch die Kaiserlichen, während der eine Pestepidemie rund die Hälfte der Bevölkerung dahinraffte, kapitulierten die schwedischen Besatzer schließlich 1635.

Nach dem Westfälischen Frieden leitete Kurfürst *Johann Philipp von Schönborn* (1647−73) eine neue Epoche der Aufwärtsbewegung ein (Bau gewaltiger Festungswerke; Zitadelle), die jedoch durch den Einfall der Franzosen im P f ä l z i s c h e n E r b f o l g e k r i e g 1688/89 wieder unterbrochen wurde. Erst mit dem prachtliebenden und baufreudigen *Lothar Franz von Schönborn* (1695−1729) begann der wirkliche Aufstieg und damit die Blütezeit des kurfürstlichen Mainz, die sich wie nie zuvor in Reichtum und glänzenden Bauten manifestierte. Die besten Architekten (M. v. Welsch, B. und I. Neumann, J. V. Thomann, A. F. v. Ritter zu Grünstein) und vortreffliche Bildhauer (Binterim, Hiernle, Juncker, Zamels) wurden beschäftigt. Mainz erhielt ein BAROCKES GESICHT durch neue Kirchen und zahlreiche stattliche Adelspalais ('Höfe'). 1788 wurde die Kurfürstl. Mainzer Nationalbühne, das damals wohl beste deutsche Theater, eröffnet; 1763 und 1790 konzertierte *Wolfgang Amadeus Mozart* in Mainz.

Die 1792 von einem französischen Revolutionsheer unter dem Bürgergeneral *Adam Philippe Custine* besetzte und vorübergehend von republikanischen MAINZER KLUBISTEN (mit Georg Forster als Wortführer; Errichtung des ersten deutschen Freiheitsbaumes auf dem Höfchen) als **Mainzer Republik** regierte Stadt wurde ein Jahr später von deutschen Truppen nach verheerender Beschießung wiedererobert (vgl. Goethes Augenzeugenbericht "Belagerung von Mayntz"), mußte aber 1797 aufgrund des Friedens von Campoformio an Frankreich abgetreten werden und wurde 1801 im Frieden von Lunéville dem französischen Staat einverleibt. Dennoch etablierte sich 1798 in Mainz die zweite deutsche Handelskammer. – *Napoleon*, der wiederholt in Mainz – nunmehr **Hauptstadt des Département du Mont-Tonnerre** (Donnersberg) und 1811 mit dem Ehrentitel 'Bonne ville de l'Empire' bedacht – weilte, förderte den Ausbau der Befestigungsanlagen und leitete tiefgreifende städtebauliche Veränderungen (Durchbruch der späteren Ludwigsstraße und Anlage des Gutenbergplatzes) ein. – Im Jahre des Reichsdeputationshauptschlusses, der 1803 die geistlichen Fürstentümer praktisch aufhob und die **Säkularisierung** allen Kirchengutes gestattete, erlebte Mainz den Prozeß und die öffentliche Hinrichtung des *Schinderhannes;* 1813/14 wüteten Typhus, Cholera und Hungersnot in der Stadt.

Nach dem Sturz Napoleons zogen die Franzosen 1814 ab. Durch die Beschlüsse des Wiener Kongresses wurde Mainz (mit Kastel und Kostheim) 1816 dem Großherzogtum Hessen-Darmstadt zugeschlagen und neue **Hauptstadt der Provinz Rheinhessen.** Der Großherzog bestimmte wie zuvor Napoleon das Deutschhaus zu seiner Residenz. Bis zum Jahre 1866 blieb Mainz von Preußen und Österreich gemeinsam besetzte FESTUNG des Deutschen Bundes (1839: 8 000 Mann Besatzung; 1857 gewaltige Explosion des Pulvermagazins; 1870 Aufenthalt O.v. Bismarcks), seit der Reichsgründung allein von Preußen (ab 1873 Reichsfestung). – Markante Daten der technisch-industriellen Entwicklung im 19. Jahrhundert waren beispielsweise die Aufnahme des Dampfschiffsverkehrs auf dem Rhein zwischen Mainz und Köln. 1826, die 'Erste allgemeine deutsche Industrie-Ausstellung' (1842), das Erscheinen des „Mainzer Straßenanzeigers" (1850; Vorläufer der „Allgemeinen Zeitung"), der Eisenbahnbau der Hessischen Ludwigsbahn zwischen Mainz und Worms (1853; seit 1840 bestand in Kastel ein Bahnhof der Taunusbahn: 1858 Strecke Mainz–Aschaffenburg, 1859 Mainz–Bingen; 1862 Eisenbahnbrücke für die Strecke Mainz–Frankfurt), die Einrichtung der ersten öffentlichen Telegrafenstation (1854), die Gründung der Mainzer Getreidebörse (1865), der Baubeginn der städtischen Kanalisation (1875) oder die Eröffnung des Fernsprechverkehrs (1883).

Nach der Einbeziehung des Gartenfeldes in die Festung 1872 konnte sich die Stadt nach Norden ausdehnen (Anlage der Neustadt). Industrie siedelte sich zunächst in den rechtsrheinischen Vororten an. 1894 erlebte Mainz ein großes SCHÜTZENFEST, zu dem Teilnehmer aus allen deutschen Landen kamen.

Nach 1872 wurde unter Stadtbaumeister *Eduard Kreyßig* die doppelläufige Kaiserstraße mit der evang. Christuskirche (1903) angelegt. Im Jahre 1900 beging Mainz eine große GUTENBERGFEIER. Erst nach der Jahrhundertwende verstärkte sich die Industrieansiedlung rheinabwärts, nun zu beiden Seiten des Flusses. Seit 1904 wurden die inneren Festungsmauern geschleift. Erstmals konnte sich die Stadt frei ausdehnen. Bis zum E r s t e n W e l t k r i e g wurden die Orte Mombach, Kastel mit Amöneburg und Kostheim eingemeindet. Vom Ende des Krieges bis 1945 gehörte Mainz zum Volksstaat Hessen, bis 1930 war die Stadt erneut von französischem Militär (bis 20 000 Mann) besetzt und Sitz des kommandierenden Generals der Rheinarmee. 1930 konnte die Stadt sich nochmals erheblich ausdehnen und vergrößerte sich durch die EIN-GEMEINDUNG von Bretzenheim, Gustavsburg, Bischofsheim, Ginsheim und Weisenau, sowie Gonsenheim (1938).

Während des Z w e i t e n W e l t k r i e g e s wurde Mainz durch Luftangriffe (seit 1941) im August 1942 erstmals stärker und noch am 27. Februar 1945 v e r n i c h t e n d g e t r o f f e n, so daß in der Altstadt rund 80% aller Bausubstanz zugrunde ging. Am 22. März 1945 wurde die Stadt ohne ernsthaften Widerstand von US-amerikanischen Truppen besetzt. Sie fanden die Rheinbrücken (19.3. durch die Wehrmacht) gesprengt und setzten dann bei Oppenheim über den Strom. Am 15. Juli 1945 folgten die französischen Besatzungstruppen. Da nun der Rhein die Grenze zwischen der amerikanischen Besatzungszone (Hessen) und der französischen Zone (Rheinland-Pfalz) bildete, wurden die rechtsrheinischen Mainzer Stadtteile und Vorstädte abgetrennt und in treuhänderische Verwaltung des Landes Hessen gegeben, was eine empfindliche Einbuße an Industriepotential mit sich brachte.

Mit Unterstützung der französischen Militärbehörden wurde 1946 die Universität als JOHANNES-GUTENBERG-UNIVERSITÄT neu gegründet; 1949 rief man die Akademie der Wissenschaften und der Literatur ins Leben. Im Jahre 1950 kam der Regierungssitz des neuen Bundeslandes Rheinland-Pfalz von Koblenz nach Mainz, das damit zur **Landeshauptstadt** wurde.

Der W i e d e r a u f b a u der verwüsteten Stadt vollzog sich in den ersten Nachkriegsjahren nur schleppend und zunächst ohne erkennbares Konzept. Erst in den fünfziger und sechziger Jahren vermochte die Stadt dank einer aufstrebenden Industrieentwicklung (wenn auch weiterhin unter Verzicht auf die rechtsrheinischen Gebiete) neuen sichtbaren Aufschwung zu nehmen. Zur 2000-JAHR-FEIER von 1962 konnte Mainz bereits beachtliche Aufbauleistungen vorweisen. Nicht zuletzt durch die verkehrstechnische Erschließung und den Zuzug moderner Industriezweige sowie bedeutender kultureller Institutionen ist Mainz heute auf dem Wege, seiner zentralen Lage in der Bundesrepublik zu entsprechen. Die jüngsten Eingemeindungen (1969: Finthen, Drais, Marienborn, Hechtsheim, Laubenheim, Ebersheim) haben das Stadtgebiet erheblich erweitert. Intensive Neubautätigkeit und nunmehr deutlich planvoll betriebene Sanierungsbemühungen haben der Stadt, die 1975 im Zeichen der 1000-JAHR-FEIER DES DOMS stand, ein neues Gesicht verliehen. Im Jahre 1977 fand die 500-JAHR-FEIER DER UNIVERSITÄT statt.

Mit der historischen Entwicklung der Stadt aufs engste verwoben ist die **GESCHICHTE DES ERZSTIFTES MAINZ** (KURSTAAT). Schon in römischer Zeit war Mainz Bischofssitz. Bezeugt sind u.a. die Bischöfe *Marinus* (Martinus; um 345), *Aureus* und *Maximus* (um 400−450), *Theonestus* (Theomastus; vor 450), *Sidonius* (um 565), *Leudegasius* (Lesio; um 612), *Laboaldus* (Lupualdus; um 630) *Rigibertus* (um 715) und *Gewilib* (bis 745). Bischof Bonifatius (746—754) war seit 732 Erzbischof für Germanien. Die Erzbischofswürde wurde unter seinem Nachfolger *Lullus* (754—86) fest mit dem Mainzer Stuhl verbunden, der noch heute das Ehrenprädikat 'heilig' führt ('Sancta sedes Moguntina Romae ecclesiae specialis filia'). Von Anfang an galt Mainz als Metropole des christlichen Deutschland, der Mainzer Erzbischof war als 'Primas Germaniae' zugleich Haupt der deutschen Bischöfe und Hofbischof des Kaisers sowie als Erzkanzler der führende Fürst des Reiches. Seit sich im 13. Jh. das Kollegium der Kurfürsten herausgebildet hatte, stand der Mainzer Kurfürst an dessen Spitze. Als bedeutende Geistliche, Gelehrte und Politiker des 8. − 12. Jhs. sind ferner die Erzbischöfe *Hrabanus Maurus* (847—56), *Hatto I.* (891—913), *Aribo* (1021—31), *Adalbert I. von Saarbrücken* (1111—37) und *Konrad I. von Wittelsbach* (1160—65 und 1183—1200) zu nennen.

Die im 9./10. Jh. gebildete K i r c h e n p r o v i n z umfaßte bis zur Reformation zeitweise bis zu 15 Suffraganbistümer und reichte von Chur und Konstanz bis Havelberg und Brandenburg sowie von Mainz und Worms bis Prag und Olmütz (größte Kirchenprovinz überhaupt). Bedeutende Territorialpolitiker waren die Erzbischöfe aus dem Hause Eppstein: *Siegfried II.* (1200/30), *Siegfried III.* (1230—49), *Werner* 1259—84) und *Gerhard II.* (1289—1305). Die k u r m a i n z i s c h e n B e s i t z u n g e n lagen zu beiden Seiten von Rhein und Main und gliederten sich in ein mittelrheinisches, ein hessisches sowie ein thüringisches (Erfurt) Herrschaftsgebiet und schlossen ferner Lorsch und das Eichsfeld ein.

Die frühchristliche Domkirchengruppe ist im Bereich der heutigen (evang.) Johanniskirche und unter dem Westchor des Domes – vermutlich der römische Tempelbezirk – zu suchen. Auf alten römischen Begräbnisplätzen entstanden christliche Kultstätten, so die Märtyrerkapellen für St. Aureus († um 405) im Zahlbachtal (Hauptfriedhof), St. Albanus († 406) auf dem Albansberg oder St. Theonest († um 450) im Gartenfeld (Neustadt). Erzbischof Willigis begann mit dem Bau des Domes (s. Dombaugeschichte). Im 'goldenen' 13. Jh. wurden etliche Klöster und Kirchen neu gegründet oder gänzlich umgebaut; 1236 entstand das Heiliggeistspital an der rheinseitigen Stadtmauer. Etliche mittelalterliche Kirchen und Klöster sind verschwunden, so die gotische Liebfrauenkirche, St. Nikolaus, St. Mauritius, St. Gangolph und die Franziskanerkirche, das Reichskloster St. Alban, wo wichtige Synoden abgehalten und zahlreiche Mainzer Kirchenfürsten bis zum 11. Jh. begraben wurden, und das Benediktinerkloster St. Jakob auf dem Jakobsberg (Zitadelle). Die Stephanskirche auf dem Kästrich ging aus Willigis' Stephansstift hervor, St. Peter erinnert an das vor den Mauern errichtete Petersstift (10. Jh.) und die Altmünsterkirche (heute evang.) an ein uraltes Nonnenkloster.

Nach langen Jahrhunderten kurfürstlich-erzbischöflicher Herrschaft (s. Stadtgeschichte) brachte die F r a n z ö s i s c h e R e v o l u t i o n die Auflösung des kirchlichen Metropolitanverbandes. Nach dem Tode des letzten eigentlichen Kurfürst-Erzbischofes *Friedrich Karl Joseph von Erthal* (1802) wurden der erzbischöfliche Sitz nach Regensburg verlegt und die linksrheinischen Teile des Erzbistums als französisches Bistum zu Mecheln geschlagen. Der Mainzer Koadjutor *Karl von Dalberg* behielt gemäß dem Reichsdeputationshauptschluß von 1803 zwar nominell die Würde des Erzkanzlers des Deutschen Reiches, vom Kurstaat aber nur das Fürstentum Aschaffenburg. Der Papst richtete dann 1821 ein neues deutsches BISTUM MAINZ (1827 hessisches Landesbistum) ein, das seither als Suffraganbistum dem Erzbistum Freiburg (Breisgau) untersteht. − Der Mainzer Bischof Freiherr *Wilhelm Emmanuel von Ketteler* (1850—77) war als engagierter Sozialreformer der bedeutendste deutsche Kirchenpolitiker des 19. Jhs. Der Theologe *Hermann Volk* (geb. 1903), seit 1962 Bischof von Mainz, wurde 1973 zum Kardinal kreiert.

Mainzer Persönlichkeiten

Die nachstehende Liste vereinigt 33 Männer und Frauen, die durch Geburt, Aufenthalt, Wirken oder Tod mit Mainz verbunden sind und überregionale Bedeutung erlangt haben (chronologisch nach dem Geburtsjahr geordnet).

Drusus, Nero Claudius (*38 v. Chr., †9 v. Chr.), römischer Kaiser. Führte 13 v. Chr. von Mainz aus einen Feldzug gegen die Germanen und starb auf dem Rückmarsch von der Elbe an den Folgen eines Sturzes vom Pferd. Zu seinem Gedenken soll der Eichelstein auf dem Mainzer Jakobsberg (Zitadelle) errichtet worden sein.

Severus Alexander, Marcus Aurelius (*208; †235, bei Mainz ermordet), römischer Kaiser; Sohn des Syrers Gessius Marcianus und der Iulia Mammaea. Wurde von dem Kinderkaiser Elagabalus adoptiert und folgte diesem nach dessen Ermordung 222 auf den Thron. Zog 234 mit einem Heer an den Rhein und ließ bei Mainz eine Brücke über den Fluß schlagen, um am rechten Ufer den durch den Limes eingedrungenen Germanenstämmen zu begegnen. Wurde im März 235 im Feldlager bei Bretzenheim von den eigenen Soldaten umgebracht. Mit ihm endete die Dynastie der Severer.

Bonifatius ('Wohltäter'), eigentl. *Wynfrith* oder *Winfrid* (*Wessex 672/73; †754, bei Dokkum ermordet), heiliggesprochener angelsächsischer Benediktiner und Missionar der Germanen. Predigte 716 bei den Friesen und folgte seit 719 dem Missionsauftrag Papst Gregors II. zur Bekehrung der Hessen. 722 in Rom zum Bischof geweiht, 732 zum Erzbischof und päpstlichen Vikar für den ostfränkischen Missionsraum erhoben. Bei der Missionierung der Hessen (Fällung der Donareiche bei Geismar) und Thüringer unterstützten ihn zahlreiche angelsächsische Nonnen und Mönche. Aus dieser Zeit stammen die Klöster Amöneburg, Ohrdruf und Fritzlar. Wurde bei einem neuerlichen Aufenthalt in Rom 738/39 als Legat für Germanien mit der Organisation der baierischen Kirche betraut und gründete die Bistümer Salzburg, Regensburg, Freising, Passau, Säben und Eichstätt, nach dem Tode Karl Martells die Bistümer Büraburg bei Fritzlar, Erfurt und Würzburg. 744 entstand sein Lieblingskloster Fulda (sein Grab im Dom). Seit 746/7 war B. das Bistum Mainz übertragen. Auf einem erneuten Missionszug wurde er 754 bei Dokkum von heidnischen Friesen erschlagen.

Hrabanus (Rabanus) Maurus (*Mainz um 780, †das. 856), seliggesprochener Theologe und Verfasser mittellateinischer Lehrschriften. Aus angesehenem Hause stammend trat er schon früh dem Kloster Fulda bei, an dessen Schule er nach Studien bei Alkuin in Tours als Lehrer wirkte. Stand 822–42 dem Kloster als Abt vor, seit 847 Erzbischof von Mainz. Sammelte den Wissensstoff von der Antike bis in seine Zeit. Sein Hauptwerk „De rerum naturis seu de universo" (nach 842) ist eine 22bändige Enzyklopädie; schrieb daneben Bibelkommentare und kleinere religiöse Gedichte.

Gerschom bar Jehuda, genannt *Meor ha-gola* ('Leuchte der Diaspora'; *Metz oder Mainz um 960/65, †Mainz 1028 oder 1040), jüdischer Rechtsgelehrter und Rektor der Mainzer Akademie ('Jeschiva'). Begründete die talmudische Gelehrsamkeit des deutschen und französischen Judentums.

Willigis oder *Willegis* (†1011), Gründer des Mainzer Doms (s. Baugeschichte). Von 975 bis zu seinem Tod Erzbischof von Mainz (vgl. St. Stephan), seit 971 Kanzler des Kaisers Otto II. Führte 983–95 für den unmündigen Otto III. mit dessen Großmutter und Mutter die Regentschaft. Das Rad im Mainzer Wappen wird volkstümlich auf seine angebliche Herkunft als Sohn eines Wagners zurückgeführt. W. war jedoch vermutlich ein niedersächsischer Adeliger.

Heinrich von Meißen, genannt *Frauenlob* (*in oder bei Meißen um 1250, †Mainz 1318), mittelhochdeutscher Dichter, Minnesänger und einer der zwölf 'Meister des Meistersanges'. Reiste nach 1275 zunächst als fahrender Sänger von Hof zu Hof und kam 1312 nach Mainz, wo er vermutlich eine Singschule gründete. Schuf Minnelieder, Leiche (mittelhochdeutsche Lyrik) und Sprechdichtung von kunstvoll bildreichem Stil. Soll, nachdem er in seinen Werken immer wieder die Erhabenheit der Frau besungen hatte, von Mainzer Frauen zu Grabe getragen worden sein (Grabstein s. Domkreuzgang).

Gutenberg, Johannes, eigentl. *Henne Gensfleisch zur Laden* (*Mainz 1398, †das. 1468), Erfinder des Buchdrucks mit beweglichen Lettern; aus altem Mainzer Patriziergeschlecht. Für das Jahr 1436 ist seine Beschäftigung mit der Druckkunst in Straßburg urkundlich belegt. Siedelte 1444 nach Mainz über. Seine wichtigsten Erfindungen waren die Metallgußform (Matrize), das Handgießinstrument, die Druckerpresse und die Druckerschwärze. Sein Meisterwerk ist die 1452–55 in Zusammenarbeit mit Peter Schöffer (s. unten) entstandene 42zeilige Bibel (s. Gutenberg-Museum). Sein Geldgeber war u.a. der Mainzer Bürger Johannes Fust (s. unten), der 1455 vermutlich mit dem ihm verpfändeten Gutenbergschen Gerät und zusammen mit Gutenbergs ehem. Gehilfen Schöffer eine eigene Druckerwerkstatt begründete. Leitete, seiner eigenen Werkstatt beraubt, seit 1460  die von seinen Verwandten, den Gebr. Bechtermünz, in Eltville gegründete Druckerei, wurde infolge der Mainzer Stiftsfehde 1462 (s. Geschichte) vertrieben und 1465 von Adolf von Nassau zum Hofedelmann ernannt, was ihm eine Altersrente sicherte; starb 1468 in bescheidenen Verhältnissen und wurde in der ehem. Franziskanerkirche (s. S. 87) begraben. – Es ist kein zeitgenössisches Gutenberg-Portrait überliefert. Die erste bekannte Darstellung, ein Kupferstich von De Lamassin aus Paris, findet sich in einem 1584 erschienenen Werk von A. Thevet (s. Abb.).

Fust, Johannes (†Paris 1466), Drucker, Mitarbeiter Gutenbergs und Geldgeber für dessen Druckvorhaben. Verklagte Gutenberg 1455 vergeblich auf Rückzahlung der gewährten Darlehenssumme von 1 550 Gulden. Der Ausgang des Prozesses ist unbekannt, doch gründete Fust wenig später mit dem Schriftenhändler *Peter Schöffer* (*Gernsheim, †1503) eine eigene Druckerei, in der er 1457 – vermutlich mit den Schrifttypen der Gutenberg-Werkstatt – das "Psalterium Moguntinum", das erste in einem Arbeitsgang dreifarbig gedruckte Buch, veröffentlichte. Nach Fusts Tod heiratete Schöffer dessen Tochter und führte die Druckerei allein weiter. Sein Hauptwerk ist die 48zeilige Bibel von 1462. – Das Fust-Schöffersche Druckerzeichen dient (mit dem Zusatz 'BV' im linken Schild) seit 1952 als Signet des Börsenvereins des Deutschen Buchhandels (Frankfurt/Main).

Isenburg, Diether von (*1412, †Aschaffenburg 1482), Erzbischof von Mainz. Studierte und lehrte zunächst an der Universität Erfurt. 1459 zum Erzbischof von Mainz gewählt, verweigerte er dem Papst die Zahlung von Kirchengeldern und wurde darum 1461 von Pius II. abgesetzt. Mußte infolge der Mainzer Stiftsfehde (1462; s. Geschichte) zugunsten seines Gegners Adolf von Nassau auf sein Amt verzichten, wurde jedoch nach dessen Tod 1475 wiedergewählt.

Gründete 1477 die Mainzer Universität, nachdem sein Vorgänger bereits 1469 diesen Plan gefaßt hatte, und erbaute die Martinsburg (s. Kurfürstl. Schloß). Sein Grabmal im Mainzer Dom.

Backoffen oder *Backofen, Hans* (*Sulzbach um 1470/75, †Mainz 1519), kurfürstlicher Steinmetz und Bildhauer. Schuf für Mainz, aber auch für andere Städte am Mittelrhein und Main, Grabmäler (Hauptwerke im Mainzer Dom für die Erzbischöfe Berthold von Henneberg, Jakob von Liebenstein und Uriel von Gemmingen) und Kreuzigungsgruppen (im Dom zu Frankfurt/Main und vor der Ignazkirche zu Mainz). Sein vitaler, eigenwilliger Stil blieb auch über die Grenzen hinaus bis zum Ende des 16. Jhs. bestimmend.

Schönborn, Johann Philipp von (*1605, †1673), seit 1642 Bischof von Würzburg, 1647 Erzbischof und Kurfürst von Mainz, 1663 auch Bischof von Worms. Setzte sich im Westfälischen Frieden für die Erhaltung der geistlichen Kurfürstentümer ein und betrieb 1654 deren Zusammenschluß zur Rheinischen Allianz, die 1658 mit Beteiligung Frankreichs zum Rheinbund wurde. Ließ in Mainz ab 1650 den inneren Bastionenring mit der Zitadelle anlegen.

Leibniz, Gottfried Wilhelm (*Leipzig 1646, †Hannover 1716), Jurist, Mathematiker und Philosoph (Begründer der Monadenlehre). Kam 1667 auf Empfehlung seines Gönners, des ehem. kurfürstlichen Ministers Johann Christian von Boineburg, nach Mainz, wo er bis 1674 als Rat am Revisionskollegium im Dienste des Kurfürsten Johann Philipp von Schönborn stand. Betrieb hier die Gründung einer Sozietät der Wissenschaften, die später in Berlin verwirklicht wurde, von wo sie nach dem Zweiten Weltkrieg als 'Akademie der Wissenschaften und der Literatur' an den Ausgangspunkt ihrer Konzeption zurückkehrte.

Schönborn, Lothar Franz von (*1655, †1729), 1693 Bischof von Bamberg, 1695 Reichskanzler sowie Erzbischof und Kurfürst von Mainz. Erbaute die bischöfliche Residenz in Bamberg, die Schlösser von Gaibach und Pommersfelden, sowie das Lustschloß Favorite bei Mainz (1793 zerstört). Mainz verdankt ihm seine glänzendsten Barockbauten.

Forster, Johann Georg Adam (*Nassenhuben bei Danzig 1754, †Paris 1794), Naturforscher, Völkerkundler und Literat, Begründer der künstlerischen Reisebeschreibung. Nahm 1772–75 in Begleitung seines Vaters an der zweiten Weltreise des Kapitäns James Cook teil. Nach Professuren in Wilna und Kassel kam er 1788 als Universitätsbibliothekar nach Mainz. Schloß sich hier bei der Besetzung der Stadt durch französische Revolutionstruppen der jakobinischen Bewegung der 'Klubisten' an und beteiligte sich wesentlich an der Ausrufung der 'Mainzer Republik', als deren Abgesandter er in Paris den Anschluß der linksrheinischen Gebiete an Frankreich betrieb. Mit der Reichsacht belegt, starb er verarmt im Exil.

Bückler, Johannes, genannt *Schinderhannes* (*Miehlen im Taunus 1783, †1803), in Mainz hingerichtet), Räuberhauptmann. Gelangte zu zweifelhaftlegendärem Ruhm ('König des Soonwaldes'; Stoff zahlreicher Literaturstücke und Filme). Verbrachte als Sohn eines Schinders (Abdecker) eine unruhige Kindheit in ärmlichsten Verhältnissen. Lief schon mit 13 Jahren von zu Hause fort, schlug sich mit einem Freund als Viehdieb durch und trieb über fünf Jahre lang ein immer dreister werdendes Unwesen, vorwiegend auf dem damals französischen Gebiet des heutigen Bundeslandes Rheinland-Pfalz. Bei seinen Raubzügen, denen auch drei Menschen zum Opfer gefallen sein sollen, zeigte er sich als Feind der Franzosen und als Beschützer der Armen, was ihm gewisse Sympathien beim Volk und seine Popularität eintrug. Wurde nach mehreren Verhaftungen, nach denen er aber stets wieder entkommen konnte, im Juni 1802 endgültig festgenommen und im Mainzer Holzturm eingekerkert. In einem im Mainzer Kurfürstlichen Schloß abgehaltenen Prozeß wurde er zum

Tode verurteilt und am 21. November 1803 mit 19 seiner Spießgesellen im heutigen Rosengarten des Stadtparkes öffentlich mit der Guillotine enthauptet (ca. 30 000 Schaulustige (!); Fallbeil in der kriminolog. Lehrsammlung des Mainzer Polizeipräsidiums).

Spießgesellen im heutigen Rosengarten des Stadtparkes öffentlich mit der Guillotine enthauptet (ca. 30 000 Schaulustige!, Fallbeil in der kriminolog. Lehrsammlung des Mainzer Polizeipräsidiums).

Bopp, Franz (*Mainz 1791, †Berlin 1867), Philologe und Begründer der vergleichenden indogermanischen Sprachwissenschaft. Nach Studien des Sanskrits und orientalischer Sprachen in Aschaffenburg, Paris und London lehrte er als Professor für Orientalistik in Berlin. Bedeutend sind sein Versuch, die Entstehung der Flexion zu ergründen, sowie der Nachweis einer indogermanischen Sprachengemeinschaft.

Ketteler, Wilhelm Emmanuel Freiherr von (*Münster 1811, † Burghausen 1877), wohl der bedeutendste deutsche katholische Bischof des 19. Jhs. Wurde nach Jurastudium 1844 zum Priester geweiht, war 1848/49 Abgeordneter im Frankfurter Parlament, seit 1850 Bischof von Mainz und 1871/72 Reichstagsabgeordneter. Trat für eine verstärkte Hilfe der Kirche bei der Bewältigung sozialer Aufgaben ein und gilt als Initiator der Enzyklika "Rerum novarum" (1891). Sein Grabdenkmal im Mainzer Dom.

Bamberger, Ludwig (*Mainz, 1823, †Berlin 1899), Jurist, Politiker und Publizist. Floh wegen seiner Beteiligung am pfälzischen Aufstand 1848/49, für die er zum Tode verurteilt worden war, ins Ausland. Kehrte nach Jahren des Exils in der Schweiz, in London, Antwerpen und Rotterdam 1866 nach Deutschland zurück und schloß sich den politischen Zielen Bismarcks an. Trat 1871 als Abgeordneter − von 1874−1890 hatte er das Mandat für Bingen-Alzey inne − in den deutschen Reichstag ein und wurde zum finanzpolitischen Berater Bismarcks. Gilt als Vorkämpfer des Freihandels, wirkte bei der Gründung der Reichsbank mit und zeigte sich als entschiedener Gegner der Schutzzoll- und Kolonialpolitik. Das Jahr 1880 brachte den Bruch mit Bismarck und die Hinwendung zum Linksliberalismus.

Cornelius, (Carl August) Peter (*Mainz 1824, †das. 1874), Dichterkomponist. Begann seine Laufbahn als Schauspieler und Geiger, wandte sich jedoch schon früh der Dicht- und Tonkunst zu. Folgte 1852 dem Ruf von Franz Liszt, mit dem ihn eine enge Freundschaft verband, nach Weimar und lernte wenig später auch Richard Wagner kennen. Beide wirkten stark auf sein Werk, das gleichwohl durch seine Zartheit und Innigkeit eine eigentümliche Ausstrahlung gewann. Lehrte seit 1864 an der Königlichen Bayerischen Musikschule in München. Den Bühnenwerken "Der Barbier von Bagdad" (1858 in Weimar uraufgeführt), "Cid" (1865) und "Gunlöd" (1891) blieb der große Erfolg versagt; von Bestand hingegen sind seine zahlreichen Kunstlieder nach eigenen Texten.

Der Rheinstrom ist vor Allen	*Die schönste Stadt am Rheine*
Der schönste Strom der Welt,	*Ist Mainz, das goldene genannt,*
Wem der Rhein nicht möcht gefallen,	*Weil es mit goldnem Scheine*
Um den wär's schlecht bestellt.	*Funkelt durchs weite Land.*

Peter Cornelius, 1840

Haenlein, Paul (*Köln 1835, †Mainz 1905), Ingenieur und Erfinder eines lenkbaren Luftschiffes. Ließ sich bereits 1865 einen gasmotorgetriebenen Ballon patentieren. Die erste Vorführung eines Modelles von 10 m Länge und 2 m Durchmesser blieb ohne Eindruck auf die deutsche Obrigkeit, der österreichische Kaiser Franz Joseph hingegen förderte die vielversprechenden Versuche. 1872 startete Haenlein in Brünn ein 50,40 m langes lenkbares Luftschiff, doch wurden danach keine weiteren Probeflüge unternommen. Starb in bescheidenen Verhältnissen ohne rechte Anerkennung seiner Erfindung.

Kleukens, Christian Heinrich (*Achim bei Bremen 1880, †Darmstadt 1954), Drucker und Schriftsteller. Wurde nach Lehrjahren in der 'Steglitzer Werkstatt' 1907 zusammen mit seinem Bruder Friedrich Wilhelm Kleukens zum Leiter der Ernst-Ludwig-Presse nach Darmstadt berufen und stand seit 1927 der dem Gutenberg-Museum eigenen Mainzer Presse vor. Entwarf für seine Druckwerke neue Schrifttypen, darunter die 'Mainzer Antiqua' (1927), die er jedoch nicht für den Seriendruck freigab. Von seinen schriftstellerischen Arbeiten verdienen besonders die Fabeln Beachtung.

Preetorius, Emil (*Mainz 1883, †München 1973), Maler und Bühnenbildner. Begann — nach juristischem Studium und Promotion — als Buchillustrator, lehrte seit 1928 an der Akademie der Bildenden Künste in München und war 1948–68 Präsident der Bayerischen Akademie der Schönen Künste. Schuf Bühnenbilder für die Kammerspiele und die Staatsoper in München sowie für die Bayreuther Festspiele. Bedeutend auch als Sammler und Interpret ostasiatischer Kunst.

Guardini, Romano (*Verona 1885, †München 1968), bedeutender katholischer Religionsphilosoph; Sohn eines italienischen Kaufmanns. Verbrachte seine Kindheit und Jugendjahre in Mainz und wirkte dort auch vorübergehend als Kaplan an verschiedenen Kirchen. Im Mainzer Mathias-Grünewald-Verlag, an dessen Gründung er beteiligt war, erschienen etwa dreißig seiner Werke.

Harth, Philipp (*Mainz 1887, †Bayrischzell 1968), Bildhauer. Absolvierte als Sohn eines Mainzer Druckers eine Lithographenlehre, bevor er sich dem Studium der Bildhauerei und Architektur zuwandte. Nach Aufenthalten in Wien, Paris, Rom und Florenz ließ er sich in Berlin nieder, nach 1947 in Bayrischzell. Schuf denkmalhafte, auf die wesentlichen Züge und Merkmale reduzierte Tierplastiken, darunter „Löwe" und „Tiger" vor der Mannheimer Kunsthalle, „Löwe" auf dem Hamburger Mönckebergbrunnen, „Wolf-Chimäre" (Kunsthalle Hamburg), „Bergischer Löwe" an der Düsseldorfer Königsallee sowie in Mainz „Tiger" (am Stresemannufer) und „Esel" (im Stadtpark).

Goetz, Curt, eigentl. *Kurt Götz* (*Mainz 1888, †Grabs, Kanton St. Gallen 1960), Dramatiker und Schauspieler. Wirkte zunächst lange Jahre in Berlin, emigrierte 1939 in die USA und lebte von seiner Rückkehr nach Europa 1945 bis zu seinem Tod in der Schweiz am Thunersee. Schrieb v.a. Komödien mit pointierten Dialogen und wirkungsvoller Situationskomik; spielte häufig selbst die Hauptrollen seiner Stücke. Besonders erfolgreich waren „Der Lügner und die Nonne" (1929). "Dr. med. Hiob Prätorius" (1934) und "Das Haus in Montevideo" (1953) sowie sein Roman "Die Tote von Beverly Hills" (1951). Mehrere seiner Bühnenwerke wurden auch verfilmt. Sein Grab auf dem Friedhof des Klosters St. Elisabeth in Schaan (Liechtenstein).

Mumbächer, Alfred (*Mainz 1888, †das. 1953), Landschaftsmaler. Schuf stimmungsvolle Ansichten europäischer Großstädte, in welchen er lebte und wirkte, darunter Warschau, Krakau, Wien, München, Frankfurt/Main und Paris. Zahlreiche Zeichnungen und Aquarelle zeigen seine Heimatstadt vor der Zerstörung im Zweiten Weltkrieg. Seine Werke tragen einen Hauch impressionistischer Transparenz.

Roeder, Emy (*Würzburg 1890, †Mainz 1971), Bildhauerin. Nach Lehrjahren in München und Darmstadt lebte sie 1915–33 in Berlin, danach in Rom und Florenz. Wirkte seit 1950 als Lehrerin an der Mainzer Kunstgewerbeschule. Ihre von Eindrücken des Jugendstils und des Kubismus mitgeprägten Werke, darunter besonders Porträt- und monumentale Bauplastik sowie in späteren Jahren Frauengestalten ("Tripolitanerin" am Mainzer Stresemannufer), sind von erhabener Strenge. Ihr Grab in Würzburg.

Berger, Ludwig, eigentl. *Bamberger* (*Mainz 1892, †Schlangenbad 1969), Regisseur. Nach dem Studium der Kunstgeschichte begann er seine Theaterlaufbahn in Mainz, danach in Hamburg, von wo ihn Max Reinhardt nach Berlin rief. Hier wirkte er zunächst am Deutschen Theater und später am Staatstheater. Gewann großes Ansehen durch seine hervorragenden Shakespeare-Inszenierungen sowie durch zahlreiche bekanntgewordene Filme ("Ein Walzertraum", Stummfilm 1926; "Der Dieb von Bagdad", 1940). Sein Grab auf dem Mombacher Waldfriedhof.

Zuckmayer, Carl (*Nackenheim 1896, †Visp 1977), Schriftsteller. Jugendjahre in Mainz, beteiligte sich als Freiwilliger am Ersten Weltkrieg. Nach naturwissenschaftlichen Studien in Frankfurt/Main und Heidelberg begann er 1920 in Berlin seine Theaterlaufbahn als Volontär und wirkte später als Dramaturg in Kiel und München sowie am Deutschen Theater in Berlin. Gleichzeitig entstanden seine ersten Dramen. 1925 gelang ihm mit dem Schwank "Der fröhliche Weinberg" der große Durchbruch und die Abkehr vom intellektuellen Schauspiel jener Zeit. Wohnte 1926−38 im Salzburgischen, emigrierte dann in die Schweiz und lebte 1940−46 in den USA. Nach dem Krieg kehrte er zunächst nach Westdeutschland zurück und hatte sein Domizil seit 1958 in dem Westschweizer Bergort Saas Fee. In seinen von vitaler Volkstümlichkeit sprühenden Werken verbirgt sich hintergründige Kritik am Spießbürgertum, Untertanengeist ("Der Hauptmann von Köpenick", 1930) und Militarismus. Mit seinem wohl meistgespielten Stück „Des Teufels General" (1945) weist Zuckmayer auf den Widerstand in Hitlers Armee hin. Außer Theaterstücken, die fast alle auch verfilmt wurden, schrieb Zuckmayer Erzählungen („Der Seelenbräu", 1945; „Die Fastnachtsbeichte", 1959) und Gedichte. Mainz ist Sitz der Carl-Zuckmayer-Gesellschaft.

Seghers, Anna, eigentl. *Netti Radvanyi,* geb. *Reiling* (*Mainz 1900, †Berlin (Ost) 1983), Schriftstellerin. Studierte Kunstgeschichte, Geschichte sowie Sinologie und trat schon früh der Kommunistischen Partei bei. 1933 zur Emigration gezwungen, gelangte sie nach Mexiko, wo sie bis zu ihrer Rückkehr nach Deutschland 1947 blieb. Lebt seither in Ostberlin; wurde 1951 und 1959 als Vertreterin des Sozialistischen Realismus mit dem Nationalpreis der DDR ausgezeichnet und war seit Gründung des Deutschen Schriftstellerverbandes (1952−78; ab 1973 SV der DDR) dessen Präsidentin. Hauptanliegen in ihren Werken ist die Darstellung sozialer Ungerechtigkeit und unmenschlicher Gesellschaftsformen, die sie mit sachlich-kühler Kritik schildert. Gedenktafel am Geburtshaus, Parcusstr. 5.

Hallstein, Walter (*Mainz 1901, †Stuttgart 1982), Jurist und christdemokratischer Politiker. Begründer der nach ihm benannten 'Hallstein-Doktrin', nach der die Bundesrepublik Deutschland als alleiniger rechtmäßiger Nachfolgestaat des Deutschen Reiches die Aufnahme diplomatischer Beziehungen dritter Staaten zur DDR mit dem Abbruch der ihrigen zu diesen beantwortete. Leitete 1950 in Paris die Verhandlungen zur Bildung der Montanunion; war von 1958−67 Präsident des Rates der Europäischen Bewegung.

Hermann Kardinal Volk (*Steinheim/Main 1903, †Mainz 1988), studierte nach der Priesterweihe und praktischer Seelsorgetätigkeit Philosophie und Theologie, 1943 Habilitation, 1946 ordentlicher Professor für Dogmatik an der Universität Münster/Westf., 1954/55 deren Rektor, 1962 Weihe zum Bischof der Diözese Mainz, Amtsverzicht 1982, Teilnahme am Zweiten Vatikanischen Konzil von 1962−1966. Seine Erhebung zum Kardinal 1973 − zum ersten Mal seit 1518 wurde wieder ein Inhaber des Mainzer Stuhls erwählt − war eine Auszeichnung für die wertvollen Dienste auf den Gebieten der Ökumene, der Glaubenslehre, der Liturgie, der Wissenschaft und Kultur. Die Mainzer verehrten „ihren" Kardinal wegen seiner überzeugenden Glaubenskraft und seiner menschlichen Wärme.

III. ALTSTADT

Die Mainzer Innenstadt war bis zum Ersten Weltkrieg von mehreren Befestigungsringen umschlossen, die auf den Anhöhen und entlang der heutigen Kaiserstraße verliefen. 1872 wurde auch die Neustadt in die Festung einbezogen. 1904 begann man mit der Auflassung des inneren Gürtels. Zu dem im Kern der Altstadt gelegenen Dombereich gelangt man bequem (auch zu Fuß) vom Rheinufer (400 m) und vom Hauptbahnhof (1300 m).

Besonders auffällig sind die vielen *Brunnen* sowie an den Häusern die zahlreichen *Erker* und *Votivfiguren* (bes. Marienbilder). Es sei auch auf die *Innenhöfe* hingewiesen, die man hinter den oft weniger eindrucksvollen Straßenfronten der Häuser nicht vermutet. Manch malerischer Winkel liegt versteckt. − Rote Straßenschilder bezeichnen zum Rhein führende, blaue parallel zum Fluß verlaufende Straßen.

Die einzelnen Abschnitte der nachstehenden Beschreibung behandeln zunächst den Dom sowie die Domplätze und gehen dann jeweils radial von dort aus zuerst in die südliche, danach in die nördliche Altstadt bzw. zum Rheinufer, dessen Darstellung abschließend folgt.

Dom · Dommuseum

Westwerk des Doms
vom Leichhof gesehen

Inmitten der Altstadt, 400 m westlich vom Rheinufer, erhebt sich der kath. ** **Dom** *St. Martin.* Die vorwiegend aus romanischer Zeit stammende doppelchörige dreischiffige Pfeilerbasilika ist die an Schicksalen reichste sowie baugeschichtlich fesselndste der großen rheinischen Kirchen. Ihre historische Bedeutung wird durch die politische Stellung des Mainzer Erzbischofs unterstrichen, der zugleich einer der deutschen Kurfürsten, Erzkanzler des Heiligen Römischen Reiches Deutscher Nation und Haupt der deutschen Bischöfe war. Hiervon rührt auch die unübertroffene Zahl hervorragender Grabdenkmäler her. Der Westbau symbolisiert das geistliche Sacerdotium, der Ostbau das weltliche Imperium. Nächst dem Speyerer ist der Mainzer Dom der früheste monumentale Gewölbebau in Deutschland; beide bilden zusammen mit dem jüngeren Dombau zu Worms die großartige Gruppe romanischer Dome am Mittelrhein, die am eindruckvollsten vom Glanze deutscher Baukunst im frühen Mittelalter zeugt.

BAUGESCHICHTE. – Bereits in frühchristlicher Zeit (4. Jh. ?) erstand in Mainz eine Bischofskirche, ein Zentralbau (Baptisterium), der sich vermutlich an der Stelle des jetzigen Westchores befand und später in diesen miteinbezogen wurde. Erzbischof *Willigis* (975 – 1011) legte den Grundstein zu einem östlich daran angrenzenden großen Bau, der aber gleich am Tage seiner Einweihung (30. 8. 1009) in Brand geriet. Willigis selbst begann noch den Neubau, der 1036 unter Erzbischof *Bardo* (1031 – 51) vollendet wurde. Geringe Mauerreste dieses ottonischen Baues, einer flachgedeckten Basilika, deren Ausdehnung und Anlage für den heutigen Bau des romanischen Langhauses maßgebend wurden, sind in den unteren Teilen der beiden östlichen Seitentürme erhalten; die Ost- und Westabschlüsse des Willigis-Bardo-Domes sind umstritten. Schon 1081 wurde das Gebäude abermals durch Feuer zerstört. Kaiser

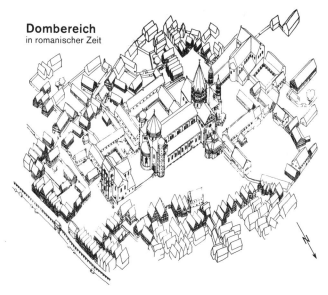

Dombereich
in romanischer Zeit

Heinrich IV. begann um 1100 den Neubau, den dann Erzbischof *Adalbert I. von Saarbrücken* (1111 – 37) im wesentlichen durchführen ließ: Ostchor und Langhaus wurden damals erbaut, das Langhaus erhielt statt der flachen Holzdecke zum erstenmal steinerne Gewölbe. Erzbischof *Konrad I. von Wittelsbach* (1183 – 1200) ließ die durch zwei weitere Brände (1137 und 1190) beschädigten Schiffe wiederherstellen, ersetzte die schadhaft gewordenen primitiven Gewölbe durch die heutigen schlichten Kreuzrippengewölbe und begann den Neubau der Westteile, die Erzbischof *Siegfried III. von Eppstein* (1230 – 49) 1239 weihte. Aus dieser Zeit stammen der Westchor mit dem Querschiff, die romanischen Teile der westlichen Vierungsturmes und seiner beiden Seitentürme. Der erste Eingriff in den romanischen Dom begann 1279 mit dem Anbau gotischer Kapellen an der Nordseite, denen 1300 – 20 die an der Südseite folgten. Der östliche Vierungsturm wurde .1360 gotisch ausgebaut. Mit der Erhöhung des westlichen Vierungsturmes um das gotische Geschoß und einen Holzhelm (1480 – 90) schloß dieser Abschnitt der Baugeschichte.

Dombereich
in gotischer Zeit

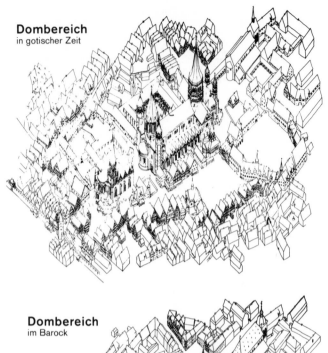

Dombereich
im Barock

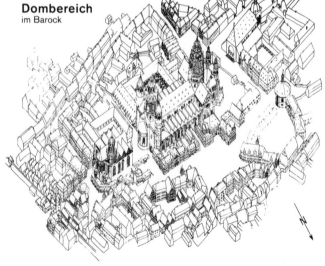

Erst nach dem großen Brande im Jahre 1767 wurden neue Ausbauten notwendig: *Franz Ignaz Michael Neumann* (1733–85), der Sohn des Würzburger Schloßbaumeisters Balthasar Neumann, gab 1769–74 dem ausgebrannten westlichen Vierungsturm und seinen Seitentürmen die barocken steinernen Abschlüsse. Bei der deutschen Belagerung von 1793 geriet der Dom durch Beschuß erneut in Brand. Die Ruine wurde dann während der französischen Herrschaft als Magazin benutzt; 1801 wollte der Präfekt *Jeanbon de St. André* den notdürftig gesicherten Dom sogar abreißen lassen! Der von den Franzosen eingesetzte Bischof *Joseph Ludwig Colmar* (1802–18) konnte dies jedoch verhindern, die Räumung erreichen und das Gotteshaus 1804 seiner eigentlichen Bestimmung zurückgeben. Beim Rückzug des französischen Heeres 1813/14 wurde der Dom abermals als Lazarett, Kaserne und Viehstall (!) profaniert. Die Wiederherstellungsarbeiten des 19. Jhs. begannen mit dem Ersatz der 1793 abgebrannten gotischen Spitze des östlichen Vierungsturmes durch eine spitzbogige Schmiedeeisenkuppel von *Georg Moller* (1828). Wegen drohender Einsturzgefahr mußte der Turm jedoch 1868 wieder abgetragen werden, und bis 1879 erbaute *Peter I. H. Cuypers* (1827–1921) ihn mit seinen seitlichen Treppentürmen im romanischen Stil neu.

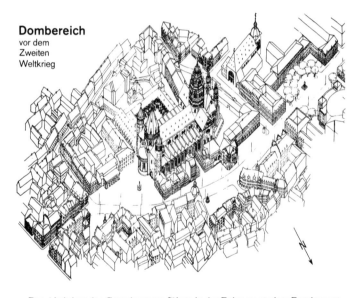

Dombereich
vor dem
Zweiten
Weltkrieg

Das Absinken des Grundwassers führte in der Folge zu starken Fundamentsenkungen, so daß 1910–16 der Ostturm und Teile der Mittelschiffsmauer bis auf tragfähigen Grund unterbaut werden mußten; 1924–28 wurden auch die übrigen Fundamente in langwieriger und schwieriger Stollenarbeit durch Betonblöcke unterfangen. Der durch F.I.M. Neumanns Kuppelbauten verursachten Überlastung der westlichen Vierung begegnete man durch Betoninjektionen in die Mauerrisse der Vierungsbögen sowie durch Erneuerung der Zwickelwölbungen und der Metallverklammerungen. – Die im Zweiten Weltkrieg erlittenen Schäden waren im Vergleich zu früheren Zerstörungen relativ gering. Infolge eines Luftangriffs brannten 1942 sämtliche Dächer der Schiffe des Langhauses ab; sie wurden schon bald nach Kriegsende erneuert. In den Jahren 1958–60 und 1971–74 wurde der Dom insgesamt restauriert. Seit seinem 1000jährigen Gründungsjubiläum im Heiligen Jahr 1975 zeigt sich der Mainzer Dom äußerlich einheitlich braunrot 'gefärbelt'.

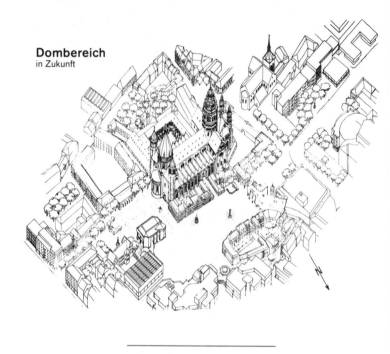

Dombereich
in Zukunft

Das Äußere des Domes (Ausmaße s. unter dem Grundriß) mit seinen sechs Türmen ist durch die lebhafte Gliederung im Aufbau und durch den mannigfachen Schmuck mit Bogenfriesen, Zwerggalerien und Fensterrosen sehr wirkungsvoll. Dem schlichteren Ostchor steht der Westchor, wohl das bedeutendste Werk der Spätromanik, mit komplizierter Gliederung und malerischen Einzelheiten gegenüber. Diesem Bild fügen sich die von F. I. M. Neumann veränderten westlichen Turmhelme vorzüglich ein, in ihrer genialen Verschmelzung romanischer und gotischer Bauteile mit gotisierendem Rokoko eines der glänzendsten Architekturstücke Deutschlands (schönster Blick vom

Leichhof; s. S. 74); auf dem First des Westchores ein
Reiterbild des hl. Martin (Nachbildung, Original des
zugehörigen Bettlers im Kreuzgang), des Schutzpa-
trons der Stadt. – Im Zuge der jüngsten Ausbesse-
rungsarbeiten sowohl am Ost- wie auch am Westwerk ist das ehemals charakteristische unruhig
scheckige Aussehen des Domes einem homogenen
braunroten Außenanstrich gewichen, wobei die einzelnen, verschiedenen Bauperioden entstammenden
und daher farblich unterschiedlichen Kalk- bzw.
Sandsteinpartien durch nuanciertes 'Färbeln' verein-
heitlicht wurden.

Das edle *Hauptportal* (Zugang vom Markt zwischen den Domhäu-
sern), das in das nördliche Seitenschiff führt, besitzt zwei unter Bischof
Willigis 988 von einem Meister Berenger gefertigte schlichte Bronze-
torflügel, nächst den Aachenern die ältesten in Deutschland, die 1804
von der zerstörten Liebfrauenkirche hierher übertragen wurden. In
die oberen Felder ist das von Erzbischof Adalbert I. der Stadt 1118 ver-
liehene Freiheitsprivileg eingegraben. Im Bogenfeld über dem Portal
Christus in der Glorie mit zwei Engeln (Anfang 13. Jh.). Weitere
Portale (nur während der Gottesdienste geöffnet) sind am Liebfrauenplatz, wo das südliche wegen seiner Säulenkapitelle Beachtung verdient, und am Leichhof, wo 1907 an der 'Paradiespforte' vortreffliche
*Skulpturen des frühen 13. Jhs. entdeckt und 1928 freigelegt wurden.

Im Inneren des Domes (Eintritt s. Besuchsordnung; Ausmaße s. unter dem Grundriß) steigert sich der Raumeindruck vom
eher düsteren salischen Ostchor über das durch die gotischen Seitenkapellen nicht ganz einheitlich gebliebene Mittelschiff zu dem helle-
ren spätromanischen Westchor mit den mächtigen Bündelpfeilern
und der gewaltigen Vierungskuppel. Der Westchor ist baulich besonders interessant mit seinen drei Apsiden und einigen bereits gotischen
Stilelementen. Von den 1859–64 nach Entwürfen von Philipp Veit
im Stil der Nazarener ausgeführten Wandmalereien sind bei der
Restaurierung von 1924–28 nur die Bilder in den Obergaden des
Mittelschiffes erhalten (Darstellungen aus dem Leben Jesu). Die
neuen Glasfenster zeigen die Wappen aller Mainzer Bischöfe (rund
90). Von der trotz aller Verwüstungen immer noch reichen Ausstat-
tung sind am bedeutendsten die **Grabdenkmäler** an Pfeilern und
Wänden, die einen trefflichen Überblick über die Geschichte der
deutschen Grabplastik vom frühen Mittelalter bis zum 19. Jh. bieten.
– Es empfiehlt sich, die Besichtigung am Ostchor zu beginnen und
in der nachfolgend beschriebenen Weise vorzunehmen, um Bauwerk
und Denkmäler in etwa chronologischer Folge ihrer Entstehung
kennenzulernen. Die Nummern 1–95 entsprechen denen des Dom-
grundrisses (s. S. 63).

Auf dem erhöhten **Ostchor** *(Stephanschor)* ein neuerer Ziborienaltar im romanischen Stil. Darunter (Eingang s. Nr. 73) befindet sich die 1872–76 ausgebaute *Bardokrypta;* auf dem Altar ein goldener Reliquienschrein (mit der Darstellung der 22 Heiligen aus dem Bistum Mainz) des Mainzer Goldschmieds Richard Weiland (1960). Ein ausgemauerter Gang (verschlossen) führt zu den Domfundamenten.

MITTELSCHIFF. – **1:** *Grabplatte Erzb. Siegfried III. von Eppstein* (†1249); urspr. Kastengrabdeckel, wohl bald nach 1249 entstanden; noch stark romanisch. S. krönt Wilhelm von Holland (rechts) und Heinrich Raspe von Thü-

ringen (links). – **2:** *Grabplatte Erzb. Peter von Aspelt* (†1320); urspr. Tumbadeckel; erstmals architektonischer Rahmen; gotisch; Bemalung neu. P. faßt mit der Rechten die Krone König Johanns von Böhmen, mit der Linken die Ludwigs des Bayern; daneben Kaiser Heinrich VII. – **3:** Grabplatte Erzb. *Mathias von Bucheck* (†1328); urspr. Tumbadeckel; Bemalung neu. Der Dargestellte hält erstmals ein Buch in der Hand. – **4:** Denkmal für zwei *Domherrn von Bocholtz* (†1568, †1582); vermutlich von einem niederrheinischen Meister um 1609 geschaffen. – **5:** Denkmal Domprobst *Christian Rudolf von Stadion* (†1700) und Großhofmeister *Johann Philipp von Stadion* (†1742). – **6:** Grabmal Erzb. *Adolf I. von Nassau* (†1390); urspr. Tumbadeckel; erstmals Verwendung eines Baldachins; Entwicklung zum 'weichen' Stil. – **7:** Grabmal Erzb. *Konrad III., Rhein-*

und Wildgraf von Daun († um 1434); 'weicher' Stil; Werk des Madern Gerthener; graue Bemalung neu. – **8:** Denkmal des *hl. Bonifatius* (†754); urspr. liegend; aus der Johanniskirche, wo es die Bonifatiusreliquien bedeckte; 1357 entstanden. – **9:** Denkmal Erzb. *Johann II. von Nassau* (†1419); vielleicht ein Werk des Madern Gerthener. – **10:** Denkmal Domkantor *Philipp Valentin von und zu Frankenstein zu Ockstadt* (†1774); klassizistischer Aufbau im Stil Louis XVI. – **11:** Denkmal Bischof *Johann Jakob Humann* (†1834); neugotisch; von dem Mainzer Bildhauer J. Scholl 1836 geschaffen. – **12:** Denkmal Domherr *Wolfgang von Heusenstamm* (†1594). – **13:** *Denkmal Erzb. Diether von Isenburg* (†1482); Seitenfiguren Katharina und Barbara (rechts), Martinus und Bonifatius (links). Die Inschrift rühmt D. als Erbauer der Martinsburg und Gründer der Universität. – **14:** *Domkanzel;* Kern alt; 1834 von J. Scholl gotisierend erneuert. – **15:** *Denkmal Administrator Adalbert von Sachsen* (†1484, erst 20jährig); monumentale Hauptfigur vom Adalbertmeister, Seitenfiguren vermutlich von Hans von Düren. – **16:** Grabplatte Erzb. *Lothar Franz von Metternich-Borschedt* (Burscheid; †1675). – **17:** *Denkmal Erzb. Berthold von Henneberg* (†1504); **18:** *Denkmal Erzb. Jakob von Liebenstein* (†1508); **19:** *Denkmal Erzb. Uriel von Gemmingen* (†1514); alle drei vortreffliche Werke von Hans Backoffen, an der Wende von Gotik zu Renaissance. Das erste noch von T. Riemenschneider abhängig, das zweite mit bemerkenswert gelöstem Körper und selbstbewußtem Ausdruck, das letzte mit einer bei Grabmälern dieser Zeit unübertroffenen Kunst der Menschendarstellung. – **20:** Grabplatte Erzb. *Johann Adam von Bicken* (†1604).

NÖRDLICHES SEITENSCHIFF. – **21:** Grabplatte Erzb. *Albrecht von Brandenburg* (†1545); urspr. im Westchor. Inschrift in deutscher Sprache. – **22:** *Denkmal Erzb. Albrecht von Brandenburg* (†1545); prächtiges Renaissancewerk von Dietrich Schro. Standbild aus Solnhofener Kalk; Bemalung neu. – **23:** *Denkmal Erzb. Sebastian von Heusenstamm* (†1555); von Dietrich Schro 1559 geschaffen. – **24:** Grabplatte Dompropst *Johann Wilhelm Wolf Metternich zur Gracht* (†1694); urspr. im Ostchor. – **25:** Denkmal Erzb. *Brendel von Homberg* (†1582); wohl von Nikolaus Dickhart. – **26:** Grabplatte Erzb. *Wolfgang von Dalberg* (†1601); urspr. im Westchor. – **27:** Denkmal Erzb. *Wolfgang von Dalberg* (†1601); erste barocke Anklänge; 1606 errichtet. – **28:** Denkmal Reichsgraf *Karl Adam vom Lamberg* (†1689); urspr. im Ostchor; wird J.W. Frölicher aus Frankfurt zugeschrieben. – **29:** Grabplatte Domscholaster *Jodocus von Riedt* (†1629). – **30:** *Altar* des Domscholasters *Jodocus von Riedt;* 1622 errichtet, noch an seinem urspr. Platz in der St. Viktorkapelle. – **31:** *Marienaltar* in der St. Barbarakapelle (seit 1960; vorher in der Sakramentskapelle); gestiftet zwischen 1652 und 1668. *Kruzifix* von Matthias Rauchmüller (um 1657). – **32:** *Bassenheimer Altar* in der St. Magnuskapelle; 1610 errichtet. Davor eine spätgotische **Grablegung* (um 1495; urspr. in der Liebfrauenkirche); Werk des Adalbertmeisters, im monumentalen Stil (burgundischer Einfluß). – **33:** *Flügelaltar* in der Marienkapelle (nicht urspr. hier); neugotisch (1875); mit drei guten spätgotischen Plastiken (um 1515). – **34:** Grabmal Bischof Frh. *Wilhelm Emmanuel von Ketteler* (†1877) in der Marienkapelle (Domaußenwand). – **35:** *Kreuzaltar* in der Sakramentskapelle (seit 1960; vorher in der St. Barbarakapelle); um 1657 errichtet. – **36:** Denkmal Familie *Brendel von Homburg;* 1563 errichtetes Wandepitaph in der St. Petruskapelle.

NÖRDLICHES QUERSCHIFF. – **37:** *Taufbecken* von 1328 aus der Liebfrauenkirche; Zinn; Kupferdeckel und Fuß neu. Dahinter an der Wand Denkmal des Domherrn *Wennemar von Bodelschwingh* (†1605). – **38:** *Nassauer Altar* (Bartholomäusaltar); kurz nach 1601 errichtet; wohl von Johann Juncker; prunkvoller Stil. – **39:** Denkmal Bischof *Paul Leopold Haffner* (†1899). – **40:** *Portal* zur St. Gotthardkapelle; um 1240, urspr. am Heiliggeistspital, seit 1860 im Dom. – Durch das Portal gelangt man in die 1135–37 an den alten Dom angebaute doppelgeschossige **St. Gotthardkapelle** (Sakramentskapelle), die ehem. erzbischöfliche Palastkapelle, die früher westlich mit dem Bischofshof verbunden war und eine der ältesten Domkapellen in Deutschland darstellt (1964 und 1981 restaur.). In der Mitte ein achtseitiger *Bronzeleuchter* (von G.G. Zeuner, 1971), im Ostchörlein das staufische *Kruzifix von Udenheim* (um 1140). – **41:** Grabmal Domdekan *Bernhard von Breidenbach* (Palästinareisender; †1497); urspr. Grabplatte in der Marienkapelle, seit 1812 an dieser Stelle; Werk des Mainzer Meisters Valentinus. – **42:** Denkmal *Familie von der Gablentz;* 1592 errichtet, Bemalung neu. – **43:** Denkmal Domherr *Theoderich von Knebel* (†1457); Rest mittelrheinischer Terrakottakunst.

WESTCHOR (Martinschor). – **44:** *Treppentürmchen* vom einstigen Westlettner; um 1240 (weitere *Lettnerfragmente im Bischöfl. Dom- und Diözesanmuseum). – **45:** **Rokoko-Chorgestühl;* 1760–67 von dem Wiener Hofschreiner Franz Anton Hermann angefertigt; Figurenschmuck von Heinrich Jung. Das überreich geschnitzte Gestühl gliedert sich dennoch harmonisch in die romanische Architektur des Chores ein (Zugang in Begleitung einer Aufsichtsperson möglich). – **46:** Denkmal Erzb. *Johann Philipp von Schönborn* (†1673). – **47:** Denkmal Erzb. *Lothar Franz von Schönborn* (†1729). – **48:** Drei *Glasfenster* im Scheitel des Westchores (von A. Stettner, 1954). – Der **Hauptaltar** wurde 1960 unter der Vierungskuppel aufgestellt. Auch die beiden *Ambonen* an der großen Hochchortreppe entstanden 1960. Die *Gitter* stammen vom Balkon des Halenzaschen Hauses am Markt. Über dem Altar hängt ein mächtiges *Bronzekreuz* (von G.G. Zeuner, 1975). – **49:** Zugänge zur *Lulluskrypta*, einer 1925–28 angelegten und 1971/72 neugestalteten Bischofsgruft; hinter dem Altar eine hölzerne Kreuzabnahme (süddeutsch, 15. Jh.; seit 1960 im Dom). – **50:** Seitliche *Chorbühnen;* 1682/83 von Clemens Hinckh anstelle des Lettners erbaut (Ausbuchtung des Obergeschosses in das Querhaus erst von 1961). – **51:** *Aaron-Statue;* **52:** *Melchisedech-Statue;* beide Marmorfiguren 1725 von Burkard Zamels geschaffen.

SÜDLICHES QUERSCHIFF. – 53: *Denkmal Erzb. Konrad II. von Weinsperg* (†1396); ohne Architekturrahmen; vollendeter 'weicher' Stil. – **54:** Denkmal Propst *Georg von Schönenburg,* Bischof von Worms († 1595); Figuren noch mit urspr. Bemalung. – **55:** *Sakristeiportal* aus dem 13. Jahrhundert. – **56:** *Paradiespforte;* nach 1200. Im Bogenfeld die *Skulpturen Christus als Weltenrichter, Maria, Johannes, Bonifatius und Martinus.

– **57:** Denkmal Dompropst *Carl Emmerich Franz von Breidbach-Bürresheim* (†1743); zwischen 1763 und 1770 von dem Niederländer Johann Peter Melchior angefertigt. Bemerkenswert ausdrucksvoll der Saturn- oder *Chronoskopf unten. – **58:** Denkmal Erzb. *Johann Friedrich Carl von Ostein* (†1763); Werk des Heinrich Jung aus Hochheim. – **59:** Denkmal Erzb. *Philipp Carl von Eltz-Kempenich* (†1743); urspr. im Hauptschiff; 1740, also noch zu Lebzeiten des Dargestellten, von Burkhard Zamels geschaffen. – **60:** *Denkmal Dompropst *Heinrich Ferdinand von der Leyen zu Nickenich* (†1714); das größte Denkmal des Domes, schon zu Lebzeiten des Dargestellten von J.M. Gröninger errichtet.

SÜDLICHES SEITENSCHIFF. – 61: Grabplatte Erzb. *Berthold von Henneberg* (†1504); urspr. über dem Grab im Ostchor; vielleicht ein Werk von Hans Backoffen. – **62:** Grabplatte Erzb. *Georg Friedrich von Greiffenklau* (†1629); urspr. über dem Grab in der Michaelskapelle. – **63:** Denkmal Domdekan *Georg Adam von Fechenbach* (†1773); Übergangsstil von Rokoko zu Klassizismus. – **64:** Grabplatte Erzb. *Damian Hartard von der Leyen* (†1678); urspr. in der St. Laurentiuskapelle; barockes Ornament. – **65:** Grabplatte Erzb. *Carl Heinrich von Metternich zu Beilstein und Winneburg* (†1679); urspr. in der St. Lambertuskapelle. – **66:** Wappen des *Albrecht von Brandenburg;* 1537, von der brandenburgischen Domstiftskurie in der hinteren Präsenzgasse. – **67:** Grabplatte Erzb. *Anselm Kasimir von Wambold* (†1647); urspr. im Westchor. – **68:** Denkmal Erzb. *Damian Hartard von der Leyen* (†1678); Werk des Mainzer Bildhauers Arnold Harnisch. – **69:** Denkmal Bischof *Josef Ludwig Colmar* (†1818); von Josef Scholl 1834 in neugotischem Stil errichtet. – **70:** Grabplatte Bischof *Vitus Josef Burg* (1833); urspr. über dem Grab im Ostchor. – **71:** Denkmal Erzb. *Anselm Franz von Ingelheim* (†1695); zwischen 1703 und 1711 vielleicht von J.W. Frölicher geschaffen. – **72:** Denkmal Domherr *Johann Philipp von Kesselstadt* (†1828); urspr. in der St. Thomaskapelle. – **73:** Eingang zur *Bardokrypta* (s. S. 60), mit romanischen Kämpferstücken (um 1100). – **74:** Denkmal Landgraf *Georg Christian von Hessen* (†1677); Werk des Arnold Harnisch. – **75:** *Romanischer Fries;* um 1100. – **76:** *Scharfenstein-Altar* in der Allerheiligenkapelle; 1609 errichtet. – **77:** Denkmal Domkapitular *Carl Wilhelm von Gymnich* (†1739); italienisches aus Marmorplättchen gefügtes Werk aus Malta. – **78:** *Christus und Thomas,* Exvoto des Domscholasters von Zobel; Backoffen-Schule, 1521. – **79:** *St. Dionysius;* um 1410. – **80:** *St. Johannesaltar;* gestiftet für den Domherrn Friedrich von Fürstenberg (†1608), um 1620 errichtet. – **81:** *St. Laurentiusaltar;* 1676 gestiftet von Erzb. Damian Hartard von der Leyen. Altarbild von Eduard v. Heuß (1853). – **82:** Denkmal Dompropst *Hugo Wolfgang von Kesselstadt* (1738); Anfänge des Rokoko; Werk des Burkard Zamels. – **83:** *St. Michaelaltar;* gestiftet von Erzb. Georg Friedrich von Greiffenklau (†1629), 1662 vollendet. – **84:** Denkmal Domkapitular *Johann Philipp von Greiffenklau zu Vollrads* (†1773); Übergang von Rokoko zu Klassizismus. – **85:** Denkmal Domherren *Johann Andreas Mosbach von Lindenfels* (†1571) und *Johann Heinrich von Walbrun* (†1573); Bemalung neu. – **86:** Nachbildung (um 1500) des Grabsteins der *Fastrada,* der 794 in Frankfurt verstorbenen dritten Gemahlin Karls des Großen; stammt aus der 1552 zerstörten Albanskirche, wo Fastrada begraben wurde; kam 1577 in den Dom. Rahmen 1836 erneuert. – **87:** Denkmal Domherr

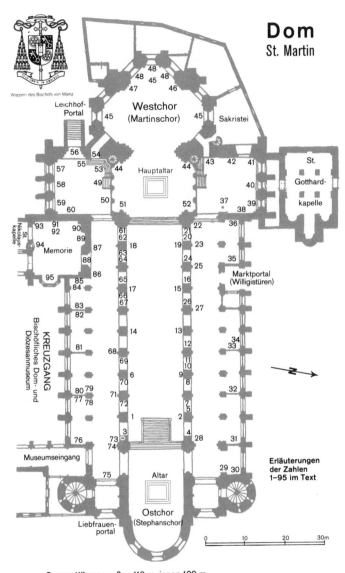

Dom
St. Martin

Wappen des Bischofs von Mainz

Leichhof-Portal

Westchor
(Martinschor)

Sakristei

St. Gotthard-kapelle

45   45

48
48   45
47   46

56   54
57   55   53   44   Hauptaltar   44   43   42   41
58   49   40
59   50   51   52   37   39
60   38

St. Nikolaus-kapelle
93   91   90   22   36
92
94   89   61   21   20
Memorie   87   62   18   19   23   35
88   63   24   25
64
95   85   86   65   16   Marktportal
84   66   17   15   (Willigistüren)
67   26   27
83   14   13
82
81   12   34
68   33
69   11
6   10
70   9   32
80   79   71   72   7   5
77   78   1   2   4   28   31
76   73
74   29   30
Museumseingang   75   Erläuterungen
der Zahlen
1–95 im Text

KREUZGANG
Bischöfliches Dom- und
Diözesanmuseum

Altar

Ostchor
(Stephanschor)

Liebfrauen-portal

0   10   20   30m

Gesamtlänge: außen 113 m, innen 109 m.
Mittelschiff: 53 m lang, 13,50 m breit, bis 29 m hoch.
Westkuppel (innen): 44,75 m hoch; **Ostkuppel** (innen): 38 m hoch.
Westturm: 82,50 m hoch; **östl. Treppentürme:** je 55,50 m hoch.

Rupert Rau von Holzhausen (†1588); urspr. in der St. Nikolauskapelle. Vor der Grablegung kniet der Stifter, der in Jerusalem gestorben ist und begraben wurde. – **88:** *Gotisches Memorienportal* von 1420, mit Heiligenfiguren auf der Dom- und der Memorienseite; Werk des Madern Gerthener.

Das Memorienportal führt in die spätromanische **Memorie,** die mit einem weiten Kreuzgewölbe (12,20 m Spannweite) gedeckte Totengedächtniskapelle der Domherren, früher der Kapitelsaal. – **89:** *Romanisches Memorienportal* nach 1200, jetzt vermauert; Stifterinschrift 'Emcho Zan'. – **90:** Denkmal Domkantor *Georg Göler von Ravensburg* (†1558); signiert 1564 Dietrich Schro. – **91:** Denkmal Domherr *Konrad von Liebenstein* (1536); Arbeit des Nikolaus Dickhart; Bemalung neu. – **92:** *Bischofssitz;* aus römischen Inschriftsteinen zusammengesetzt. Vielleicht Sitz des Dompropstes im alten Kapitelsaal. – **93:** Denkmal Kurfürstlicher Rat *Martin von Heusenstamm* (†1550); 1553 errichtet; Bemalung neu. – **94:** *Totenleuchte;* gotisch, um 1400. – **95:** *Ägidienchörlein;* 1486 begonnen.

An die Memorie schließt südlich die gotische *St. Nikolauskapelle* (urspr. 16. Jh.; im 19. Jh. erneuert) an. – ***Kreuzgang** (Bischöfl. Dom- und Diözesanmuseum) s. S. 65.

Die **Domorgel** besteht aus drei neueren, eigenständigen Werken (mit insgesamt 113 Registern), die sich im O s t c h o r (links und rechts), im W e s t c h o r (auf der Südchorette) und an der N o r d w a n d d e s Q u e r h a u s e s (hier auch der zentrale Spieltisch für alle drei Werke) befinden.

Domglocken. – Der Dom besitzt heute insgesamt 8 Glocken (Anfang des 18. Jhs. noch 25), die alle im W e s t t u r m hängen. Vier – die *Martinusglocke* (3 550 kg), die *Marienglocke* (2 000 kg), die *Josephsglocke* (1 050 kg) und die *Bonifatiusglocke* (550 kg) – wurden 1809 aus dem Metall von den Franzosen erbeuteter preußischer Kanonen gegossen. Die vier anderen – die *Albertusglocke* (1 950 kg), die *Willigisglocke* (1 600 kg), die *Bilhildisglocke* (550 kg) und die kleine *Liobaglocke* (150 kg) – kamen erst 1961 hinzu.

Eine Besteigung der **Domtürme** (Höhenangaben s. unter dem Domgrundriß) ist derzeit nicht möglich.

Ostwerk des Doms
vom Liebfrauenplatz gesehen

Der zweigeschossige *Kreuzgang an der Südseite des Domes wurde 1397–1410 vermutlich unter Leitung von Madern Gerthener erbaut und erlitt bei der Beschießung von 1793 schwere Schäden.
Seit 1925 bildet er zusammen mit den angrenzenden ehem. Kapitel-
räumen das *Bischöfliche Dom- und Diözesanmuseum.* Die Luftangriffe des Zweiten Weltkrieges zerstörten 1942–45 Dächer, Gewölbe und
Teile der Mauern. Die wertvollsten Stücke konnten jedoch durch
Bergung in der Domkrypta erhalten und bereits 1951 im Kapitelsaal
wieder ausgestellt werden (erstes Mainzer Museum der Nachkriegszeit). Bis 1964 waren die drei Flügel mit beiden Stockwerken wiederaufgebaut und in das Museum integriert; 1969 erfolgte eine einge-
hende Restaurierung. Das Museum gliedert sich in folgende Bereiche
(Eintritt s. Besuchsordnung):

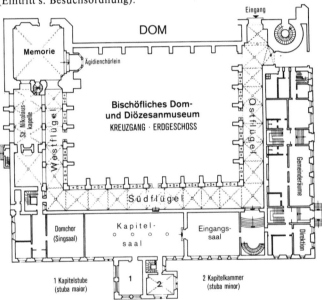

KREUZGANG · ERDGESCHOSS (Kreuzrippengewölbe, Maßwerkfenster,
Wappenschlußsteine; zahlreiche Wandepitaphien und Grabplatten). – O s t -
f l ü g e l (9 Joche): *Madonna der Palästinafahrer,* 1484 gestiftet; *Sarkophag
des Erzb. Aribo* (†1031); *Bettler,* Teil der Martinsgruppe vom Dach des Dom-
Westbaus (1774); Rahmenfragment (Renaissance) vom *Grabstein der Fastrada,*
der dritten Gemahlin Karls d. Gr.; *Grabplatte des Minnesängers Heinrich von
Meißen, gen. Frauenlob* (†1318), 1783 erneuert und unten ergänzt (Grablegung
durch Mainzer Frauen); achteckiger *Maßwerktaufstein* (Sandstein; um 1350);
u.a. – S ü d f l ü g e l (10 Joche): gotische *Portalrahmung mit Madonna* (14. Jh.)
von der ehem. Liebfrauenkirche; *Hl. Sebastian* und *Johannes der Täufer,* Sand-

steinfiguren von Franz Mathias Hiernle (um 1710); *Wandepitaph des Dom-*
herrn Johannes von Hatstein (†1518); *Hl. Bonifatius,* überlebensgroßes Sand-
steinbildwerk, wohl von Kaspar Hiernle (um 1750; Nachbildung vor der
St. Gotthardkapelle am Markt); *Beweinung Christi,* Tuffsteinhochrelief (16. Jh.);
Steinsarg (frühes Mittelalter); *Kreuzaufrichtung,* Sandsteinrelief, vermutlich aus
der ehem. Liebfrauenkirche (um 1700); u.a. – W e s t f l ü g e l (5 Joche) : *Renais-*
sancedenkmal des Vicedoms Heinrich von Selbold (†1578); *Steinsarg* (frühes
Mittelalter); u.a. – I n n e n h o f : Grabmäler; vier frühmittelalterliche *Stein-*
sarkophage; barocke Bauskulpturen; Gräber nach 1930 verstorbener Domkapi-
tulare entlang dem Ost-, Süd- und Westflügel; in der Nordwestecke ein *Frauen-*
lobdenkmal von Ludwig Schwanthaler (1842).

EINGANG · EINGANGSSAAL: *Casula des hl. Erzb. Willigis (†),* Leihgabe
der Pfarrkirche St. Stephan; Steinrelief *Hl. Martinus* (Backoffenschule;
1. Hälfte 16. Jh.); *Ölgemälde* eines einst 79 Bilder umfassenden Zyklus aus der
ehem. Mainzer Kartause auf dem Michelsberg (von Joseph Melbert, 1753);
Architekturteile vom ehem. Westlettner des Domes (Naumburger Meister,
spätstaufisch; um 1240); spätgotischer *Taufstein* (um 1500) aus der Weisenauer
Kirche; *Steinigung des hl. Stephan,* Sandsteinhochrelief (um 1300); *Drehtaber-*
nakel, reich intarsierte Holzarbeit aus dem Altmünster-Nonnenkloster (1758);
vier *Dommodelle* (baugeschichtl. Entwicklung); *Hl. Bruno* (Sandstein; Mitte
18. Jh.); *Hl. Christophorus* (Sandstein; 1. Hälfte 18. Jh.); *Sippenteppich* (4,06 x
1,68 m), 1501 für das Altmünster-Nonnenkloster gestiftet und vermutlich auch
dort gefertigt; 4 Dommodelle (um 1000, 1239, 1500, 1970).

KAPITELSAAL (23,40 m x 9,80 m; urspr. überwölbt): *Säulen* vom Kaiser-
chor (Ostchor) des Domes (Naumburger Meister, um 1240); *Steinfragmente*
vom ehem. Westlettner des Domes, mit Resten der urspr. Kalk-Kasein-Bemalung
(Naumburger Meister; spätstaufisch, um 1240), besonders *Deesis* (seit 1969
wieder mit dem Originalkopf Johannes' des Täufers), *Selige* und *Verdammte*

aus dem Weltgericht, *Engelstorso, Auferstehender,*
Kopf mit der Binde, Jünglingskopf und Teile der
steinernen *Chorschranken;* *Madonna aus der Fuststra-*
ße (mittelrheinisch, um 1250); *Orpheus-Teppich* (Brüssel, 2. Hälfte 17. Jh.); im Dombereich gefundene römische Keramik, Gläser und Eisengeräte; *Doppelgrab-*
mal (Sandstein; um 1419); *Reitertorso mit Gigant* (Sandstein; römisch, um 250 n. Chr.); *Hattofenster* aus
St. Mauritius (um 900); *Monolith-Doppelfenster* aus
St. Christoph (Sandstein; 9. Jh.); *Vier-Götter-Stein* (Sandstein; römisch, 1. Jh. n. Chr.); *Zwölf Apostel* und knien-
der *Johannes der Täufer* (beides Sandstein; Mainz, um
1270); *Wappenstein* der Mainzer Patrizierfamilie Gensfleisch, der Johannes Gutenberg entstammte (Kalkstein; 15. Jh.); thronende
Gottesmutter und *einer der Hl. Drei Könige,* Gewölbeschlußsteine vom Domkreuzgang (Sandstein; um 1400); romanisches *Taufbecken* aus Bodenheim
(Sandstein; um 1100); *Christusstein* aus St. Alban (Sandstein; um 800); u.a. –
Singsaal des Mainzer Domchors ('kleine Bischöfe'). – KAPITELSTUBE (stuba
maior): Bilder und Erinnerungsstücke an den bedeutenden Bischof Frh.
Wilhelm Emmanuel von Ketteler (1850–77); Porträts; Rokoko-Ofen (1750/60).

KAPITELKAMMER (stuba minor, schlichtes Kreuzgratgewölbe; Gold-
und Silberkammer): Teile vom *Mainzer Domschatz* (liturg. Gerät; Buchdeckel)·
Wappentafel "Ursprung und Wachstum des hl. Stuhls zu Mainz" (Mainz um
1774, mit Nachträgen); u.a. – B e i m T r e p p e n a u f g a n g : Zwei *Lithographien*
(von H. Sturm, 1830), "Domprobstei", und "Lustschloß Favorite, vor 1795". –
BÜCHERKAMMER (über der Kapitelkammer; unter Verschluß): *Evangeliar*
und *Missale,* Pergamenthandschriften aus dem ehem. Benediktinerkloster

St. Alban (Mainz, 10. Jh.); drei *Chorbücher* aus dem Karmeliterkloster (Mainz, Mitte 15. Jh.); Fragmente liturgischer Handschriften (14./15. Jh.); Buchbeschläge und Buchschließen (um 1700); Stiche und Lithographien von *Mainzer Ansichten;* u.a. – PARAMENTENSTUBE (über der Kapitelstube; spätgot. Sterngewölbe von 1489); *Kaselkreuz* (um 1500); liturgisches Gerät; Regentenstäbe; vier Kaseln (15./16. Jh.); Leuchter (17.–19. Jh.); sogen. Jesuitenornat (Mainz, um 1710/20); u.a.

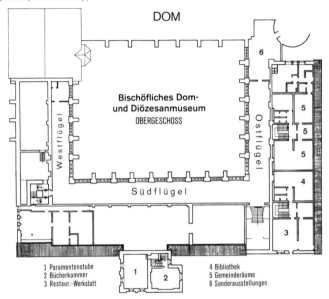

DOM

Bischöfliches Dom-
und Diözesanmuseum

OBERGESCHOSS

Westflügel   Ostflügel

Südflügel

6

5

5

5

4

3

1 Paramentenstube   4 Bibliothek
2 Bücherkammer   5 Gemeinderäume
3 Restaur.-Werkstatt   6 Sonderausstellungen

TREPPENHAUS: 13 *Ölgemälde* aus dem Zyklus der Mainzer Kartause (18. Jh.).

KREUZGANG · OBERGESCHOSS. – O s t f l ü g e l; 27 *Ölgemälde* aus dem Augustiner Eremitenkloster (18. Jh.); *Holzplastiken* (15.–18. Jh.); liturgisches Gerät und Ornatteile (17.–19. Jh.); u.a. – S ü d f l ü g e l : *Hl. Jacobus* (Lindenholz; um 1490); drei *Wilde-Leute-Teppiche* (um 1450); vier *Chorbücher* aus dem Karmeliterkloster (ab 1434 bis 16. Jh.); *Gnadenstuhl* (Lindenholz; um 1470/80); *Hl. Christophorus* (Lindenholz; um 1500); gemauertes Grabkopfstück des Erzb. Johann II. von Nassau (†1415), mit *Leuchterengel* (Fresco-Secco-Malerei); *Hl. Urban* (Holz; um 1480/90); zwei *Webteppiche* (Mainz, um 1450/60); acht *Gemäldeteile eines Flügelaltars* mit Darstellungen aus dem Leben des hl. Sebastian (Mainz, um 1500); *Hl. Katharina* (Holz; mittelrhein., um 1500); *Capella* (Mainz, um 1500), Leihgabe der Pfarrkirche St. Stephan; *Hl. Bischof* und *Hl. Jungfrau* (Lindenholz; mittelrhein., um 1500); zwei **Tugendteppiche* mit Inschriftenbändern (Mainz, um 1450); *Gott Vater und Sohn* (Lindenholz mit Vergoldung und Farbfassung; mittelrhein., um 1500); *Flügelaltar* (Holz, mit Vergoldung und Farbfassung; um 1510); Gemälde *Christus und die Kinder* (Tempera und Öl auf Holz; Meisterzeichen 'Greifenkopf', 1551); *Auferstehung des Lazarus,* aus einem spätgotischen Flügelaltar (Holzhochrelief; um 1500); Fragmente der *Renaissance-Domkanzel* (Alabaster; um 1540); *Kopf eines Kruzi-*

fixus (Tuffstein; von Hans Backoffen, um 1510); Schautafel mit Darstellung des Erzbistums und des Kurstaates Mainz; u.a. – W e s t f l ü g e l : Zwei überlebensgroße *Eichenholzfiguren* (Christus Salvator und Muttergottes; um 1750) aus der ehem. Zisterzienserabtei Arnsburg; vier *Gemälde* der Mainzer Kartause (18. Jh.); *Hl. Hubertus* (Tempera und Öl auf Holz), aus dem Frankenstein-Epitaph von St. Emmeran (1627); Porträtminiaturen der Erzbischöfe und Kurfürsten *Lothar Franz von Schönborn* (1695–1729) und *Karl Josef von Erthal* (1774–1802); Kaseln, Ornatteile und liturgisches Gerät (18./19. Jh.); u.a.

Das Bischöfliche Dom- und Diözesanmuseum unterhält eine eigene *Werkstatt* zur Restaurierung und Konservierung von Kunstwerken.

Domplätze · Gutenberg-Museum

Entlang der Nordseite des Domes, wo früher ein beträchtlicher städtischer Durchgangsverkehr flutete, ist in jüngster Zeit ein ausgedehnter zentraler Fußgängerbereich entstanden: Die sogenannten *D o m p l ä t z e* sind eine Folge dreier urspr. mittelalterlicher Plätze – **Höfchen - Markt - Liebfrauenplatz** –, die in Form und Ausmaß auf ihre historischen Vorgänger zurückgeführt sind und deren niveaudifferenzierte Ausgestaltung mit verschieden gemusterter Kleinsteinpflasterung, neuer Bepflanzung und modernen Bauelementen ein höchst reizvolles Platzensemble geschaffen hat, das im Laufe der Zeit durch die historisierende Rekonstruktion alter Hausfassaden bereichert wird. – Di., Fr. und Sa. 6–13 Uhr *Wochenmarkt.*

Die zum 1000jährigen Domjubiläum 1975 von den Mainzer Architekten E. Baier, W. Becker und W. Marx (Infra, Ges. f. Umweltplanung) neugestalteten *D o m p l ä t z e* beginnen im Westen mit dem in sich fast abgeschlossenen HÖFCHEN, dem einstigen Mittelpunkt der Stadt, benannt nach der bis zum 15. Jh. hier befindlichen erzbischöflichen Residenz. In der Mitte eine dreistufig eingetiefte Springbrunnenanlage. Am Hause Nr. 4 (etwa in Höhe des 2. Stocks) ein reich verzierter *Wappenstein* von ehem. Stadtgericht (Spätrenaissance; 1611). In der Nordecke des Platzes, an der Rückseite des ehem. Hauses 'Zur Nähkiste' (Schusterstr. 1–5), ein hübscher *Treppenturm* mit zierlicher Spätrenaissanceporte und darüber einer Figur der hl. Barbara (Chronostichon 1717). – Auf dem Höfchen errichteten vom Geiste der französischen Revolution erfüllte Mainzer Bürger am 13. Januar 1793 anstelle des alten Gerichtssteines den ersten deutschen 'Freiheitsbaum'.

An das Höfchen schließt östlich der größere MARKT, in dessen trichterförmig eingesenkter Mitte eine 6,50 m hohe und 16 t schwere sogen. **Heunensäule** (1,10 m im Durchmesser) eine der vermutlich schon um 1000 für den Dombau vorgesehenen Sandsteinsäulen aus dem Raum Miltenberg, aufgestellt ist. Legionärshelm, Kaiserkrone, Bischofshut und Narrenkappe an der bronzenen Basisverkleidung (Gernot Rumpf, 1980) stehen für wichtige Abschnitte der Mainzer Geschichte. In der Südwestecke des Marktes, vor der St. Gotthardkapelle des Domes, die Nachbildung einer *Bonifa-*

tiusstatue (Original im Bischöfl. Dom- und Diözesanmuseum) und ein kleiner origineller Flachbrunnen. Zwischen den Häusern Nr. 10 (Rheingauer Wein-Cabinet) und Nr. 12 (Dom-Café) der Zugang zum Marktportal des Domes. Die barocken **Domhäuser** (Nr. 18–26) stammen von Johann Valentin Thomann (um 1770) und bringen die mächtigen Dimensionen des Domes besonders zur Wirkung. An der Nordseite des Platzes (Nr. 3) die *Löwen-Apotheke* (urspr. von 1568). – In dem sich ostwärts verschmälernden Marktausläufer steht etwas erhöht der ***Marktbrunnen** (1526 von Erzb. Albrecht v. Brandenburg zur Erinnerung an Kaiser Karls V. Sieg bei Pavia und die Niederwerfung der Bauern errichtet), einer der frühesten und schönsten Renaissancebrunnen Deutschlands. Er wurde 1974/75 in analoger Farbgebung restauriert und an seinem ursprünglichen Standort wiederaufgestellt.

Weiter rheinwärts geht der Markt in den unregelmäßig geschnittenen LIEBFRAUENPLATZ, den größten der drei Dom-Plätze, über. Er trägt seinen Namen nach der einst vor dem Ostchor des Domes befindlichen *Liebfrauenkirche* (Stiftskirche 'St. Maria ad gradus'; 975 gegr., im 11. Jh. umgebaut, um 1410 gotisch erneuert), die bei der Beschießung von 1793 zerstört und deren Ruine 1807 abgebrochen wurde; eine rekonstruierte Sockelmauer bezeichnet den Chor, das Pflastermuster deutet den Grundriß an. Vor dem Ostchor des Domes eine *Nagelsäule* mit Kriegsspendennägeln (1916). An der Südseite des Platzes (Nr. 10) die um 1826 in klassizistischem Stil erbaute **ehem. Preußische Hauptwache,** später als städtische Kunsthalle genutzt, jetzt als *Haus am Dom* im Besitz des Bischöflichen Ordinariats (Vorträge, Diskussionen, Ausstellungen). – Südlich hinter dem Haus am Dom verläuft die G r e b e n s t r a ß e (dorthin durch die Domstr. oder die Liebfrauenstr.). Nr. 26 Das *Haus zum Römischen König* oder *zum Lateran* mit Fachwerkmittelerker; Nr. 12 das *Bischöfliche Dom- und Diözesanarchiv* (Öffnungszeiten s. Besuchsordnung); gegenüber die *Dombauhütte*. In der Grebensstraße 24–26 der 1988 eröffnete *Erbacher Hof*, ein neues katholisches Bildungszentrum des Bistums Mainz. Interessante Dachkonstruktion, gedeckt mit Walzblei. Das umfangreich sanierte Kerngebäude wurde im 13. Jh. als Klosterhof von Eberbach im Rheingau gegründet. – Auch die den Liebfrauenplatz mit der Rheinstraße verbindende F i s c h t o r s t r a ß e ist in die verkehrsfreie Domplatzzone einbezogen.

Die Nordseite des Liebfrauenplatzes wird deutlich von dem stattlichen ***Haus zum Römischen Kaiser** (Nr. 3–5) beherrscht. Das 1653–64 von dem Kaufmann und kurfürstlichen Rentmeister Emund Rokoch als Privatpalais 'Zum Marienberg' mit reichem plastischem Fassadenschmuck errichtete Renaissancegebäu-

Im Vordergrund die rekonstruierten
Grundmauern der Liebfrauenkirche

de (schöne *Stuckdecke von D. Rosso in der Eingangshalle; dort auch das älteste Gutenbergdenkmal, von Jos. Scholl, 1827) diente

(liber ecclesiastc?

quado inter se dicitur: Nã in octauo
z tricesimo anno temporibz ptolomei
euergetis regis postq; puen i egiptu:
et cum multu tempore ibi fuisse inueni
ibi libros relictos nõ parue neqz contē-
nēde doctrine. Itaqz bonū et necessa-
riū putaui et ipse aliqua addere dili-
genciã z laborē-interptandi libru istū:
z multa vigilia attuli doctrinã i spa-
cio teporis ad illa qz ad finē ducunt li-
brum istū dare: et illis qz volūt animū
intendere et discere quēadmodū opor-
teat instituere mores qui secūdum le-
gem domini pposuerūt vitam agere.,,
Explicit plog' scripir liber ecclesiastc.

Omnis sapiencia a do-
mino deo ē: z cū illo
fuit semper: z est an-
te euum: Arenam
maris z pluuie gut-
tas z dies seculi: qs di-
numerauit? altitudinē celi z latitu-
dinē terre z pfudū abissi: qs dimēsus
est sapientiam? et precedens omnia:
qz inuestigauit prior omniū creata
est sapiēcia: et intellectus prudencie ab
euo: ffons sapiencie verbū dei in excel-
sis: et ingressus illius mãdata eterna.
Radix sapiencie cui reuelata ē: et astu-
cias illi' qs agnouit? Disciplina sapiencie cui reuelata est z manifestata:
et multiplicacionem ingressus illius
quis intellexit? Vnus est altissimus
creator omniū oipotēs z rex potēs
et metuendus nimis: sedens sup thro-
num illius z dominās deus. Ipse cre-
auit illã in spiritu sancto: z vidit z dinumerauit et mēsus ē. Et effudit illã
sup omnia opera sua: et sup omnem
carnē secūdum datū suū: et dedit illam
diligentibz se. Timor domini gloria
z glacio: z leticia z corona exultaciõis.

Timor domini delectabit cor: et dabit
leticiã z gaudiū in longitudinē dies.
Timenti deū bene erit in extremis: z in
die defūctionis sue benedicet. Dilectio
dei honorabilis sapiēcia: quibz autē
apparuerit i visu-diligūt eã: i visione
z i agnicõne magnaliū suor. Iniciū
sapiencie timor domini: z cū fidelibz
in vulua concreatus est: z cum electis
feminis graditur: z cum iustis z fidelibz
agnoscitur? Timor domini sciencie
religiositas. Religiositas custodiet et
iustificabit cor: iocūditatē atqz gaudi-
um dabit. Timenti deū bene erit in extremis et in diebz cõsolationis illius
benedicet. Plenitudo sapiencie timere
deum: et plenitudo a fructibus illius.
Omnē domū illi' implebit a generati-
onibus: et receptacula a thesauris illius. Corona sapiencie timor domini:
replens pacem et salutis fructum: z vidit et dinumerauit eam? Vtraque
autē sunt dona dei: Scientiã et intel-
lectū prudencie sapientia compartitur:
et gloria tenentiū se exaltat. Radix sa-
pientie ē timere dū: rami enim illi' longe-
ui? In thesauris sapiencie intellect' et
sciencie religiositas: execratio autē pecca-
toribz sapientia. Timor domini expel-
lit peccatū: Nam qui sine timore est
non poterit iustificari: iracūdia enim
animositatis illius subuersio eius ē
Vsqz in tempus sustinebit patiens: z
postea redditio iocūditatis? Bon' sen-
sus. usqz i temp' abscōdet verba illi':
et labia multorū enarrabūt sensū illi'.
In thesauris sapiencie significatio di-
sciplinae: execratio autē peccatori cultu-
ra dei: Fili cõcupiscēs sapientiã cõser-
ua iustitiã: z deus prebit illã tibi. Sa-
piētia eni z disciplina timor domini:
z qz beneplacitū ē illi fides z mansuetudo:

ab 1742 unter seinem heutigen Namen (Kaiserfigur über dem Portal) als vornehmes Hotel, in dem 1763 Mozart musizierte sowie u.a. Voltaire (1753) und Goethe (1814) abstiegen. Das im Zweiten Weltkrieg ausgebrannte Haus (der angrenzende 'Hof zum König von England' ist vernichtet) wurde rekonstruiert und beherbergt seit 1962 wieder das *Gutenberg-Museum* (Verwaltung, Arbeitsräume, Magazin, Archiv, Fachbibliothek; außerdem Sitz der Internat. Gutenberg Gesellschaft, deren Ausstellungsräume in einem nördlich anschließenden modernen Zweckbau untergebracht sind). Vor der schlichten westlichen Schmalseite des alten Hauses eine bronzene *Gutenberg-Büste* (von W. Aaltonen 1962).

Das ***Gutenberg-Museum** wurde im Jahre 1900 anläßlich des 500jährigen Gutenberg-Jubiläums gegründet und hat sich inzwischen zu einem einzigartigen *Weltmuseum der Druckkunst* entwickelt, das über den Erfinder der Buchdruckkunst Johannes Gensfleisch zum Gutenberg unterrichtet, Dokumente zur Geschichte der Schrift, des Buches, des Druckes, der Buchillustration und des Bucheinbandes aus vielen Ländern der Erde zeigt und mittels Vorführung historischer wie neuzeitlicher Geräte und Maschinen ein lebendiges Gesamtbild vermittelt, das durch Wechselausstellungen, Vorträge, Film- und Lichtbildprojektionen sowie Schaubilder eindringlich ergänzt wird.

Man gelangt zu dem dreistöckigen Ausstellungsbau durch den seitlich hinter dem Haus zum Römischen Kaiser befindlichen *Museumszugang* (zwischen Betonpfeilern bronzene Druckstöcke) und über einen freundlichen I n n e n - h o f (am Verbindungstrakt erhaltene Architekturteile vom zerstörten 'Hof zum König von England'; Steinbuch vom Kubach-Wilmsen-Team). Das Museum umfaßt folgende Einrichtungen und Abteilungen (Entritt s. Besuchsordnung).

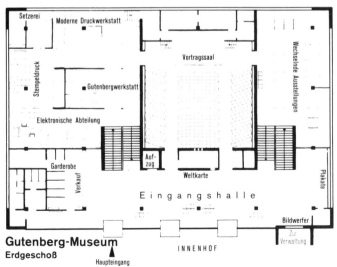

Gutenberg-Museum

Erdgeschoß

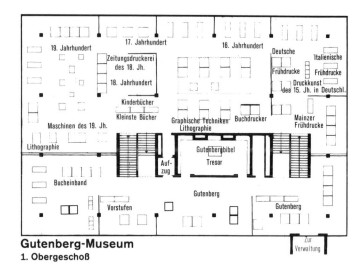

Gutenberg-Museum
1. Obergeschoß

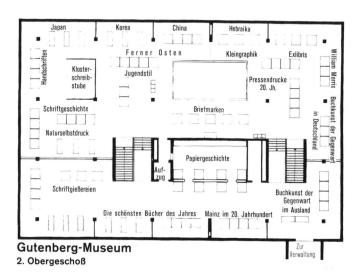

Gutenberg-Museum
2. Obergeschoß

ERDGESCHOSS: Garderobe, Verkaufsstelle; Eingangshalle (große Weltkarte der Ausbreitung der Druckkunst; div. Schaustücke; Plakate; Bildwerfer; Anzeigentafel); Vortrags-, Theater- und Filmvorführungssaal (Gutenbergfilm s. Besuchsordnung). – TIEFPARTERRE: Nachbildung der *Gutenberg-Werkstatt,* in der wie vor über 500 Jahren gedruckt wird (Demonstrationszeiten s. Besuchsordnung); Arbeitstisch eines Stempelschneiders; *Setz- und Druckmaschinen des 20. Jhs.;* Elektronik; moderne Druckwerkstatt; Setzerei. – Raum für wechselnde Ausstellungen.

ERSTES OBERGESCHOSS: Tresorraum mit der 42zeiligen **Gutenberg-Bibel** (Mainz 1452–55; Beispielseite s. S. 70), *erste Mainzer Frühdrucke* ("Mainzer Ablaßbrief", erste Großauflage, 1454/55, "Mainzer Psalter" von Fust und Schöffer dreifarbig in einem Druckgang hergestellt, 1459; "Catholicon", 1460; u. a.), Handschriften und Einbänden; Gutenberg-Dokumente; *Stadtmodell* von Mainz zur Zeit Gutenbergs; Vorstufen des Buchdrucks; Druckerzeichen; *außerdeutsche Frühdrucke* (Livius: "Von der Gründung Roms", latein., Rom 1469; "Hypnerotomachia Poliphili", Venedig 1491); *Mainzer Frühdrucke;* andere *deutsche Frühdrucke* (Ptolemäische Kosmographie. Ulm 1482: Schedelsche Weltchronik, Nürnberg 1493); *Buchdruck im 16. Jh.* ("Theuerdank", Nürnberg 1517; Appians "Astronomicum Caesareum", Ingolstadt 1540); *Buchdruck im 17. Jh.* (Merians "Topographie", Frankfurt a. M. 1642–88; "Cantus Gregorianus Moguntinus", Mainz 1666); *Buchdruck im 18. Jh.* (Scheuchzersche Kupferbibel, Augsburg 1731–33; erste in Nordamerika gedruckte deutsche Bibel, Germantown 1743) und im 19. Jh.; Zeitungsdruckerei des 18. Jh.; *Druckmaschinen des 19. Jhs.* (Modell von F. Koenigs Schnellpresse, 1814; Columbia-Presse 1824); Kinderbücher; *kleinste Bücher* ("Dantino", Florenz 1878; Vaterunser in 7 Sprachen, als Museumsbaustein käuflich); *graphische Techniken* (Holzschnitt, Kupferstich, Lithographie); Buchdruckerbräuche; *Bucheinband* (Sammlung der Deutschen Buchbinder).

ZWEITES OBERGESCHOSS: *Anfänge der Schrift und des Buches* (babylon. Tontafeln und Rollsiegel; Zeugdrucke); alte Schriftproben; mittelalterliche Handschriften; *Klosterschreibstube;* Baskerville, Bodoni, Didot; Schreibmeisterbücher; Jugendstil (Zeitschrift "Jugend", gegr. 1896); *Druckkunst im Fernen Osten* (China, Korea, Japan); *Hebräische Abteilung;* Kleingraphik, Exlibris, Supralibros; Pressendrucke; Bücher von *William Morris* (1834–96; Kelmscott Press); deutsche Buchkunst der Gegenwart; Briefmarken; Buchkunst der Gegenwart im Ausland; Mainzer Buchdruck im 20. Jh.; Naturselbstdruck; *Papiergeschichte* (Wasserzeichenpapiere aus sieben Jh.; Modelle alter Papiermühlen; japan. Papiermacherwerkstatt); die schönsten Bücher des Jahres; deutsche Schriftgießereien.

Ferner reiche Sammlungen u.a. von Graphiken (Holzschnitte, Kupferstiche), Holzdruckstöcken für Spielkarten, Stoffdruckmodeln, Plakaten und Buchumschlägen, die in wechselnden Sonderausstellungen gezeigt werden. Nicht ausgestellte Exponate können auf Anfrage in den Arbeitsräumen des Hauses zum Römischen Kaiser eingesehen werden.

Das Museum wird von der 1901 gegründeten *Internationalen Gutenberg-Gesellschaft* unterstützt, die wissenschaftliche Forschungen über Gutenberg und die Buchdruckerkunst fördert sowie das Gutenberg-Jahrbuch (in 5 Sprachen) herausgibt und seit 1968 den Gutenberg-Preis verleiht.

Südliche Altstadt

Die eng bebaute und verwinkelte s ü d l i c h e A l t s t a d t wird einerseits von der Achse Ludwigsstraße/Domplätze, andererseits von den im Süden aufsteigenden ehem. befestigten Anhöhen begrenzt, im Zuge derer die Eisenbahnlinie Hauptbahnhof–Südbahnhof (in Tunneln) sowie die im Ausbau befindliche Altstadttangente für den Kfz-Verkehr verläuft. Der Zweite Weltkrieg hat diesen für die alte Erzbischofsstadt bedeutenderen Teil weniger heimgesucht als den nördlichen. Planmäßige Sanierungsarbeiten (auf insgesamt 18,2 ha Grundfläche) sind hier in vollem Gange; das neue 'Altstadtzentrum' (Leichhof, Leichhofstraße, Augustinerstraße, Kirschgarten, Hollagäßchen) wurde zu einer Fußgängerzone ausgestaltet. Die Mainzer nennen das Viertel 'die Vilzbach'.

Leichhof · Augustinerstraße · Kapuzinerstraße

Vom Höfchen (Ostende der Ludwigsstraße) südöstlich zum Leichhof führt die Schöfferstraße; rechts die (seit 1828 evang.) **St. Johanniskirche** (Eintr. s. Besuchsordnung), die älteste Mainzer Kirche, früher Taufkirche des Domes und vielleicht an der Stelle des ersten Dombaues (um 550?; Mauerreste des Hatto-Baus um 900, Westchor gotisch, um 1360); 1942 zerstört, bis 1958 unter Verwendung der alten Reste mit neuer Holztonnengewölbedecke wiederaufgebaut. Die Johanniskantorei ist eine aktive Pflegestätte der Kirchenmusik.

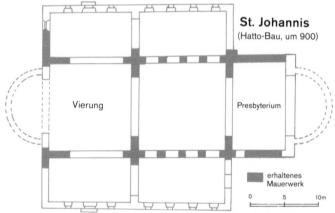

St. Johannis

(Hatto-Bau, um 900)

Vierung

Presbyterium

erhaltenes Mauerwerk

0   5   10m

Vom LEICHHOF, einst Domfriedhof, einem sehr geschlossenen Platz (Brunnen von Prof. Müller-Olm, 1980), bietet sich der beste *Blick auf die westliche Turmgruppe des Domes (vgl. Zeichnung S. 54), besonders bei Sonnenuntergang. Die barocken *Domhäuser* (Leichhof Nr. 26–36 und Schöfferstr. 2–4) stammen von I. M. Neumann (um 1770), das Barockhaus mit Erker (Nr. 11–13) von 1730. Die schmale Leichhofstraße (Fachwerkhäuser) verbindet den Leichhof mit der malerischen A u g u s t i n e r s t r a ß e (Fußgängerzone mit schöner moderner Pflasterung). Sie bildet die Hauptachse der Alt-

stadt und ist eine der wenigen Ge-
schäftsstraßen, die fast unzerstört
blieben. Gleich zu Anfang gelun-
gen restaurierte Fachwerkhäuser
aus dem 17. Jh., wie das Haus
"Zum Spiegelberg" mit interessanter Kerbschnittornamentik an
den Balken und Bandelwerkstuck
aus dem 18. Jh. sowie das benach-
barte schmale Haus mit reichem
Schmuckdekor aus Zopf- und
Fruchtgirlanden.   Auf   dem
KIRSCHGARTEN, eine zum

intimen Plätzchen erweiterte Altstadtgasse, steht eine reizvolle
Brunnenmadonna. Hübsche Fachwerkhäuser aus dem 16.−18. Jh.,
z.T. mit alten Hausbezeichnungen rahmen den Platz ein. Kirschgarten Nr. 21 das Geburtshaus der Freiheitsdichterin Kathinka Zitz
(alias K. Halein; 1801−77). Am Backhaus "Zum Beymberg" mit
dem Wappen der Bäckerzunft ein fast schon versteinerter Kirsch-
baumstumpf. In der sich anschließenden Badergasse der "Frankfurter Hof", ein 1841 errichteter Saalbau, in dem die ersten Fastnachts-
sitzungen des 1838 gegründeten Mainzer Carneval-Vereins stattfan-
den. Nach Abschluß umfangreicher Sanierungsarbeiten wird der
Bau für kulturelle Zwecke genutzt werden. − An der Augustinerstraße links die Augustinerkirche oder *Seminarkirche,*
1768−1776 anstelle einer früheren Kirche des 13. Jhs. für das angrenzende ehem. Kloster der Augustinereremiten (seit 1805 Bischöfl. Priesterseminar) erbaut. Die in die Häuserfront eingeglie-
derte großzügige Barockfassade hat ausgezeichneten plastischen
Schmuck (Mariae Himmelfahrt und Dreifaltigkeit).

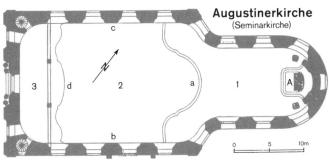

Augustinerkirche
(Seminarkirche)

DECKENGEMÄLDE:
2 Wirken des hl. Augustinus
  a als Kirchenlehrer
  b als Geißel der Irrlehrer

1 Taufe des hl. Augustinus

  c als Schüler der Wahrheit
  d als Erzvater der Ordensleute

A Hochaltar
3 (unter der Orgelempore)
  drei alttestamentliche Szenen
  aus dem Leben des Jakob

Das überraschend weiträumige *INNERE* ist ausgewogen gestaltet (Langhaus und Chor in einer Ebene; flaches Spiegelgewölbe in Holzbauweise) und hat vortreffliche *Deckengemälde* von Johann Baptist Enderle (1772), den hl. Augustinus darstellend. Die Figuren an dem monumentalen *Baldachinaltar* sind von dem Mainzer Bildhauer Johann Sebastian Pfaff nach Modellen des Würzburger Meisters Peter Wagner gearbeitet. Zwischen den beiden rechten Seitenaltären die thronende sog. *Augustinermadonna* (Lindenholz, um 1420, Originalfassung) aus der ehem. Liebfrauenkirche. Die von zwei Säulen getragene Empore für die klangvolle *Stumm-Orgel* schwingt frei in das Langhaus; Kanzel in Louis-XVI-Formen.

Rechts neben der Augustinerkirche (Nr. 34) das reich verzierte Barockportal ('Seminarportal', 1753) zum ehem. Kloster, mit Figuren wohl von Nikolaus Binterim. Im heutigen **Bischöflichen Priesterseminar** ein schön gestalteter Bibliothekssaal und Barockgarten. Die Seminarbibliothek (Öffnungszeiten s. Besuchsordnung) enthält rund 170 000 Bücher, 105 Handschriften (u.a. "Sacramentum Gregorianum", 11. Jh.) und 900 Inkunabeln. – Beachtenswert in der Augustinerstraße sind ferner das Fachwerkhaus *Zum Spiegelberg* (Nr. 75; Ende 17. Jh.), die Häuser Nr. 58 (Zierbögen), 50 und 44 (beide mit Zierbögen) sowie die *Adler-Apotheke* (Nr. 23; ehem. 'Zur Großen Eiche'), die einzige erhaltene alte Mainzer Apotheke (Empire-Innenausstattung). Am Ende zweigt links die Weintorstraße ab; gleich links (Nr. 1 und 3; Zugang durch den Torbogen) im Hof das hohe *Haus zum Stein,* der älteste romanische Wohnbau der Stadt (13. Jh.); eine umfassende historisierende Restaurierung ist abgeschlossen.

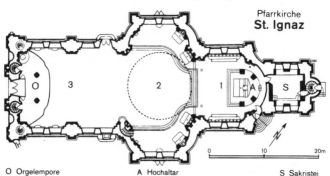

Pfarrkirche
St. Ignaz

O Orgelempore   A Hochaltar   S Sakristei

DECKENGEMÄLDE: Der hl. Ignatius (von Antiochien)
1 als Freund der Kinder   2 wird zum Tode verurteilt
3 wird in der römischen Arena von Löwen zerrissen

Die Augustinerstraße endet an dem platzartig erweiterten GRA-
BEN. Links blickt man in die Holzstraße rheinwärts zum Holzturm
(s.S. 108), rechts durch den Hopfengarten zum *Holzhof* (moderner
Wohnkomplex mit Läden und Tiefgarage, 1978). − An der vom
Graben südostwärts ausgehenden K a p u z i n e r s t r a ß e steht links
(Nr. 40; früher in der Häuserreihe) die
im Zweiten Weltkrieg beschädigte **St.**

Ignazkirche, 1763−74 anstelle einer gotischen Kirche von Johann Peter Jäger
im Übergangsstil von Rokoko zu Klassizismus erbaut. Eine umfassende Restaurierung des Inneren wurde abgeschlossen. Die ca. 3 m hohe Figur des hl.
Ignatius in der Mitte des ersten Obergeschosses der mächtigen *Westfassade
aus rotem Mainsandstein ist eine Schöp-
fung von Johann Jakob Juncker (1772),
die Nischenfiguren schuf Nikolaus Binterim schon 1752. − Links vor der Kirche steht auf dem Ignazfriedhof eine
hervorragende   *Kreuzigungsgruppe*
(1519) nach dem Entwurf von Hans Backoffen (†1512), gestiftet als
sein Grabmal. − Eintritt s. Besuchsordnung.

Das weite *INNERE der steinüberwölbten Saalkirche ist nur durch zwei
kurze Querhausarme bereichert; über der Vierung eine flache Kuppel. Die
Deckengemälde stammen urspr. von Johann Baptist Enderle (1773/4), wurden
jedoch später mehrfach nachgearbeitet. Die reichen *Stukkaturen* führte Johann
Peter Metz 1772 aus. Den im Verhältnis zu dem großen Apsisraum etwas zu
klein geratenen *Baldachinaltar* entwarf Jakob Joseph Schneider 1779, die
stuckmarmorne *Kanzel* schon 1774; die Altarfiguren fertigte Johann Jakob
Juncker. Der *Orgelprospekt* (an der stuckierten Brüstung Musikinstrumente)
wurde 1774/81 errichtet und ist ein seltenes Beispiel eines klassizistischen Ge-
häuses. Die erste Orgel ist nicht erhalten, das jetzige Werk von 1836.

Die von etlichen erhaltenen alten Häusern (z.T. schieferverkleidete
ehem. Fischerhäuser; auch Barockfassaden) gesäumte Kapuziner-
straße mündet bei der *Großmarkthalle* in die Dagobertstraße. Die
Markthalle soll in Zukunft als Ausstellungsraum für die 1981 gefundenen Römerschiffe dienen (s.S. 86). Vom Graben führt die Neutorstraße zur Rheinstraße; Ecke Dagobertstraße das ansehnliche
Barockhaus *Zu den drei Mohren* (1710), mit schönem Portal und einer Madonna (Nachbildung) an der Hausecke.

Bischofsplatz · Weihergarten · Ballplatz

Vom Leichhof führt die Johannisstraße (rechts die St. Johanniskirche) südwestlich zum B i s c h o f s p l a t z , benannt nach dem
ehem. *Bischöflichen Palais,* das 1663−66 als Domkustorie von
Domkustos Franz Georg von Schönborn errichtet wurde und wo seit
1802 der Mainzer Bischof wohnte (1942 zerstört und nicht wieder

aufgebaut); auf dem Platz ein *Pumpenbrunnen* im Stil Louis XV.
(früher in der Neutorstraße). − In der vom Bischofsplatz ostwärts
ausgehenden Heiliggrabgasse (Nr. 2) die ehem. **Heiliggrab-Johan-
niterkommende** (seit 1968/69 Bischöfliches Ordinariat; Eingang Bischofsplatz Nr. 2), eine offene Hufeisenanlage (Ehrenhofmotiv)
von Caspar Bagnato (1742). Am Hause 'Großer und kleiner Engel'
(Nr. 9) ein schöner Erker (um 1700). − Vom Bischofsplatz südwärts
gelangt man durch die Weihergartenstraße in die einheitlich bebaute Gasse WEIHERGARTEN; die Reihe Nr. 1−11 nimmt der angesehene **Musikverlag B. Schott's Söhne** (Eingang Nr. 5; schöner Innenhof) ein.

Der Musiker *Bernhard Schott* (1748−1809) gründete 1770 in Mainz seinen
Musikverlag; 1780 wurde er zum 'Hofmusikstecher' ernannt. 1792/93 ließ er
das noch heute als Mitteltrakt der Verlagsgebäude erhaltene Haus (Nr. 5) er-
richten. Seine Söhne *Johann Andreas* (1781−1840) und *Johann Josef Schott*
(1782−1855) führten das Werk ihres Vaters fort, erweiterten den Verlag und
gaben ihm den heutigen Namen; Filialen entstanden in Antwerpen (später
Brüssel), Paris, London und Leipzig. Später ging das Unternehmen an *Ludwig Strecker sen.* (1853−1943) über, dessen Nachfahren es heute noch leiten. −
Die Verlagstätigkeit begann mit Komponisten des kurfürstlichen Hofes sowie
der Mannheimer Schule und erlebte mit Spätwerken von *Ludwig van Beethoven*
einen ersten Höhepunkt. 1859 begann die Verbindung zu *Richard Wagner*, der
seinen Meistersinger-Text am 5. Februar 1862 im Hause Schott erstmals
vorstellte. Der Verlag erwarb Wagners Opern "Ring des Nibelungen", "Die
Meistersinger von Nürnberg" und "Parsifal"; auch Franz Liszt, Peter Cornelius
und Engelbert Humperdinck waren dem Hause Schott verbunden. Später
wurde auch die 'neue' Musik von Igor Strawinsky und Paul Hindemith
(Gesamtwerk bei Schott) aufgenommen. Von den 'modernen' Komponisten,
deren Werke im Schott-Verlag erschienen sind, seien (alphabetisch) genannt:
W. Egk, W. Fortner, L. Foss, H. W. Henze, G. Ligeti, C. Orff, K. Penderecki,
H. Pfitzner, A. Schönberg, H. Sutermeister und K. Weill. − Gesamtausgaben
von R. Wagner, A. Schönberg und P. Hindemith sind teilweise erschienen.

Die Bühnen- und Konzertabteilung ist heute eine Zentrale des zeitgenössi-
schen Musikschaffens. Das Kernstück der musikwissenschaftlichen Abteilung
ist das "Riemann-Musik-Lexikon". In der Zeitschriftenabteilung erscheinen
die Fachperiodika "Melos", "Neue Zeitschrift für Musik", "Musik und Bildung"
sowie "Das Orchester". Schallplatten mit zeitgenössischer Musik erscheinen
unter dem Namen WERGO.

Richard Wagner
Rheingold-Motiv
für vier Tuben
Autograph

In einem kleinen **Haus-Museum** (Besichtigung s. Besuchsordnung), das auch
den *Wagner-Saal* einschließt, sind Autographe, Noten, Erstdrucke, Briefe,
Porträts und andere Andenken an große Komponisten ausgestellt; auch die
Notenstecherei kann nach Vereinbarung besichtigt werden. In dem biedermeier-
lich anmutenden *Innenhof* werden an Sommerabenden 'Weihergarten-Serena-
den' veranstaltet. Anläßlich des 200jährigen Verlagsjubiläums 1970 stiftete der
Verlag das am Rheinufer vor der Rheingoldhalle aufgestellte *Wagner-Denkmal*,
von Fritz Wotruba (s. S. 106).

Die Eppichmauergasse verbindet den Bischofsplatz mit dem läng-
lichen, von 'Höfen' eingefaßten B a l l p l a t z ; Nr. 2 das Haus 'Zum
Kölnischen Hof' (um 1800), Nr. 3 der *Fechenbacher Hof* (Anf. 18. Jh.),
mit kunstvollem Balkongitter, Nr. 1 der *Königsteiner Hof* oder *Alter
Dalberger Hof* (um 1609−14; gotischer Wohnturm zum gärtnerisch
gestalteten Innenhof), heute Maria-Ward-Klosterschule der Englischen Fräulein (Institutum Beatae Mariae Virginis), mit zweistöcki-
gem Eckerker. In der Mitte des Platzes ein reizvoller Figurenbrunnen
von Josef Magnus (1978). Von hier führt die Straße 'Stephansberg' im
Bogen zur St. Stephanskirche hinan, zu der man von dem kleinen WIL-
LIGIS-PLATZ (auf halber Höhe; hierher auch durch die steile malerische Willigisstraße) über eine Treppenanlage aufsteigen kann.

Stephansberg

Die kathol. Pfarrkirche ***St. Stephan** (früher
Kollegiatstift) auf dem Stephansberg ist ein
kreuzförmiger doppelchöriger Bau mit hohem
Kuppelturm. Sie wurde im frühen 14. Jh. anstelle einer von Erzbischof Willigis um 990 gegründeten Kirche (auch dessen Grabkirche) aufge-
führt und ist durch ihre mächtige Erscheinung
auf der Höhe über der Stadt neben dem Dom
zu einem zweiten Wahrzeichen von Mainz geworden. St. Stephan gilt als erste gotische Hallenkirche am Mittelrhein und ist trotz ihrer
Schlichtheit eine der schönsten dieser Gegend.
Die durch die Pulverexplosion von 1857 stark
beschädigte (barocke Innenausstattung beim

Wiederaufbau entfernt) und im Zweiten Weltkrieg zerstörte Kirche
wurde bis 1962 wiederhergestellt. Über der westlichen Vierung erhebt sich der 52,5 m hohe achtseitige *Turm,* von dessen Kuppellaterne
sich der wohl beste Panoramablick über die Stadt in das untere Main-
tal, nach Rheinhessen, in den Rheingau und zum Taunus hinüber
bietet (Turmbesteigung jedoch z. Z. wegen Restaurierungsarbeiten
nicht möglich). Auf dem Ostchor ein schmiedeeisernes Giebelkreuz
(1974). − Eintritt s. Besuchsordnung.

Das lichte INNERE der dreischiffigen Hallenkirche betritt man durch
ein *Spitzbogenportal* am nördlichen Seitenschiff; auf den kupferbeschlagenen
Türflügeln (von J. Weiland, 1959) links die Geschichte der Kirche, rechts der
Kirchengründer Willigis. − In dem älteren O s t c h o r steht der *Sakraments-
altar* (Ende 13. Jh.; 1947 gefunden). Das *Sakramentshäuschen* (Hochtabernakel)
ist in die Ostwand eingelassen (Türen von 1750); links und rechts die Stein-
plastiken der Kirchenpatrone St. Stephanus und Maria Magdalena (um 1500).
Die vier säulenartigen *Messingleuchter* (1509) sind seltene Beispiele ihrer Art.
In der Ostvierung ein aus römischem Travertin gehauener Opferaltar (1967
geweiht). Im nördlichen Querhaus die Plastik *Thronender Gottvater* (um 1500),

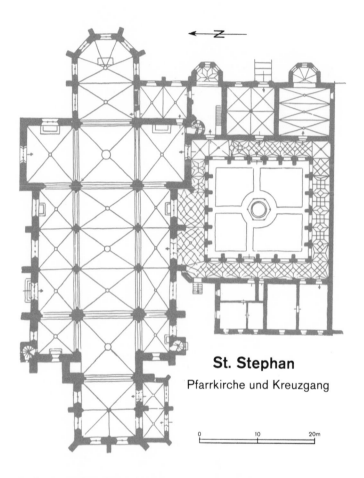

St. Stephan

Pfarrkirche und Kreuzgang

der Innenteil eines Flügelaltars. Die Orgel wurde 1967 eingebaut. − Unter dem Boden des nördlichen Seitenschiffs fand man 1959 einen Sarkophag mit einer unversehrten Priesterleiche aus der Zeit um 1000. Im südlichen Seitenschiff ein schöner *Kreuzaltar* (um 1400). − Der jüngere W e s t c h o r hat fast quadratischen Grundriß. Unter der Empore (darauf früher die Orgel) der *Willigisaltar*. Links der Frührenaissancegrabstein des Ritters *Graf von Dietz* (†1522). In der Marienkapelle (südl. Seitenkapelle) eine *hl. Anna Selbdritt* (um 1500). Die 9 *Glasfenster schuf *Marc Chagall* 1976−1985. Sie zeigen auf leuchtend blauem Grund alttestamentarische Begebenheiten, die in Beziehung zur christlichen Heilserwartung stehen.

An der Südwand der Kirche ist der stimmungsvolle *Kreuzgang (1461–99 erbaut; 1968–71 nach Fundamentsicherung gut restaur.). Mit seinem fein gearbeiteten hängenden Netzgewölbe (schön bemalte Schlußsteine) ist er das hervorragendste spätgotische Werk in Mainz. Die Eingangshalle war vermutlich der erste Kapitelsaal. In der Südostecke das nach den Stifterbrüdern benannte *Strohut-Epitaph,* eine vorzügliche Kreuzigungsgruppe (1485), vermutlich das Werk des Adalbertmeisters. Im Westflügel ein Ölbergrelief (Mitte 15. Jh.). – In der Mitte des Gartens ein ehem. Ziehbrunnen.

Der Stephansstraße folgend gelangt man südöstlich weiter aufwärts zum E i s g r u b w e g (schöne Treppenanlage links hinab zur Weißliliengasse); kurz vorher links, von den oberen Treppenstufen der Fürstenbergerhofstraße zwischen den Häusern hindurch schöner *Blick auf den Dom. Auch vom unweit entfernten *Windmühlenberg* (Kriegerdenkmal für das Naussische Infanterieregiment Nr. 87) kann man die Stadt überblicken. – Zitadelle s. S. 112. – Kästrich s. S. 110.

Am Nordfuß des Jakobsberges (Zitadelle), Rochusstraße Nr. 9, steht das 1722–28 von Johann Baptist Ferolski erbaute ehem. *Rochushospital,* 1942 zerstört, 1962 wiederaufgebaut, jetzt Altenheim. Die Figur des hl. Rochus stammt von Burkhard Zamels (1727). Während des 19. Jhs. diente das Rochushospital als allgemeines Stadtkrankenhaus (vgl. S. 114); 1742–1812 befand sich hier eine bedeutende Druckerei.

Nördliche Altstadt

Die im Zweiten Weltkrieg weitgehend zerstörte n ö r d l i c h e A l t s t a d t erstreckt sich zwischen der Linie Ludwigsstraße/Domplätze einerseits und der Kaiserstraße andererseits. Wenngleich in diesem Bereich die wichtigsten historischen Gebäude schon seit geraumer Zeit wiederhergestellt und auch eine Vielzahl von Neubauten entstanden sind, ist der Wiederaufbau noch nicht abgeschlossen; manche vom Kriege geschlagenen Lücken sind noch deutlich sichtbar.

Brand-Rathaus-Zentrum

Nördlich jenseits der Domplätze setzt sich die verkehrsfreie Fußgängerzone in dem neuen B r a n d - R a t h a u s - Z e n t r u m fort. Vom Markt durch die Marktgasse und über den neu geschaffenen Rebstockplatz oder vom Liebfrauenplatz am Gutenbergmuseum vorüber durch die Seilergasse gelangt man zunächst in das moderne **Brand-Einkaufszentrum,** dessen oberes Niveau auf der Höhe des Rathausplatzes liegt. Mit einem großen Warenhaus, diversen größeren und kleineren Einzelhandelsgeschäften, Dienstleistungsbetrieben (u. a. Gaststätten) und einer Parktiefgarage (mit Tankstelle) sowie Büro-, Lager- und Wohnräumen ist hier 1974 eine 'City in der City' vollendet worden. Etwa in der Mitte des langgestreckten Freiraumes das Bildwerk *Lebensbaum* (Donaukalkstein; von Laszlo Szabó, 1974).

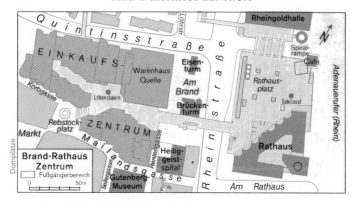

Das Brand-Zentrum trägt seinen Namen nach dem geschichtsträchtigen Platz 'Am Brand', wo 1300–17 das alte Mainzer **Kaufhaus,** einer der bedeutendsten städtisch-öffentlichen Bauten des Mittelalters, ein ehem. mächtiges Warenlagerhaus mit zwei übereinanderliegenden, dreischiffigen Hallen, zur Ausübung des neu verliehenen Stapelrechtes erbaut worden war. Bei der Beschießung von 1793 wurde es beschädigt und 1805–13 abgetragen. An der Zinnenfront waren u.a. die Relieffiguren der sieben Kurfürsten angebracht (Originale im Landesmuseum Mainz; Nachbildungen beim Roten Tor am Rheinufer).

Nach der praktisch totalen Zerstörung dieses Stadtgebietes im Zweiten Weltkrieg (Architekturreste im Landesmuseum Mainz) wurde der Brand zum Sammelplatz für Trümmerschutt, den eine Lorenbahn nach und nach zur Aufschüttung des heutigen Industriegeländes im Nordwesten der Neustadt abtransportierte. Bei den der Neubebauung des Brand-Viertels vorangegangenen archäologischen Plangrabungen fand man u.a. Goldmünzen des 14. Jahrhunderts.

Vom R e b s t o c k p l a t z, auf dem sich ein großer sechseckiger Beckenbrunnen mit einem "Mobile Moguntinum" von *Hans Michael Kissel* befindet, und zu dem aus dem Brand-Einkaufszentrum eine breite Freitreppe herabführt, geht westwärts die KORBGASSE aus, vor der Kriegszerstörung eine höchst malerische Altmainzer Gasse (Architekturteile im Landesmuseum Mainz); Nr. 3 der wiederaufgebaute, urspr. spätgotische *Hof zum Korb* (Treppengiebel mit Erker), wo Gutenberg seine Druckwerkstatt hatte (1476 von Gutenbergs Gehilfen Peter Schöffer erworben; seit 1568 Bierhaus).

Vom Rebstockplatz ostwärts zieht die MAILANDSGASSE zwischen den Rückseiten vom Einkaufszentrum (links) und Gutenbergmuseum (rechts) hindurch zum **Heiliggeistspital** (Ecke Rentengasse).

Das erstmals 1145 erwähnte, zunächst in Domnähe befindliche ehem. **Hospiz zum Heiligen Geist** (vulgo 'Das Heilig Geist') wurde 1236 erbaut. Von der ursprünglichen Anlage ist eine dreischiffige Halle mit Kreuzgewölbe erhalten. Über der vorderen Halle die Kapelle mit vorgekragtem Chörlein (roman. Fenster). Im 15. Jh. wurde anstelle der hinteren Joche eine zweigeschossige Halle mit Netzgewölbe eingebaut. An der Ost- und der Südseite umgab die Stadtmauer das zum Rhein hin vorspringende Hospital (heute dort die Häuserzeile der Rheinstraße vorgebaut). Das reiche Ostportal befindet sich seit 1862 im nördlichen Querhaus des Doms, hier eine Kopie. – Das Gebäude wurde 1975/76 restauriert; im Innern (schon seit 1863 als Gaststätte genutzt) das Restaurant 'Rats- und Zunftstuben Heilig Geist'.

Vom Brand-Einkaufszentrum leitet eine breite F u ß g ä n g e r - b r ü c k e rheinwärts über die verkehrsreiche Rheinstraße auf den Rathausplatz. An die Brücke ist links ein moderner mehrstöckiger *Brückenturm* (städt. Behörden; an der Ost- und Westwand je eine große Zeituhr) angebaut, gegenüber (Blick auf die Rückseite des Heiliggeistspitals) führt ein Treppenhaus (auch Rolltreppe) zum Rheinstraßenniveau hinab, wo unweit nördlich der stattliche **Eisenturm** steht, ein schöner, nach dem früher hier abgehaltenen Eisenmarkt benannter, fälschlich oft als 'Eiserner Turm' bezeichneter Torturm (um 1240; Unterbau roman.; im 19. Jh. Gefängnis) der ehem. Stadtbefestigung, mit Resten der Stadtmauer und der Mauer um den Vorhof an der Rheinstraße; vorn zu beiden Seiten des breiten Torbogens je ein staufischer Löwe aus rotem Sandstein. Das Innere des Turmes wird als Künstler- und Jugendzentrum genutzt.

Auf dem ehem. Halleplatz ist in den Jahren 1970–73 ein bemerkenswerter Architekturkomplex entstanden. Das südöstliche Drittel nimmt das neue Mainzer *Rathaus ein, vor dem sich der weite R a t - h a u s p l a t z einerseits bis zur Rheingoldhalle und andererseits zwischen Rheinstraße sowie Adenauerufer am Rhein ausdehnt.

GESCHICHTE. – Ein erstes Rathaus ist in Mainz urkundlich erstmals 1277 belegt. Es befand sich am Brand und verlor nach der Mainzer Stiftsfehde von 1462 (Ende der Stadtfreiheit) seine Bedeutung und Funktion, beherbergte ab 1526 das erzbischöfliche Generalvikariat und wurde später Korrektionshaus. Um 1830 verschwand das Gebäude in Umbauten anderer Häuser: ein erhaltener Giebel wurde 1972 gefunden. 1526 verlegte der Kurfürst die Stadtverwaltung in die Münze am Markt, später zog sie in das 1767 erbaute 'Haus zum Spitzen Würfel' um, wurde nun 'Stadthaus' genannt und blieb dort bis

zur Zerstörung von 1942. In der Nachkriegszeit bezogen die Stadtbehörden
Notunterkunft in der ehem. Kunstschule am Pulverturm. Schon in den 30er
und erneut in den 50er und 60er Jahren standen immer wieder neue Stand-
orte für den Bau eines Rathauses zur Diskussion, bis man sich 1967 für den
Halleplatz und 1969 für den Gestaltungsentwurf des dänischen Architekten
Arne Jacobsen entschied, den dessen Mitarbeiter *Otto Weitling* nach Jacobsens
Tod (1971) bis 1973 zu Ende führte.

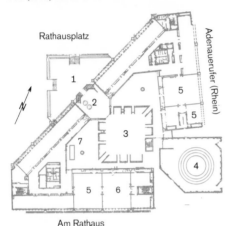

Rathaus

Eingangsgeschoß

1 Zugang

2 Vorraum

3 Foyer

4 Stadtratssaal

5 Sitzungsräume

6 Erfurter Zimmer

7 Infothek

Der Grundriß des sechsstöckigen Rathauses, das trotz seiner mächtigen Baumasse eher schlicht wirkt, ist ein Dreieck mit zum Brand
orientierter Basis, in dessen Schenkelschluß der eigenständige Bau-
körper für den Stadtratssaal eingefügt ist. Den durch Vor- und Rück-
sprünge an der Rheinseite und durch nischenartige Kerben an der
Platzfront gestaffelten und mit hellgrauem norwegischem Marmor
verkleideten Fassaden sind große dunkle Rastergitter aus anodisier-
ten Aluminiumstäben vorgesetzt. – Von der West- wie von der Südseite führen hohe Treppen in den über dem Stadtratssaal gelegenen
und von Büroräumen umschlossenen Lichthof, der jedoch keine
Verbindung zum Rathausinnern besitzt.

In das betont sachlich ausgestaltete INNERE (Zutritt s. Besuchsordnung)
gelangt man vom Rathausplatz über einen kleinen, eingesenkten dreieckigen
V o r p l a t z und durch die relativ kleine Eingangstür. In dem kaminartigen,
durch alle Geschosse nach oben offenen V o r r a u m rechts zwei freistehende
Aufzugsschachtröhren, links die Wappen der Mainzer Gemeindebezirke. An
der Pförtnerloge (links) und einem *Informationsstand* (rechts) vorbei betritt
man das quadratische F o y e r , dessen Seiten in für Ausstellungen prädesti-
nierte Nischen gegliedert sind, zwischen denen schmale Durchgänge in die
dahinterliegenden Aufenthalts- und Sitzungsräume führen; in der Mitte ein
großer Sitzbankkreis. Im Empfangsraum der Südecke des Eingangsgeschosses
informiert eine *Infothek* über Bedeutung und Entwicklung der Stadt Mainz.

Jenseits des Foyers der vorgeschobene **Stadtratssaal** mit kreisförmig ange-ordneten Pult-Sitzreihen (114 Plätze; auf der Zuschauertribüne nochmals 114 Plätze). An der tiefsten Stelle in der Mitte ein großer bunter *Rundteppich* mit der kartographischen Darstellung des Großraumes Mainz. An der buchenholz-vertäfelten Wand hinter den Pressebänken unweit rechts vom Eingang die indirekt beleuchtbaren *Wappen* der drei Mainzer Partnerstädte Dijon, Watford und Zagreb (vgl. S. 35). – Unter dem Stadtratssaal ein Vortragsraum mit 110 Plätzen. – Im 5. Stock das rathausinterne Kasino (110 Pl.), mit Cafeteria. Im 3. Stock das Büro des Mainzer Oberbürgermeisters.

Mainzer Bürgermeister seit 1793, ab 1911 kraft Gesetzes *Oberbürgermeister* (Amtszeiten in Klammern): Franz Macké (1793, 1800–14); Franz Edmund Johann Nepomuk Gedult von Jungenfeld (1814–31); Franz Macké (1831–34); Stefan Metz (1834–36); Johann Baptist Heinrich (1837–38); Stefan Metz (1839–41); Nikolaus Nack (1842–60); Karl Schmitz (1861–64); Franz Schott (1865–71); Karl Anton Racké (1871–72); Carl Wallau (1872–77); Alexis Dumont (1877–85); Georg Oechsner (1885–94); Heinrich Gaßner (1894–1905); Karl Emil Göttelmann (1905–19); Karl Külb (1919–31); Wilhelm Ehrhard (1931–33); Robert Barth (1934–42); Heinrich Ritter (1942–45); Rudolph Walther (25.3.–18.8.1945); Emil Kraus (1945–49); Franz Stein (1949–65); Jockel Fuchs (1965–1987); Herman-Hartmut Weyel (seit 1987).

Den erhöht angelegten **Rathausplatz** erreicht man entweder über die niveaugleiche Fußgängerbrücke vom Brand-Zentrum oder über Treppen von der Rheinstraße bzw. aus der unter dem Platz befindlichen offenen Parkgarage. Er erstreckt sich ostwärts bis zum Adenauerufer am Rhein, zu dem wiederum eine Treppe hinabführt. Die Westseite des Platzes flankiert eine Pergola mit Zier- und Trink-brunnen sowie Sitzgelegenheiten. Im Mittelfeld stehen vier mächtige *Lampenpfeiler;* in der äußersten Nordecke das von Pergolen um-gebene *Rheincafé* (auch Restaur.). Im Freiraum zwischen diesem und der nördlichen Schmalseite des Rathauses wurde Ende 1974 die 4,16 x 3,40 x 0,61 m große und etwa 3 t schwere *Bronzeplastik* "Schlüssel des Stundenschlägers" aufgestellt, wobei es sich um die achtfache Vergrößerung des 1962 von dem Straßburger Hans Arp (1887–1966) geschaffenen Originals (französ. "Clef de Jaque-mart") handelt. Vor dem Rathausportal steht die 1982 aufgestellte Aluminiumplastik "Lebenskraft" von Andreu Alfaro aus Valencia.

Von der Nordseite des Rathausplatzes leitet ein breiter Brücken-übergang auf den schmalen Vorplatz (Fahnenstangen) der Rhein-goldhalle, der vom Rheinufer auch über eine Spiralrampe (bes. für Rollstuhlfahrer), von der Stadtseite der Rheinstraße über eine weitere Fußgängerbrücke erreichbar ist.

An der Stelle der heutigen Rheingoldhalle stand bis zu seiner Zerstörung 1945 die von den Mainzern liebevoll 'Gut Stubb' genannte **Alte Stadthalle,** ein monumentaler Festhallen-bau, den Stadtbaumeister Eduard von Kreyßig 1882–84 aufführen ließ (1927 erweitert; Fest-saal 52 x 27 m). Die Kriegsruine wurde in den ersten Nachkriegsjahren abgetragen.

An der Stelle der im Zweiten Weltkrieg zerstörten alten Mainzer Stadthalle entstand 1965—68 eine neue, die erst während der Bauzeit den Namen **Rheingoldhalle** *(RGH)* erhielt. Es handelt sich um einen großen zweigeschossigen Mehrzweckbau (Kongreßzentrum) auf rechteckigem Grundriß, mit einem Harmonikadach, dessen 'Zickzackfalten' an den Breitseiten des Gebäudes vergoldet sind und abends angestrahlt werden können, und verglaster Rheinfront. Das in seiner Außengestaltung fragwürdige Festhallengebäude verfügt über alle erforderlichen technischen Einrichtungen zur Durchführung von Kongressen, Tagungen, Podiumsdiskussionen, Konzerten, Fernseh- und Bühnenveranstaltungen sowie Festbanketten und Bällen (bes. auch zur Fastnachtszeit). Eine mit einer Modernisierung verbundene Erweiterung wurde 1987 abgeschlossen.

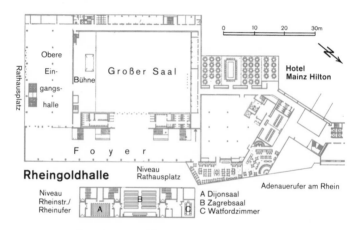

Im INNERN liegen auf Rathausplatzebene der G r o ß e S a a l (1750 qm; je nach Bestuhlung bis zu 3000 Plätze) mit 38 m breiter und 420 qm großer Bühne (7-t-Lastenaufzug) sowie die O b e r e E i n g a n g s h a l l e und das gegen den Rhein verglaste F o y e r, mit einem Fassungsvermögen von 1100 bzw. 1000 Personen. – Im Erdgeschoß auf Rheinuferniveau der *Zagrebsaal* (274 qm) für max. 300, der *Dijonsaal* (100 qm) für max. 90 und das *Watfordzimmer* (48 qm) für max. 45 Personen, benannt nach drei der Mainzer Partnerstädte (vgl. S. 35).

Mit der Rheingoldhalle durch einen Vorbau verbunden ist das **Hotel Mainz Hilton.** Die beiden zehnstöckigen Hoteltrakte stehen im stumpfen Winkel mit der Spitze zum Rhein. Bei Aushubarbeiten für einen dritten Trakt jenseits der Rheinstraße wurden 1981 elf römische Schiffswracks (4. Jh.) entdeckt, die derzeit restauriert werden und in einem Römerschiffmuseum ausgestellt werden sollen. Als Ausstellungsraum ist die Alte Markthalle im Gespräch.

Schusterstraße · Karmeliterplatz · Mitternacht

Vom Markt (Domplätze) führt die **Schusterstraße** nordwestlich zunächst etwa 150 m als Fußgängerstraße (Bei Nr. 18–20 ein
spätgotischer Treppenturm des 'Hof zum Humbrecht' oder 'Dreikö-
nigshof') bis zur Einmündung (von links) der Alten Universitätsstraße; an dieser (Nr. 17) die stattliche, vierstöckige **Alte Universität,**
die 1615–18 als Jesuitenkollegienhaus erbaute *Domus Universitatis,*
1798–1889 Kaserne, nach Kriegszerstörung 1955 in den früheren
Formen wiederaufgebaut und heute Sitz des Universitätsinstitutes
für Politikwissenschaften sowie des eigenständigen Institutes für
Europäische Geschichte (Bibliothek; Öffnungszeiten s. Besuchsordnung); zwei Renaissanceportale gliedern die Fassade (Gutenberg-
Gedenktafel).

Unweit südlich der Alten Universität stand bis 1742 die *Franziskanerkirche,*
in der Johannes Gutenberg (†1468) begraben wurde. Eine Lageskizze der
Kirche sowie das Gutenbergwappen befinden sich im Hinterzimmerfenster
des Cafés Bachmann (Ecke Betzelsstraße und Am Jesuitenbogen), zu dem man
durch die Gasse 'Am Jesuitenbogen', gleich rechts neben der Alten Universität, gelangt.

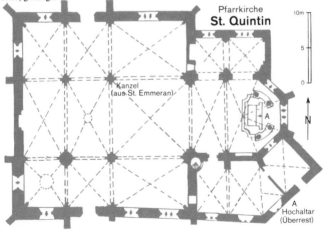

Pfarrkirche
St. Quintin

10m

5

0

Kanzel
(aus St. Emmeran)

A

N

A
Hochaltar
(Überrest)

An der Nordseite der Ecke Schuster- und Quintinsstraße erhebt
sich die nach Kriegszerstörung (1942) in den Jahren 1948–66 neu
erstandene **St. Quintinskirche,** vermutlich die älteste Pfarrkirche der
Stadt (815 genannt). Die um 1300 erbaute gotische Hallenkirche ist
durch verschiedene Umbauten uneinheitlich verändert worden. Über
dem Westjoch des südlichen Seitenschiffes der vor 1490 umgebaute,
massige Turm, der ein Notdach trägt. – Eintritt s. Besuchsordnung.

Das lichte *INNERE ist der wohl edelste gotische Kirchenraum in Mainz. Das annähernd quadratische L a n g h a u s gliedert sich in drei Schiffe und drei Joche. Im C h o r sind von dem einst prächtigen *Hochaltar* (von M. v. Welsch, 1739; in der Kirche begraben) nur die vier ehemals einen prunkvollen hölzernen Baldachinarchitrav tragenden Marmorsäulen, die Stuckfiguren der hll. Quintinus und Blasius (von B. Zamels) und seitlich zwei betende Engel erhalten. – Die beiden Seitenaltäre stammen aus der Oberweseler Liebfrauenkirche und waren 1899–1963 in der Bretzenheimer Pfarrkirche. Das große *Altarbild* (Mariae Himmelfahrt) an der Westwand des nördlichen Seitenschiffes schuf der Österreicher Franz Anton Maulbertsch 1758 für die Altmünsterkirche (1808–1943 in St. Emmeran). – Die schöne *Rokokokanzel* (von J. Förster, 1760; Figuren von H. Jung) stammt wie der Beichtstuhl aus der zerstörten St. Emmeranskirche. – Nennenswert sind ferner zwei gotische Steinreliefs (wohl Kreuzwegstationen; um 1500), der Taufstein (seit 1713 hier) und die kleine Orgel (1847 gebaut; früher im oberfränkischen Schlammersdorf).

Nördlich an die Kirche anschließend, an der Stelle des Jesuitennoviziates von 1715–19 (später Invalidenhaus), das 1955 aufgebaute **Städtische Altersheim,** mit einem weiten, gärtnerisch gestalteten Innenhof, in dem der 'Kranichbrunnen' von Heinz Müller-Olm steht. An dem 1588–98 erbauten ehem. *Knebelschen Hof* (Catzenelnbogen; Rückseite) ein prächtiger zweistöckiger *Renaissanceerker* (ein weiterer an der Vorderseite, Hintere Christofsgasse 2–4, jedoch schlichter). Hintere Christofsgasse Nr. 3 das ehem. Haus 'Zum Algesheimer', das Sterbehaus Gutenbergs (Gedenktafel). – An der von der geschäftigen Schusterstraße gegenüber dem Kaufhof-Komplex rheinwärts abzweigenden  C h r i s t o f s s t r a ß e die als Kriegsopferehrenmal und zum Gedächtnis an die hier einst tätigen ersten Jesuiten Petrus Canisius und Petrus Faber belassene *Ruine* der 1945 zerstörten frühgotischen **St. Christophskirche** (893 genannt; zwischen 1292 und 1325 erbaut; Gutenbergs Taufkirche), deren Hochchor und Querhaus seit 1964 wieder als Andachtstätte benutzt werden (Zutritt s. Besuchsordnung). Hier das erhaltene spätgotische Taufbecken; die modernen Glasfenster von Alois Plum. Den Relieffries zwischen den Betonstützen an der Nordseite der Ruine schuf Heinz Hemrich.

Die Christofsstraße mündet auf den **KARMELITERPLATZ,** wo der 1942 zerstörte *Walderdorffer Hof* bis 1975 wiedererstanden ist. Vom Karmeliterplatz führt zur Rheinstraße die Karmeliterstraße hinab. An ihrer Nordseite steht das *Karmeliterkloster,* im 13. Jh. gegr., 1802 säkularisiert, 1924 neugegr., 1942 zerstört, 1951 neu aufgebaut und 1963/64 erweitert; auch Hauswirtschaftl. und Landwirtschaftl.

Berufsschule. Die Bausubstanz der **Karmeliterkirche,** einer gotischen Basilika aus der Mitte des 14. Jhs., ist trotz Profanierung und Verwahrlosung im 19./20. Jh. sowie Kriegszerstörung von 1942 im wesentlichen erhalten geblieben.

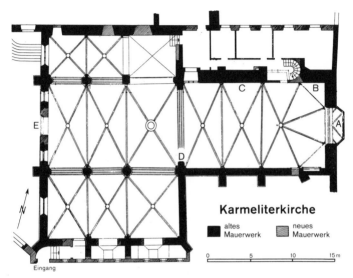

Karmeliterkirche

■ altes Mauerwerk   ▨ neues Mauerwerk

0   5   10   15 m

Eingang

A Hochaltarschrein	B Grabmal der Margarete
C Orgel	von Rodemachern
D Karmelitermadonna	E Westportal

Im INNERN (Eingang seitlich von der Karmeliterstraße; Eintr. s. Besuchsordnung) steht das bescheiden wirkende L a n g h a u s deutlich im Gegensatz zu dem großen, 17 m hohen *C h o r* mit seinen in Schwarz und Grün gehaltenen *Deckenmalereien* (urspr. um 1404; 1924 wiederhergestellt und 1952 originalgetreu nachgemalt). Von den Ausstattungsstücken verdienen Erwähnung (von Osten nach Westen) der spätgotische *Hochaltarschrein* (1517), das Grabmal der *Margarete von Rodemachern* (†1490) an der nördlichen Chorwand, der *Dreisitz* in der südlichen Chorwand, die gotische **Karmelitermadonna* (um 1400; 'weicher' Stil) am Triumphbogen, die neue Orgel (1970), die Altäre der Seitenschiffe, die Figur der *hl. Anna selbdritt* am südöstlichen Seitenschiff, die *Valentinusfigur* (aus St. Christoph) in einer Wandnische des nördlichen Seitenschiffes und die Statue der *hl. Theresia vom Kinde Jesu* (1925). Die Glasfenster schuf Jan Schoenacker (1970).

Neben der schlichten Kirchenfassade (Westportal von 1740) führt das *Klosterportal* (um 1710) in den wiederhergestellten zweischiffigen Kreuzgang, den Überrest des alten Klosters.

Vom Karmeliterplatz führt die M i t t e r n a c h t s g a s s e (Nr. 1, am schlicht wiederaufgebauten ehem. Bentzelschen Hof das alte Portal mit Muschelnische) nördlich im Bogen zum Platz MITTERNACHT. Rechts, an der Zeughausgasse, das *Haus der Jugend* (u.a. Jugend- und Kinderbücherei; Öffnungszeiten s. Besuchsordnung). – Deutsch- hausplatz s. S. 103.

In den Räumen des 1272 gestifteten und 1784 wieder aufgehobe- nen Reich-Klara-Klosters (Nonnenkloster der Reichen Klarissen) am Platz 'Mitternacht' und im Schiff der um 1300 erbauten gotischen *Reichklarenkirche* befindet sich seit 1910 das **Naturhistorische Mu- seum.** Nach Zerstörung im Zweiten Weltkrieg (fast 90% der Bestände vernichtet) wurde das bereits 1834 von der Rheinischen Naturfor- schenden Gesellschaft begründete Museum – heute das einzige seiner Art in Rheinland-Pfalz – 1962/63 wiedereröffnet. Seine **Paläontologi- sche Sammlung* mit den eiszeitlichen Fossilien aus den nahen Mos- bacher Sanden (südöstl. von Wiesbaden) ist von weltweiter Bedeu- tung; seine wissenschaftliche Forschungsarbeit erstreckt sich auf Geologie (bes. des Quartärs), Zoologie und Botanik. Die Schausamm- lungen umfassen folgende Abteilungen (Eintritt s. Besuchsordnung):

ERDGESCHICHTLICHE ABTEILUNG. – *Raum 1:* Rheinhessische Land- schaftsformen (Luftbilder; geolog. Karte; Gesteinsproben; *Fährtenplatten aus dem obersten Rotliegenden von Nierstein). – *Raum 2:* Geschichte der Erde und des Lebens (22,5 qm große Schautafel; typische Fossilien; Entstehung des Rheingrabens; Urtiere). – *Raum 3:* Eiszeitliche Bodenverformung – *Raum 4* (weite Oberlichthalle: an der Stirnseite ein Wandbild mit der Dar- stellung eines Steppenelefanten in Lebensgröße): Alt- bis mitteleiszeitliche Fauna. Tierreste aus den sog. Mosbacher Sanden (Grassteppentiere: Steppen- elefant, Steppennashorn, Steppenhirsch, Breitstirnelch, Wildrind, Mosbacher Pferd; Waldtiere: Waldelefant, Hirsch, Reh, Waldnashorn, Wildschwein; Wassertiere: Großbiber, Biber, Flußpferd; ferner Bären, Wölfe, Hyänen, Löwen sowie Ren und Moschusochse). Mammut, Wollhaarnashorn, Riesenhirsch, Ren und Löwe aus der jungeiszeitlichen Tierwelt. – *Raum 5:* Pferde und Rüsseltiere (4,30 m hohes, kompiliertes *Halbskelett eines Steppenelefanten aus dem Rhein-Main-Gebiet; Stammbäume und Lebensbilder; *Quagga-Grup- pe = 3 Steppenzebras). – *Raum 6* (vom Museumseingang rechts): Mineralien und Gesteine. – *Raum 7* (Gang): Naturparks und Naturschutzgebiete in Rheinland-Pfalz. – *Raum 8* (Schiff der ehem. Reichklarenkirche; auch Wech- selausstellung): präparierte Tiere (Bären, Nashörner, Hirsche, Wisentstier). Abguß eines mumifizierten Wollnashorns aus Polen.

ZOOLOGISCHE ABTEILUNG (im Hinterhaus auf mehrere Stockwerke verteilt). – *Raum 9* (Treppe): Pleistozän-Vulkanismus (Vulkaneifel) und Um- weltschutz. – *Raum 10:* Vogelwelt in Rheinhessen. Rekonstruktionsversuch des Urvogels Archaeopterix. – *Raum 11:* Insektenkabinett; Herbarien (unter Verschluß). – *Raum 12:* Säugetiere heute; Umweltgefahren für die Tierwelt (u.a. ein präpariertes Exemplar des höchst seltenen Beutelwolfes). – *Treppen- haus* (ganz oben): Pilze, Reptilien, Fische. Im Hof: Schädel und Unterkiefer eines Finwals (ca. 5 m lang).

Das Naturhistorische Museum veranstaltet gemeinsam mit der Rheinischen Naturforschenden Gesellschaft Führungen, Vortragsabende sowie Lehrwan- derungen und gibt neben Museumsführern das angesehene Jahrbuch "Mainzer Naturwissenschaftliches Archiv" heraus.

An das Naturhistorische Museum schließt bis zur Petersstraße die *Anne-Frank-Schule* an. Auf dem Turm die 1971 eingerichtete **Volkssternwarte** mit *Planetarium* (Eintr. s. Besuchsordnung). Vom Mitternachtplatz gelangt man westwärts durch die Reichklarastraße (Nr. 1 Renaissanceerker von 1574) oder durch die Petersstraße zur Flachsmarktstraße. Jenseits dieser, am Beginn der Margaretengasse rechts (beim Autoschalter der Landesbank) eine *Gedenktafel* für die einst hier befindliche Synagoge der jüdischen Gemeinde (1878 erbaut, 1938 verwüstet, 1942 durch Bomben vollends zerstört). – Große Bleiche s. S. 95.

Die Margaretengasse (Nr. 4 der Weinprobierkeller des Rheinhessenvereins) mündet in die Klarastraße. Gegenüber der Einmündung (Adolf-Kolping-Straße Nr. 6) das ehem. *Antoniterkloster,* später Armklarenkloster (Barockportal von 1726 mit Figur der hl. Klara); dabei die anmutige, 1948 neu geweihte, einschiffige **Antoniterkapelle** *(St. Anton;* urspr. von 1331), in die gotische Gewölbemalereien freigelegt wurden (Zutritt s. Besuchsordnung). – Unweit östlich, Ecke Klara- und Emmeransstraße der von Johann Caspar Herwathel als Stadtpalais der Freiherrn von Dalberg 1707–18 erbaute *Jüngere* **Dalberger Hof,** dessen prächtig bewegte *Barockfassade beim Brand von 1793 erhalten blieb. Das in der Franzosenzeit als 'Palais de Justice' und seit 1829 als Hessischer Justizpalast dienende Gebäude brannte 1945 gänzlich aus und beherbergte seit seiner Wiederherstellung (1956–59) das Mainzer *Polizeipräsidium.* Seit der Übersiedelung des Polizeipräsidiums in einen Neubau am Valenciaplatz (1982) ist der Dalberger Hof Domizil des städtischen *Peter-Cornelius-Konservatoriums.* Es wurde 1882 von Paul Schuhmacher gegründet. Etwas westlich Ecke Kolpingstraße/Lotharpassage wurde 1978 eine Plakatsäule aufgestellt, deren Anschläge über das Kulturleben Berlins informieren.

Gutenbergplatz · Ludwigsstraße · Schillerplatz

Die Domplätze finden ihre westliche Fortsetzung im **Gutenbergplatz,** wo einst die Domdechanei und bis 1809 die achteckige Sebastianskapelle (urspr. von 1660) stand. Ein in den Gehsteig eingelassenes Messingband bezeichnet den *50. Breitengrad,* der eigentlich etwa 90 m weiter nördlich verläuft. In der südöstlichen Platzhälfte steht das **Gutenbergdenkmal,** ein Bronzestandbild, das nach einem Modell des Thorvaldsen-Schülers H. W. Bissen 1837 von Crozatier in Paris angefertigt wurde. Die Reliefs sind von Bertel Thorvaldsen selbst und stellen die Erfindung und Ausübung der Buchdruckerkunst dar. – Abbildung und Inschrift s. S. 92.

Die lateinische I n s c h r i f t auf der Postamentvorderseite des Gutenberg-denkmals lautet:

JOANNEM GENSFLEISCH
DE GUTENBERG
PATRICIUM MOGUNTINUM
AERE PER TOTAM
EUROPAM COLLATO
POSUERUNT CIVES
MDCCCXXXVII

Übersetzung: "Johann Gensfleisch zum Gutenberg, dem Mainzer Patrizier, haben seine Mitbürger aus Beiträgen von ganz Europa dieses Denkmal errichtet im Jahre 1837".

An der Nordwestseite des Platzes das **Städtische Theater.** Der 1829–33 von Georg Moller errichtete stattliche Bau wurde 1910–12 erweitert, 1942 zerstört und 1951/2 wiederaufgebaut; der 1976/77 neugestaltete Zuschauerraum faßt 950 Personen. Links neben dem Theater das Weinrestaurant *Haus des Deutschen Weines;* dahinter der kleine TRITONPLATZ, auf dem bis 1956 der hübsche Triton-brunnen stand (von V. Barth; jetzt im Stadtpark).

Vom Gutenbergplatz zieht die 1804–10 auf Napoleons Wunsch geschaffene, breite **L u d w i g s s t r a ß e ,** heute eine der Hauptgeschäfts-straßen der Stadt, zum Schillerplatz. Die durch vorspringende Pavil-lontrakte aufgelockerte Nachkriegsbebauung der linken Straßenseite ist so in mehrere kleine Plätze gegliedert. Etwa in der Hälfte zweigt nach rechts in Richtung Große Bleiche die ebenfalls breite G r o ß e L a n g g a s s e ab, die von der Emmeransstraße gekreuzt wird. An dieser unweit links, Ecke Am Kronberger Hof, die **St. Emmeranskirche** (nach Kriegsschäden 1980/81 wieder aufgebaut, jetzt Zentrum der Ita-lienischen Gemeinde), eine gotische Basilika (um 1300 anstelle einer vermutlichen Märtyrerkirche des 8. Jhs.) mit romanischem Turm (um 1100). Einige gerettete Ausstattungsstücke jetzt u.a. in St. Quintin. – An der Ecke Emmerans- und Pfandhausstraße stand einst Gutenbergs Geburtshaus. Der dortige Innenstadtbereich (zwischen Schusterstra-ße und Großer Bleiche) ist schon recht früh als FUSSGÄNGERZONE mit netten Passagen vom Fahrzeugverkehr befreit worden.

Der am Ende der Ludwigsstraße nach Nordwesten abwinkelnde ***S c h i l l e r p l a t z** (Fußgängerzone seit 1981), im Mittelalter Dieth-(Volks-)markt (17.–19. Jh. Tiermarkt, seit 1862 Schillerplatz), ist von mehreren bedeutenden ehem. Adelspalais umgeben, die nach Kriegszerstörung im ursprünglichen Zustand wiederaufgebaut und in jüngster Zeit abermals renoviert wurden. Die Südostseite (Nr. 1) schließt der schöne ***Osteiner Hof,** urspr. 1749 von Johann Valentin Thomann erbaut, nach alten Ansichten frei rekonstruiert, mit großem ovalem Saal, der an der Fassade einen gerundeten Mittelrisalit bildet; schönes Treppenhaus. Nachdem das auch *Gouvernement* genannte Gebäude als napoleonischer Verwaltungssitz für das Département du Mont-Tonnerre (Donnersberg) und später als Sitz abwechselnd deutscher und französischer Militärbehörden gedient hatte, wurde es bis 1948 wiederhergestellt und beherbergt heute Dienststellen der Bundeswehr (Standortältester). An der südwestlichen Längsseite des Schillerplatzes (Nr. 3), gegenüber der Mündung der Ludwigsstraße (dort bis 1809 das Zisterzienserinnenkloster St. Agnes) der **Bassenheimer Hof,** ein 1756 von Anselm Franz Frh. von Ritter zu Grünstein errichteter Barockbau, der 1947/48 nur äußerlich in alter Form wiedererstand (heute rheinl-pfälz. Innenministerium). Daneben (Nr. 5) ein Ergänzungsbau aus dem frühen 19. Jh.; Nr. 7 im ehem. *Fremdenhaus des Weißfrauenklosters* die Industrie- und Handelskammer; Nr. 9, jenseits der Münsterstraße, das sogen. *Wichernhaus,* ein Ergänzungsbau (18. Jh.) zum Schönborner Hof (s. Schillerstraße). – Am Nordwestende des in der Mitte anlagengezierten Schillerplatzes steht das *Schillerdenkmal,* ein Bronzestandbild von Johann Baptist Scholl (1862), am Südostende, anstelle des Rheinlandbefreiungsdenkmals von Benno Elkan der fröhlich-bewegte *****Fastnachtsbrunnen.

Der 9 m hohe, bronzene **Narrenturm** mit verwirrend vielen Fastnachtsfiguren ist ein Werk von Blasius Spreng und wurde 1967 von der Weinbrennerei Eckes-Chantré gestiftet. – Die Schauseite des patinierten Brunnens befindet sich auf der Südwestseite (gegen den Bassenheimer Hof); unten die Stiftertafel und die Künstlersignatur. Das T u r m g e h ä u s e steht auf fünf reliefierten *Stützen* (drei mit Figuren: Kater, Beutelwäscher, Weintrinker), zwischen denen sich kulissenartige Wände entwickeln, aus denen die figürlichen *Fastnachtsmotive* heraustreten. Die markantesten sind (ringsum, etwa von unten nach oben) der 'Mönch' (rechts über der Katersäule), das 'Narrenschiff' (Abb. s. S. 36), der 'Mainzer Traum' (gegen die Gaustraße), der 'Narrenhimmel', die 'Präsidenten' (einer sitzend, einer stehend), das 'Komitee', 'Till' und 'Bajaß' (mit der Laterne), 'Vater Rhein' (mit Blick zum Fluß), der 'trunkene Römer', 'Prinz' und 'Prinzessin', der 'Kavalier auf dem Widder', 'St. Martin', der 'Schreiber' (daneben ein Römerkopf, dem 1962 in Mainz gefundenen nachgebildet; Original im Landesmuseum Mainz), die 'Chorsänger', die 'Tänzerin', ein 'Satyrkopf' und der 'Weinengel' (oben am Kelchrand des Turmes). – Unter dem herabrieselnden Wasser verfließen die Formen der in trockenem Zustand etwas spitzig wirkenden Figuren reizvoll ineinander (im Winter kein Wasserspiel).

Vom Schillerplatz steigt die G a u s t r a ß e (vulgo 'Gaugaß'; an dem Plätzchen hinter dem Osteiner Hof ein "Fischweiblein" genannter reizvoller Nixenbrunnen) südlich im Bogen hinauf – vorbei am Stephansberg mit der *St. Stephanskirche (links; s. S. 79) zur Höhe des Grüngürtels auf dem ehem. Bastionsring. – Nach Nordwesten setzt sich der Schillerplatz in der **Schillerstraße** (früher Tiermarktstraße; holzgepflastert) fort. An der linken Seite (Nr. 11) zunächst der imposante ***Schönborner Hof,*** das einstige Palais der kurfürstlichen Familie Schönborn, 1668–70 von Clemens Hinck im Stil der Spätrenaissance erbaut. Die dreiflügelige Anlage (3. Stock., a.d. 19. Jh., 1952/3 entfernt), mit schönem Hof an der Rückseite, wird heute vom *Institut Français Mayence* (Französisches Kulturinstitut; auch Sitz des Arbeitskreises Deutsch-Französischer Gesellschaften) benutzt. In dem kleinen Freiraum nordwestlich daneben stehen eine "die schöne Pariserin" genannte *Straßenlaterne* (Geschenk der Stadt Paris; 1967) und der volkstümliche *Schoppenstecher,* eine 1 m hohe Bronzefigur (von H. Schaubach, 1962), ein Mainzer Stangenweinglas in der Rechten haltend. Anschließend (Nr. 11 ¹/₁₀) folgt das sogen. **Proviant-Magazin,** ein mächtiger, um 1865 errichteter Festungsbau der österreichischen Armee (nach dem Zweiten Weltkrieg französ. 'Economat'; Nutzung als Ausstellungsraum geplant). Derzeit beherbergt das Proviant-Magazin eine Fülle von z.T. historischen Fernsehkameras, Mischpulten, Aufzeichnungsgeräten u.v.m., die später in einem geplanten Rundfunk- und Fernsehmuseum Platz finden sollen. Zur Linken die 1784 von Joh. Peter Eickemayer errichteten sogen. **Professorenhäuser.** Vermutlich in Nr. 5 hat J.G.A. Forster (s. S. 50) gewohnt. Beim Bau einer Tiefgarage wurde hier 1979 der zweitälteste Brunnen von Mainz freigelegt. Der **Ziehbrunnen** von der ehem. Keffergasse war 1529 errichtet und 1600 abgebrochen worden. Dahinter zweigt die Neue Universitätsstraße zur Münsterstraße ab. An dieser (Nr. 25) die **Altmünsterkirche,** die mehrfach umgebaute Kirche (urspr. 17. Jh.) des ehem. Altmünster-Zisterzienserinnenklosters, nach vorübergehendem Universitätsbesitz der evangelischen Kirchengemeinde gehörig.

Jenseits des Proviant-Magazins das *Finanzamt,* ein wenig ansprechender Kastenbau von 1927. Auf der anderen Straßenseite (Nr. 44) dagegen der schöne, 1734-43 von Philipp Christoph Reichsfreiherr von und zu Erthal als Familienpalais selbst erbaute **Erthaler Hof** *(Ämterhaus:* Sitz der Verwaltung des Kreises Mainz-Bingen), der auch seine Innendisposition mit feinen Stuckarbeiten bewahrt hat; bemerkenswertes Treppenhaus. – Die Schillerstraße endet am **Münsterplatz,** einem Verkehrsknotenpunkt, von dem als wichtige Verkehrsadern die Binger Straße bergan zum Alicenplatz, die Bahnhofstraße an der *Hauptpost* (rechts) vorüber zum Hauptbahnhof und die Große Bleiche in Richtung Regierungsviertel und Rhein ausgehen. Von der uneinheitlichen Bebauung des Münsterplatzes ist lediglich der Betonbau des Fernmeldeamtes, das sog. *Telehaus,* erwähnenswert, für das ein Erweiterungsbau entsteht.

Große Bleiche · Regierungsviertel

Die vom Münsterplatz nordostwärts in gerader Linie verlaufende **Große Bleiche** ist eine wichtige Verkehrsachse und eine bedeutende Geschäftsstraße im nördlichen Altstadtbereich. Auf der linken Seite (Nr. 15) der **Stadioner Hof** (jetzt Dresdner Bank), ein 1728-33 von Anselm Franz Frh. von Ritter zu Grünstein aufgeführter ehem. Adelshof, dem bei der Nachkriegswiederherstellung ein unpassendes Drempelgeschoß aufgesetzt wurde. An den Häusern Nr. 27a und 29 je eine Marienfigur vom Ende des 17. Jahrhunderts. − Am Ende des ersten Straßendrittels öffnet sich links der kleine NEU-BRUNNENPLATZ mit dem 1726 aufgestellten und 1877 teilweise ergänzten *Neuen Brunnen* (von 2 Neptunfiguren und 2 Löwen flankierter Obelisk, von F.M. Hiernle). Weiterhin rechts, zwischen Klara- und Löwenhofstraße die Gebäude der *Mainzer Verlagsanstalt und Druckerei* (MVA; Pressehaus; AZ); dahinter bis zur Flachsmarktstraße der moderne Bau der *Landesbank Rheinland-Pfalz*. Den gegenüberliegenden Häuserblock erfüllt fast ganz der 1765-1767 wahrscheinlich von Jakob Joseph Schneider erbaute ehem. *Kurfürstliche Marstall*, ein 108 m langer Trakt mit einem zweigeschossigen Mittelbau und zwei dreistöckigen, durch Mansardendächer abgeschlossenen Eckbauten; die *Reithalle* an der Mittleren Bleiche (1793-1833 Theater; heute 'Steinhalle' des Landesmuseums Mainz) wurde erst 1770/71 hinzugesetzt. Die Toreinfahrt an der Großen Bleiche erhielt 1774 als charakteristischen Schmuck ein lebensgroßes, kupfergetriebenes und vergoldetes Pferd (Wiederanbringung 1979), wonach man den Bau später als **Golden-Roß-Kaserne** bezeichnete. Nach Kriegszerstörung bis auf Teile der Umfassungsmauer wurde die Anlage abschnittweise bis 1962 wiederaufgebaut und zuletzt 1974 außen renoviert; sie beherbergt heute das *Landesmuseum Mainz , nachdem hier bereits 1937-42 das Städtische Altertumsmuseum untergebracht war.

Die seit Anfang des 19. Jhs. aus Beständen verschiedener Herkunft zusammengewachsenen Sammlungen von Mainzer Altertümern und Gemälden wurden nach Überwindung der Wirren und Verheerungen des Zweiten Weltkrieges neu zusammengestellt und 1962 der Öffentlichkeit als *Altertums- und Gemäldegalerie der Stadt Mainz* wieder zugänglich gemacht. Zumal sie mit ihren vielseitigen Zeugnissen der vorgeschichtlichen, römischen, fränkischen und mittelalterlichen Epoche aus Mainz und Rheinhessen sowie ihren bis in die Gegenwart reichenden mannigfaltigen Kunstwerken eine repräsentative Zusammenschau der Kunst- und Kulturgeschichte des gesamten mittelrheinischen Raumes geben, entschloß sich die Stadt, sie 1967 als *Mittelrheinisches Landesmuseum Mainz (jetzt Landesmuseum Mainz) in die Verwaltung des Landes Rheinland-Pfalz zu überführen (Öffnungszeiten s. Besuchsordnung).

Der Rundgang durch die Sammlungen führt im Erdgeschoß durch die Vorgeschichtliche und Römische Abteilung sowie die Fränkische Abteilung, das Mittelalter und die Barockzeit. Im 1. Obergeschoß folgen Niederländische Gemälde, Keramik aus Manufakturen des 18.Jh. (Höchst), barocke Kleinkunst, Gemälde des 18. und 19.Jh. sowie Jugendstilgläser. Im 2. Obergeschoß eine moderne Galerie.

VORGESCHICHTLICHE ABTEILUNG: Altsteinzeitliche Werkzeuge, Idolfiguren und Schmuck aus dem Aurignacien; jungsteinzeitliche Jadeitbeile; bronzezeitliche Waffen; bronzene Schnabelkanne aus einem Fürstengrab der frühen La-Tène-Zeit; Glashündchen aus der späten La-Tène-Zeit; u.a.

Römischer
Marmorportraitkopf

Blussus-Grabstein
(Vorderseite)

Rosmerta-
Statuenkopf

RÖMERZEIT: Marmorportraitkopf des Augustusenkels Gaius Caesar (†4 n. Chr.; 1961 in der nördl. Neustadt gefunden); Goldmünzen aus dem Kasteler Schatzfund von 1962; Lebensgroßer bronzener Statuenkopf vermutlich der keltischen Göttin Rosmerta (2. Jh. n. Chr.; 1844 in Finthen gefunden); Schwert und silberne Maske für Kultspiele parthischer Reiter; Bronzefibeln und ornamentiertes Gebrauchsgerät; Gläser verschiedener Art und Herkunft (Kettenhenkelflaschen aus dem 3./4. Jh.; zweihenkelige Kanne mit Schliffverzierung, Anf. 4. Jh. aus dem Hohensülzener Sarkophagfund von 1869); erstmals gezeigt wird auch ein restauriertes Wandbild.

RÖMISCHE STEINDENKMÄLER in der "Steinhalle" (urspr. Reithalle): *Jupitersäule* (1904/5 Sömmeringstraße 6 in ca. 2000 Bruchstücken gefunden), Mitte des 1. Jh. n. Chr. von den Bewohnern der röm. Lagerstadt zum Heile Kaiser Neros errichtet; die 9,14 m hohe Kalksteinsäule ist auf 2 Quaderblöcken und 5 Säulentrommeln mit Reliefdarstellungen von 28 gallorömischen Gottheiten geschmückt und trug ein überlebensgroßes vergoldetes Jupiterstandbild aus Bronze. *Dativius-Victor-Bogen;* Zahlreiche Grabsteine römischer Soldaten (1. Jh. v. Chr. – 4. Jh. n. Chr.) sowie keltisch-römischer Zivilisten (1. Jh. n. Chr.). Inschriftsteine.

FRÄNKISCHE ABTEILUNG UND MITTELALTER: Goldene Bügel- und Scheibenfibeln, Glasflüsse (Pseudokameen) aus Mainz; Grabbeigaben eines um 500 bestatteten fränkischen Fürsten (1939 in Planig bei Bad Kreuznach gefunden); mit zwei christlichen Kreuzen verzierter *Spangenhelm* aus vergoldetem Silber und ein *Schwertgriff* mit Almandininkrustationen; *Rüsselbecher von Selzen,* um 600; *Trinkhorn, 7. Jh.; u.a. Reliefplatte mit der Darstellung eines geflügelten Pferdes (vermutlich lombardisch, 8. Jh.); frühchristlicher Hostienlöffel; *Elfenbeinmadonna* (um 1000); *Adlerfibel* der Kaiserin Gisela, Gemahlin Konrads II., aus Gold mit buntem Zellenschmelz, aus einem Krönungsschmuck des frühen 11. Jhs. (1880 in Mainz gefunden); Madonna und andere Figuren vom Portal der ehemaligen Liebfrauenkirche (um 1310);

Portalmadonna und *Zinnenreliefs* vom Kaufhaus am Brand, um 1330; Wand-gemäldereste aus dem Patrizierhaus am Brand 5 (Anf. 14. Jh.); Madonnen von den Häusern Korbgasse 5 (um 1420) und Liebfrauenstraße 6 (um 1500); Fragmente eines Flügelaltars der Stephanskirche (um 1420); Tafelbilder und Passionsszenen von dem oberrheinischen *Meister der Coburger Rundblätter* (1470/80); Tafelbilder vom Hochaltar der Partenheimer Peterskirche (Anf. 16. Jh.).

GEMÄLDE DES 16. UND 17. JHS.: Neun Tafeln "Marienleben", dem Hausbuchmeister zugeschrieben (1505). Dreikönigsaltar, 1504/5 von dem Frankfurter Maler *Caldenbach* (ca. 1470–1518) für St. Stephan; "Adam" und "Eva", (Kopie von H. Baldung Grien nach Albrecht Dürer, Anf. 16. Jh.); Altarflügel mit Andreas und Columba (Bartholomäusmeister; 1510/20). Werke der Italiener Lorenzo di Credi sowie Gaudenzio und Eusebio Ferrari; "Christus und die vier reuigen Sünder" von Otto van Veen (1556–1629), die beiden rechten Figuren von Peter Paul Rubens (1577–1640).

SKULPTUREN DES 18. JHS.: Wichtige Sammlung mittelrheinischer Tonbozetti (u.a. von Paul Egell); Mainzer Hausmadonnen.

1. OBERGESCHOSS:
FRANZÖSISCHE UND NIEDERLÄNDISCHE GEMÄLDE: Philippe de Champaigne, Claude Deruet und u.a. Jacob Jordaens ("Christus im Tempel") Adam von Noort, Gerard Lairesse, Caspar de Crayer, Jan Breughel d.Ä., Roelandt Savery, Joos de Momper, Jan Lievens, Dirck van Barburen, Pieter de Neyn, Salomon van Ruysdael, Adriaen van Ostade, Hermann Saftleven III, Frans J. Post, Thomas Wyck, Karel Dujardin. Aus dem **18. Jh.** von Antoine Pesne, Jean Marc Nattier (Bildnis der Princesse de Talmont, 1741) Gian Domenico Tiepolo, Ferdinand Kobell, Januarius Zick u.a.

MITTELRHEINISCHE KUNSTWERKE DES 17. UND 18. JHS.: Höchster Porzellan (*Figuren; Geschirr, Vasen), z.T. nach Entwürfen von Johann Peter Melchior; Holzschnitzwerke; Möbel; Uhren; u.a. – Instrumentenkoffer des Architekten Maximilian von Welsch (1671–1745); Gemälde Ende 18. und 19. Jh., Jugendstilgläser.

2. OBERGESCHOSS. MODERNE GALERIE:
"Frauenkopf" von Picasso (1908). Skulpturen von Wilhelm Lehmbruck; *"Die große Kniende" (Bronze 1911; steht in der Eingangshalle). Bilder von Max Slevogt, Max Liebermann, Lovis Corinth, Hans Purrmann, Max Beckmann ("vor dem Kostümfest", 1944/45), Erich Heckel, Tapiès, Andy Warhol, Jasper Johns, Mark Rothko, Johannes Schreiter. Skulpturen von Émy Roeder, Toni Stadler, Hans Arp. Als Leihgaben: Gemälde von Nolde und Kirchner, ein Objekt von Robert Rauschenberg sowie Plastiken von Henry Moore und Max Ernst.

Der Komplex der Golden-Roß-Kaserne setzt sich nördlich (Bauhofstraße Nr. 3-5 und Mittlere Bleiche Nr. 40) in den **Eltzer Höfen** fort. In den Räumen des 1742/43 errichteten und nach Kriegszerstörung (1942) wiederaufgebauten ehem. Adelspalais befindet sich heute neben Gaststätten das *Congress- und Konzerthaus Eltzer Hof* ('Liedertafel'). Unweit westlich, vor dem neuen Hochhaus für das *Kultusministerium,* der bronzene *Glockenbaum (vulgo 'Beamtenwecker'), eine über 7 m hohe und 3 t schwere Brunnenplastik von Gernot Rumpf (1975/76).

In ihrem untersten Drittel durchquert die Große Bleiche bis zur Einmündung in die Rheinstraße/Rheinallee ein durch weite Freiflächen aufgelockertes Areal, das man das Mainzer **Regierungsviertel** nennen könnte. Zunächst rechts das von Pfeilerarkaden

umgebene *Allianzhaus,* gegenüber die **Ministerien** für *Landwirtschaft, Weinbau und Umweltschutz,* dahinter für *Soziales, Gesundheit und Sport,* ferner für *Wirtschaft und Verkehr* sowie die *Finanzen.* − Schon von Ferne durch die Straßenflucht der Großen Bleiche zu sehen, ragt am Petersplatz die ***St. Peterskirche,** eine der schönsten Rokokokirchen des Rheinlandes, auf. Ihre dreigeschossige Fassade wird von zwei zwiebelbekrönten Türmen flankiert. − Eintritt s. Besuchsordnung.

GESCHICHTE. − Anstelle der alten *Odenmünsterkirche* (8./13. Jh.) errichtete Johann Valentin Thomann 1752−56 St. Peter als Kollegiatstiftskirche. Nach der Besetzung durch die französischen Revolutionstruppen (1792/3) wurde sie 1798 für kurze Zeit zum *Tempel der Vernunft* erklärt und eine 'Göttin der Vernunft' in Gestalt eines zweifelhaften Mainzer Mädchens auf dem Heiligkreuzaltar inthronisiert. In die Franzosenzeit fällt auch die Aufhebung des Petersstiftes (1802). Bischof Colmar benutzte das Gotteshaus, nunmehr kathol. Pfarrkirche, 1802−04 wegen des ruinösen Zustandes des Domes als provisorische Bischofskirche. 1814−66 diente sie als österreichische, 1866−1918 als preußische *Garnisonkirche.* 1862/73 wurden der Kirchenanstrich und die Innenvergoldung überholt. Nach dem Ersten Weltkrieg stand die Kirche nochmals einer französischen Besatzung zur Verfügung. Im September 1944 trafen Bomben den südlichen Fassadenturm, 1945 brannte der Kirchenraum gänzlich aus. Erst 1949 konnte die Kirche wieder überdacht, am 8. Juni 1952 erstmals wieder Gottesdienst gehalten werden. 1955 fand eine gründliche Renovierung des Innern statt, das Äußere war 1961 wiederhergestellt.

Im *INNEREN der dreischiffigen, querhauslosen Hallenkirche auf quadratischem Grundriß sind die einst vortrefflichen Decken- und Wandgemälde von Guiseppe Appiani (1755) bis auf Reste vernichtet, die *Stukkaturen* von Franz Joseph Ignaz Anton Heideloff überwiegend erhalten; das Chorgestühl und die Boos-Orgel verbrannten 1945. Eine langwierige Restaurierung des Innern, die den ursprünglichen großartigen Zustand wiederherstellt, steht vor dem Abschluß. Dank rechtzeitiger Auslagerung (unter den Dom) blieben wesentliche Ausstattungsstücke erhalten: Der *Hochaltar,* mit einem viersäuligen Ziborium, stammt von 1762, die beiden Seitenaltäre von 1756; die barocken Figuren schuf Peter Heinrich Hencke. Über dem Heiligkreuzaltar ein großes

Kruzifix von Hans Backoffen (Anfang 16. Jh.). Die prächtige in Weiß und Gold gehaltene *Rokokokanzel entstand 1756. − In der südlichen Sakristei der Kirchenschatz; in einer von der Turmaußenseite zugänglichen Gruft interessante Kolumbarien- oder Backofengräber.

St. Peter (Pfarrkirche)

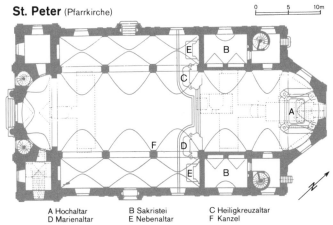

A Hochaltar	B Sakristei	C Heiligkreuzaltar
D Marienaltar	E Nebenaltar	F Kanzel

Nordöstlich hinter der St. Peterskirche der *Landesfilmdienst Rheinland-Pfalz* (Medienzentrale). Nordwestlich gegenüber öffnet sich der von Grünanlagen und dem *Jubiläumsbrunnen* (1962) gezierte E r n s t - L u d w i g - P l a t z ; an der Nordwestseite das **Justizministerium** (von P. Bonatz, 1910), dahinter, jenseits der Diether-von-Isenburg-Straße, das *Gefängnis.* Vor der Ostecke des Justizgebäudes der 6,50 m hohe **Dativius-Victor-Bogen,** die 1962 errichtete Abgußrekonstruktion eines

Die vierzeilige, von Eroten gehaltene I n s c h r i f t oben am Dativius-Victor-Bogen lautet:
IN H(onorem) D(omus) D(ivinae)
　I(ovi) O(ptimo) M(aximo) CONSERVATORI
　ARCUM ET PORTICUS
QUOS DATIVIUS VICTOR DEC(urio)
　CIVIT(atis) TAUN(ensium)
　SACERDOTALIS MO
GONTIACENSIBUS (p)ROMISIT
　VICTORI(i) URSUS FRUM(entarius)
　ET LUPUS
FILI(i) ET HEREDES CONSUMMAVERUNT.
Übersetzung: "Zu Ehren des Kaiserhauses haben dem Jupiter Optimus Maximus Conservator den Bogen und die Säulenhalle, die Dativius Victor, Ratsherr der Gemeinde der Taunenser (= Frankfurt-Heddernheim) und ehemaliger Provizialpriester, den Mainzern versprochen hatte, dessen Söhne und Erben, Victorius Ursus, Heereslieferant (? oder Feldgendarm ?), und Victorius Lupus vollendet."

nach seinem Stifter benannten römischen Torbogens aus dem 3. Jh.
n. Chr., von dem 1898–1911 etliche Fragmente in der Nähe des Gau-
tores geborgen worden waren. Über dem Bogenfries der Tierkreis-
zeichen thronen in der Mitte Jupiter und Juno, das Herrscherpaar
des antiken Götterhimmels; beiderseits Opferszenen, eingerahmt von
Weinranken. Hübscher Durchblick auf die Christuskirche. – Abbildung und Inschrift s. S. 99.

Das ehem. ***Kurfürstliche Schloß** an der Nordseite des alten
Schloßplatzes (Tiefgarage) – heute im Geviert von Rheinallee
(Schauseite), Großer Bleiche, Diether-von-Isenburg-Straße und
Ernst-Ludwig-Straße/Platz – ist ein stattlicher, dreigeschossiger
Bau aus rotem Sandstein, der im 17./18. Jh. als neue erzbischöfliche
Residenz errichtet wurde. Unmittelbar davor an der Rheinseite
stand die 1478-81 erbaute und 1807-09 abgerissene *Martinsburg,* der
ältere, von Diether von Isenburg angelegte Bischofssitz. Im An-
schluß hieran wurde unter Kurfürst Georg Friedrich von Greiffenklau 1627-78 der lange *Rheinflügel* des jetzigen Palastbaues in edler
Gliederung und mit lebendigen Einzelformen (Erker, Simse, Bal-
kons, Pilaster) angebaut, wobei oberitalienische und französische
Vorbilder Pate standen. Der anschließende breite *Nordflügel* wurde 1687/88 unter Kurfürst Anselm Franz von Ingelheim begonnen
und erst unter Johann Friedrich Carl von Ostein 1750-52 nach einem
Entwurf von Anselm Franz Frh. von Ritter zu Grünstein vollendet.
1792 tagte hier der Jakobinerklub (Mainzer Republik). Nach Auflösung des Kurstaates diente das Schloß zweckentfremdet als Kaserne, Lazarett und Magazin. Das ganze Gebäude, 1903-25 restauriert,
brannte 1942 aus (auch der prunkvolle Akademiesaal vernichtet),

wurde aber schon 1948-50 wiederhergestellt. Die modern eingerichteten Repräsentationssäle des
Nordostflügels (Großer Saal, Neuer Saal, Blauer Saal, Spiegelsaal,
Grünes Zimmer, Ecksaal und Ge-
wölberaum) dienen Festlichkeiten,
Kongressen, Konzerten, Ausstellungen und Fastnachtsveranstaltungen (Eingang Diether-von-Isenburg-Straße und Peter-Altmeier-
Allee). Der rheinseitige Nordwestflügel wird z. T. vom **Römisch-
Germanischen Zentralmuseum* zu Ausstellungen benutzt.

Das ***Römisch-Germanische-Zentralmuseum** *(RGZM)* wurde 1852 auf Anre-
gung der Deutschen Geschichts- und Altertumsvereine gleichzeitig mit dem
Germanischen Nationalmuseum in Nürnberg gegründet. Während sich jenes
hauptsächlich mit der kulturellen Entwicklung Deutschlands im Mittelalter
beschäftigen sollte, erhielt das Mainzer Museum die Aufgabe, die vor- und
frühgeschichtlichen Kulturen in Deutschland und deren Beziehungen zu an-

deren Kulturkreisen der Alten Welt zu erforschen und in seinen Sammlungen deren Entwicklung mit Hilfe von Originalen und getreuen Nachbildungen systematisch darzustellen. Zu diesem vorwiegend wissenschaftlichen
Zweck verfügt das 1942 durch Kriegseinwirkungen aufs schwerste getroffene
Museum nach mühsamer Wiederaufbauarbeit heute über leistungsfähige
Laboratorien und *Werkstätten* sowie eine archäologische *Fachbibliothek* und ein
umfangreiches *Bildarchiv,* die zusammen mit der Verwaltung und den Arbeitsräumen in einem Nachkriegsgebäude am Ernst-Ludwig-Platz (Nr. 2) untergebracht sind. Die **Schausammlungen** (meist Nachbildungen) befinden sich in
der an dieses Gebäude anschließenden 'Steinhalle' (ehem. napoleon. Zollhalle),
zum anderen in zwei Stockwerken des rheinseitigen Flügels des Kurfürstlichen Schlosses; Zugang für beide von der Großen Bleiche über den Schloßhof (Brunnen). Sie umfassen folgende Abteilungen (Eintritts. Besuchsordnung).

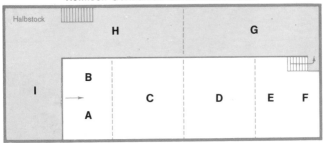

Römisch-Germanisches Zentralmuseum

Steinhalle

VORGESCHICHTLICHE ABTEILUNG (Steinhalle; A–F zu ebener Erde,
G–I im Halbstock). – A: *Altsteinzeit* (Skelettfunde; Steinwerkzeuge; Kunst). –
B: *Mittelsteinzeit* (Geräte der nacheiszeitlichen Jäger und Sammler). – C:
Jungsteinzeit (Pläne früher Dorfsiedlungen; Tongefäße, Steingeräte; Kunst auf
dem Balkan; Holz- und Knochengeräte aus Pfahlbauten der Schweiz; Megalith-
gräber). – D: *Bronzezeit* (Schmuck; Waffen; Ton- und Metallgefäße; nordischer
'Sonnenwagen'; 'Königsgrab' von Seddin, Brandenburg). – E: *Spätbronzezeit/
Urnenfelderzeit* (Waffen; Schmuck; Kultwagen). – F: *Vorgeschichtlicher Bergbau*
(Modell eines bronzezeitlichen Kupferbergwerkes; Metalltechnik; Textiltech-
nik). – G: *Hallstatt-Zeit* (Darstellung des Salzbergbaues; Grab- und Siedlungs-
funde). – H: *La-Tène-Zeit* (keltisches Kunsthandwerk; Kultkessel von Gunde-
strup, Dänemark). – I: *Römische Kaiserzeit im freien Germanien* (Grabfunde;
importierte römische Gegenstände; Schmuck und Waffen mit Runeninschrif-
ten).

Römisch-Germanisches Zentralmuseum

| 9 | 8 | 7 | 6 | |
| 1 | 2 | 3 | 4 | 5 |

Kurfürstliches Schloß, 1. Stock

RÖMISCHE ABTEILUNG (Kurfürstliches Schloß, 1. Stock).
Raum 1: Reich und Kaiser. Kaiserkult (Apotheose des Antoninus Pius und der Faustina in Rom, Vatikan). Die Entwicklung Roms und des Imperiums. – Raum 2 bis 4: Italien und die Provinzen des Reiches. Formen der Stadt. Künstlerische Erzeugnisse aus Italien und den römischen Provinzen in Afrika, den Provinzen im Norden und Westen des Reiches sowie aus dem griechischen Osten (Gefäße aus Silber, Bronze, Glas, Keramik. Schmuck, Rekonstruktionen antiker Trachten). – Raum 5: Militärwesen. Organisation des römischen Heeres. Militärgrenzen und deren Sicherung. Kriegstaktiken. Rekonstruktionen römischer Bewaffnung. Waffen und andere Ausrüstungsgegenstände (Helme, Schwerter, Dolche, Schilde, Feldzeichen). – Raum 6: Wirtschaft und Verkehr. landwirtschaft. Geräte. – Raum 7: Wissenschaft. Geographie. Astronomie. Kalenderuhr. Medizinische Instrumente. Rekonstruktion der Orgel aus Aquincum. – Raum 8: Religion. Griechische und römische Religion. Religionen im Imperium Romanum. Statuetten von Gottheiten. Relief der Vicomagistri und Vorderseite des Jonas-Sarkophages in Rom, Vatikan. Raum 9: Die Krise des Reiches. Die äußeren Feinde des Imperium Romanum (Iranier, Germanen). Sarkophagdeckel mit Darstellung eines Feldherrn, einer Frau und besiegter Germanen (zum großen Schlachtensarkophag Ludovisi im Thermenmuseum zu Rom gehörig).

Römisch-Germanisches Zentralmuseum

Kurfürstliches Schloß, 2. Stock

FRÜHMITTELALTERLICHE ABTEILUNG (Kurfürstl. Schloß, 2. Stock). – *Raum 1:* Das spätrömische Reich (Mosaiken des Kaisers Justinian und seiner Gattin Theodora aus San Vitale in Ravenna; spätantike Goldschmiedearbeiten; Ehrengeschenke von Kaisern und Konsuln; spätantikes Heidenund Christentum; koptische Altertümer. – *Raum 2:* Die Barbaren aus dem Osten (persische Reitergräber; hunnische Funde aus Asien und Europa; gotische Funde vom Schwarzen Meer, aus Italien und Spanien; Modell des Theoderich-Grabmals in Ravenna; vandalische und burgundische Funde. – *Raum 3:* Das Frankenreich (rheinische Grabsteine von Franken und Romanen; Grabbeigaben des Königs Childerich; Grabbeigaben aus fränkischen Männerund Frauengräbern; Elfenbeinarbeiten). – *Raum 4:* Thüringer, Alamannen, Baiern (Grabfunde; Baumsarg von Oberflacht). – *Raum 5:* Völker an den Grenzen des Frankenreiches (Langobarden; Sachsen; Nordgermanen; Awaren, Slawen, Magjaren). – *Raum 6:* Das Reich Karls des Großen (karolingische Reliefplatten sowie Grabbeigaben; Modell der Aachener Pfalz, der Einhardskirche in Steinbach und der Torhalle von Lorsch; Tassilo-Kelch).

Dem Schloß südöstlich gegenüber, jenseits der Einmündung der Großen Bleiche in die Altmeier-Allee/Rheinallee (s. S. 108; hier früher die kurfürstl. Kanzlei und die um 1580 von G. Robyn erbaute Schloßkirche St. Gangolph) steht das **Deutschhaus**, in dem der rheinlandpfälzische **Landtag** seinen Sitz hat. Das 1730–37 von Anselm Franz Frh. von Ritter zu Grünstein unter Einfluß des französischen Barock für die Deutschordenskommende erbaute Palais (Front auf der

Rheinseite), in dem im März 1793 der Rheinisch-Deutsche Natio-
nalkonvent tagte und Napoleon während seiner Mainzer Aufenthal-
te und später der hessische Großherzog residierten, wurde nach seiner Kriegszerstörung (1945) als einer der ersten Reprästentations-
bauten der Stadt wiederhergestellt; die Figuren an den freistehen-
den Pavillons schuf Burkhard Zamels. − Auf dem D e u t s c h h a u s -
p l a t z (darunter eine Tiefgarage) die Nach-
bildung der 1904/05 in vielen Bruchstücken
gefundenen *Jupitersäule (Original im Landesmuseum Mainz); dahinter ein kleiner Altar (Nachbildung). − Südöstlich an das
Deutschhaus schließt das 1738-40 von Maximilian von Welsch erbaute und ebenfalls
nach Kriegszerstörung bald wiederaufgebaute ehem. *Neue Zeughaus,* das heute die
rheinlandpfälzische **Staatskanzlei** (Landesregierung) beherbergt. Die rheinseitige Fassade wird teilweise durch die hohe Rampe

der Theodor-Heuss-Brücke (s.S. 106) verdeckt. Im Erdgeschoß des
auch'Europahaus' genannten Barockpalais ein *Stresemann-Ehren-
mal* (1958; nicht öffentlich zugänglich). Ein erstes Denkmal für den
Friedensnobelpreisträger von 1926 − gemeinsam mit A. Briand −
stand von 1931 bis zur Entfernung durch die Nationalsozialisten am
Fischtor. − Die Südostseite des Deutschhaussplatzes schließt das
ehem. **Alte Zeughaus,** ein nach der früher hier gelegenen kurfürstlichen Viehhaltung 'Zum Sautanz' ('Säudantz') genannter feiner
Renaissancebau (1601-25), mit Treppenturm und Giebeln, in dem
1951-78 das *Südwestfunk-Landesstudio Rheinland-Pfalz* untergebracht war (dann Umbau für die Landesregierung; SWF s.S. 116.)

Kaiserstraße

Nordwestlich parallel zur Großen Bleiche verlaufen die zusammen mit dieser unter Kurfürst Johann Philipp von Schönborn ab
1662/63 rational-geradlinig angelegten Straßenzüge der M i t t l e -
r e n und der H i n t e r e n B l e i c h e (Reste der mittelalterlichen
Stadtmauer). − Die 1872-1900 anstelle der alten nordwestlichen
Stadtumwallung als großzügige Verbindungsachse zwischen Hauptbahnhof und Rheinufer geschaffene **K a i s e r s t r a ß e** ist wie die
Große Bleiche, zu der sie annähernd parallel läuft, eine der Mainzer Hauptverkehrsstraßen. Die doppelläufige, in dem breiten Mittelfeld von Grünanlagen und Brunnen gezierte Allee (zur Fastnacht
Ausgangspunkt des Rosenmontagsumzuges) scheidet die Altstadt
von der Neustadt (s.S. 108).

Zum Hauptbahnhof hin wird sie durch das große Gebäude
(1938/54) der *Deutschen Bundesbahn* (Transportleitzentrale; bis 1972
Bundesbahndirektion) abgeschlossen. Im unteren Teil die mächtige

1897–1903 von Stadtbaumeister Eduard Kreyßig erbaute evangelische
Christuskirche, deren Inneres 1945 verbrannte und 1951–54 wiederhergestellt wurde (Holzauskleidung; Zutritt s. Besuchsordnung). Ihre
80 m hohe Kuppel ist weithin sichtbar (s. Abb. S. 99); in der Laterne
ein Glockenspiel von 1954 (Kirchenlieder). Die Christuskirche ist
eine bedeutende Pflegestätte der Kirchenmusik (Bachchor, 1955
als Kantorei gegr.; Bachorchester, 1958 gegr.; Konzerte s. dort). –
Vor der Christuskirche der große *Hans-Klenk-Brunnen;* 117er Ehrenhof s. S. 108 . – Von den Bauten entlang der Kaiserstraße sind ferner bemerkenswert Nr. 63 ehem. Haus Bamberger (1900) und Nr.
50-52 (südlich gegenüber der Christuskirche) das um 1890 für die
Reichsbank im Stil der italienischen Renaissance aufgeführte Gebäude der *Landeszentralbank Rheinland-Pfalz;* reich gegliederte
Fassaden der Häuser Nr. 2, 18 und 24 aus den Gründerjahren; Ecke
Heidelbergerfaßgasse das *Gewerkschaftshaus* (DGB).

Rheinufer

   Seit dem Ende des Zweiten Weltkrieges bildet der **Rhein** die nordöstliche
Stadtgrenze (vgl. Geschichte). Von der insgesamt 16,5 km langen Uferstrecke
entfallen rund 2 000 m auf den Bereich entlang der Mainzer Altstadt zwischen
Winterhafen im Südosten und Neustadt im Nordwesten. Der lohnende Spa-
ziergang entlang dem weitgehend verkehrsfreien R h e i n u f e r sei jedem
Mainz-Besucher angeraten. Von dem anlagengeschmückten Kai kann man
zum einen den stets regen Schiffsverkehr auf dem Rheinstrom aus nächster
Nähe betrachten, zum anderen öffnen sich stadtwärts interessante Durchblik-
ke auf bedeutende historische und moderne Bauten der Stadt. – Wer einen
längeren Fußweg nicht scheut, kann auf dem bei den Mainzern seit alters beliebten *Drei-Brücken-Spaziergang* zunächst südöstlich entlang dem Rheinufer
bis zur südlichen Eisenbahnbrücke, auf dem Gehsteig derselben über den
Rhein zur Mainspitze, dann über die Mainbrücke nach Kostheim und Kastel
und schließlich auf der Theodor-Heuss-Brücke zurück in die Altstadt prächtige *Panoramablicke auf das Stadtbild genießen (insgesamt rund 7 km, zu Fuß
ca. 2 Stunden); wegen der längeren 'Durststrecken' noch lohnender mit dem
Fahrrad (Fahrradverleih, Albinistr. 15, Tel. 22 50 13).

   Die *R h e i n u f e r p r o m e n a d e beginnt im Südosten beim *Winterhafen* (Liegeplätze von Haus- und Sportbooten; Ruderbootshaus;
DLRG-Rettungsstation; kl. Schwimmbad, Sauna, Solarium) und endet in Höhe des Feldbergplatzes, Neustadt, unweit vom *Zoll- und
Binnenhafen.* In etwa gleichmäßigen Abständen reihen sich hier die
Reste der ehem. Festungs- und Toranlagen (Gestaltung von E. Kreyßig; Schmuck von V. Barth) aus der zweiten Hälfte des 19. Jhs., der
sogen. RHEINKEHLBEFESTIGUNG auf angeschüttetem Gelände
für die Bundesfestung Mainz, aneinander. Wegen der zahlreichen
hier aufgestellten Plastiken (weitere sollen folgen) wird die Rhein-
promenade auch als 'Mainzer Freiluftgalerie' bezeichnet.

   Ausgehend von dem neuen Dom-Brand-Rathaus-Zentrum steigt
man vom Rathausplatz auf der Treppe hinab zum A d e n a u e r u f e r ;
hier die Anlegebrücken und der Pavillon der *Köln-Düsseldorfer*

Rheinschiffahrt. S t r o m a u f w ä r t s fällt der Blick auf die südliche Eisenbahnbrücke (älteste Eisenbahnbrücke, 1862) bei der Mainmündung. An der parallel verlaufenden Uferstraße zunächst eine Reihe stattlicher Häuser aus der Gründerzeit; vor der Rathausecke (Einmündung der Straße Am Rathaus) die Skulptur "Zirkulationen im Raum II", elf ineinander verschränkte Chromstahlringe (von Vojin Bakić, 1975). Dann folgt das FISCHTOR; seitlich davor, über der Kaitreppe zu den Anlegestellen der Lokalschiffe, das *Ehrenmal* (adlerbekrönter Sandsteinobelisk; 1939) für den 1914 vor Helgoland versenkten Kreuzer "Mainz" und seine Besatzung (s. S. 35). Stadteinwärts liegt der von ansehnlichen Häusern der Gründerzeit (Erker, Balkone; Nr. 17 schöner Eingang) eingefaßte F i s c h - t o r p l a t z ; *Blick auf das Ostwerk des Domes. Am Anfang ein 1960 errichtetes steinernes *Mahnmal der deutschen Einheit* ("Deutschland ist unteilbar"); an der Rheinstraße der ovale *Fischbrunnen* (1930) mit 24 Fontänen. – Vom Fischtor führt südöstlich das gestaffelte S t r e s e m a n n u f e r weiter. Vor der ersten Grünanlage die Skulptur "Stürzende Figur" von Wilhelm Loth (1960; 1971 hier aufgestellt); auf der ersten Rasenfläche eine Gruppe von Röhrenplastiken: "AC IX-Doppelbogen" von Friedrich Gräsel (1967), "E 21" von Hans Nagel (1969), "Stele" von Gerlinde Beck (1968/69). In Höhe der nächsten Anlegestelle die Frauenplastik "Feuervogel" von Karl-Heinz Krause (1970). Dann folgt rechts das WEINTOR; weiterhin steht die überlebensgroße Tierplastik "Tiger" von Philipp Harth (1969 aufgestellt). Jenseits vom HOLZTOR (Blick auf den Holzturm; s. S. 108) die Steinskulptur "Tripolitanerin" von Emy Roeder (1961). Hinter dem TEMPLERTOR (Blick durch die Templerstraße auf den Chor von St. Ignaz; s. S. 77) liegt das massive **Fort Malakoff.**

Der 1843 als Teil der Rheinuferbefestigungen erbaute 'Rheinkehlturm' wurde nach der Erstürmung des Sewastopoler Malakoff-Forts durch die Franzosen im Krimkrieg 1855 in **Fort Malakoff** umbenannt. – In Teilen des Erdgeschosses (Eingang Uferstraße Nr. 4) befindet sich das *Keramikatelier Gefäßplastik* (Eintritt s. Besuchsordnung), im Obergeschoß ein Maleratelier. Andere Räume werden von der Volkshochschule für ihre künstlerischen und handwerklichen Kurse genutzt (Ausbau zu einem kreativen Zentrum geplant).

Am Ufer verschiedene Anlegepontons. Jenseits des Forts Malakoff die *Wasser- und Schiffahrtsdirektion Südwest;* dahinter bis zur Rheinstraße der große Komplex der *Bereitschaftspolizei.* Bei der Einfahrt in den Winterhafen das DAGOBERTTOR.

Vom Rathaus s t r o m a b w ä r t s (Blick auf die Theodor-Heuss-Brücke mit dem rechtsrheinischen Brückenkopf Kastel; in der Ferne die Industrieanlagen von Amöneburg, dahinter der Taunus) führt das A d e n a u e r u f e r zunächst an der gläsernen Front der *Rhein-*

goldhalle (s. S. 86) vorüber. Hier steht das **Wagner-Denkmal,** eine kantige Bronzeplastik von Fritz Wotruba (1970 vom Musikverlag B. Schott's Söhne gestiftet). Dann links das *Hotel Mainz Hilton* (s. S. 86), rechts *Anlegebrücken* und ein steinernes Häuschen mit dem *Rheinpegel;* an der flußaufwärts orientierten Wand die Pegeluhr (Pegel Mainz 0 = 78,43 m über NN), unten Hochwassermarken von 1882 und 1970. Vor dem Pegel ein großes rundes Brunnenbecken und gleich dahinter im ROTEN TOR der **Mainzer Kurfürstenzyklus** (die 7 Kurfürsten und der deutsche König; annähernd in Lebensgröße), nach den Zinnenfiguren des ehem. Kaufhauses am Brand (vgl. S. 82) gestaltet.

Die von Theo J. Graffé geschaffenen Nachbildungen (Originale des frühen 14. Jhs. im Landesmuseum Mainz) zeigen von links nach rechts *König Ludwig den Bayern* (mit goldener Krone), die *Erzbischöfe von Mainz, Köln und Trier,* den *König von Böhmen,* den *Pfalzgrafen bei Rhein,* den *Herzog von Sachsen* und den *Markgrafen von Brandenburg.*

Vom Roten Tor öffnet sich nach links der Blick in die Stadt; jenseits des verkehrsreichen Brückenplatzes Kloster und Kirche der Karmeliter (s. S. 88/89). – Das Adenauerufer zieht nordwestlich weiter zum BRÜCKENTOR; links die große Auffahrt zur **Theodor-Heuss-Brücke,** welche die schöne Baugruppe von *Staatskanzlei* (Neues Zeughaus) und *Landtag* (Deutschhaus) zum Teil verdeckt (s. S. 103).

RHEINBRÜCKEN. – Das sogen. Lyoner Bleimedaillon (3./4. Jh.; Abb. s. S. 43) überliefert die älteste bekannte bildliche Darstellung einer festen *römischen Rheinbrücke* zwischen Mainz und Kastel. Es steht aber fest, daß bereits um 90 n. Chr. hier eine solche bestanden hat (Restfunde bei Baggerarbeiten an der heutigen Straßenbrücke). Karl der Große ließ auf den römischen Pfeilern erneut eine (hölzerne) Brücke schlagen, die jedoch schon bald nach ihrer Fertigstellung abbrannte. Bis zur Neuzeit sind dann keine festen Brücken mehr gebaut worden. Viele alte Stiche und Ansichten zeigen immer wieder gegen den Strom geschwungene Schiffbrücken. Um 1812 plante Napoleon einen Brückenbau, der jedoch nicht zur Ausführung gelangte.

Nach Plänen Friedrich von Thierschs entstand 1882–85 eine erste stählerne fünfbogige *Straßenbrücke,* die man 1931–33 wegen des rapide angestiegenen Verkehrsaufkommens erweitern mußte. Wie fast alle übrigen deutschen Rheinbrücken wurde auch die Mainzer Straßenbrücke kurz vor Kriegsende 1945 von der Wehrmacht gesprengt. Die beiden erhaltenen an die Ufer grenzenden Bogen und äußeren Strompfeiler verbanden US-amerikanische Pioniere zunächst zu einem provisorischen Flußübergang v.a. für Militärfahrzeuge. Nach Erstellung einer *Behelfsbrücke* unweit stromabwärts konnte 1947 der Wiederaufbau der alten Straßenbrücke in Angriff genommen werden, der 1950 beendet war. Die neue, den hier etwa 500 m breiten Rhein überspannende zunächst namenlose Brücke, deren fünf Bogen auf vier Strompfeilern und zwei Uferlagern ruhen, erhielt 1968 zu Ehren des ersten Präsidenten der Bundesrepublik Deutschland den Namen **Theodor-Heuss-Brücke.** Von ihrer Mitte *Rundblick auf die Stadt, bis zu den Rheingauhöhen und zum Odenwald. – Am Mainzer Brückenkopf eine *Flußwassermeßstation* zur Überwachung des Verschmutzungsgrades des Rheinwassers; in den Anlagen der großen Rampenauffahrt der Berliner Meilenstein (s. S. 35) und eine Tafel mit

den Wappen der Mainzer Partnerstädte (s. S. 35). – Bau einer zweiten Rheinbrücke im Stadtgebiet zwischen dem Kaisertor und Kastel erwogen.

Gut 2 km stromaufwärts von der Theodor-Heuss-Brücke überspannt jenseits
der Mainmündung die 1230 m lange **Eisenbahnbrücke** der Hauptstrecke Mainz-
Frankfurt/Darmstadt den Rhein. Der alte, einst 'Eiserne Brücke' genannte Bau
von 1862/1912 ist nach Kriegszerstörung 1950 als vierbogige Gitterbrücke
wiederhergestellt worden. – Eine zweite Eisenbahnbrücke, die urspr. 1901–04
erbaute, 800 m lange **Kaiserbrücke** für die Strecke Mainz-Wiesbaden, wurde
1954 wieder in Betrieb genommen. Sie überschreitet, in Fachwerkbauweise
konstruiert, fast 2½ km stromabwärts von der Theodor-Heuss-Brücke den Rhein,
der dort durch die Petersaue in zwei Arme geteilt wird. Beide Brücken haben
auch Geh- und Radwege.

Im Zuge des Mainzer Autobahnringes bestehen im Süden die 821 m lange
Weisenauer Brücke und im Nordwesten die 1290 m lange **Schiersteiner Brücke**
(über die Westspitze der Rettbergsaue). – Eine versuchsweise u.a. aus Beton-
fertigteilen gebaute kleine Brücke (für den öffentlichen Verkehr gesperrt)
führt von Amöneburg über den Kasteler Rheinarm auf die Petersaue.

Nordwestlich jenseits der Theodor-Heuss-Brücke heißt die Promenade R h e i n u f e r und nimmt nun den Charakter einer breiten
Wirtschaftskaianlage an (Kaum Grün, größere Lagerflächen, z.T. als
Kfz-Parkplätze genutzt). Erwähnung verdient gegenüber der Einmündung der Großen Bleiche das SCHLOSSTOR, mit zwei erhaltenen
allegorischen Figuren (von V. Barth); weiterhin links das *Kurfürstliche Schloß* (s. S. 100). Am Rheinufer folgt das RAIMUNDITOR.
In der Häuserzeile nordwestlich schräg gegenüber (Rheinallee
Nr. 3³/₁₀) das 1912 errichtete Gebäude der **Stadtbibliothek** (Öffnungszeiten s. Besuchsordnung).

Die Mainzer Stadtbibliothek geht auf die 1477 gegründete *Universitätsbibliothek* zurück, die 1805 auf die Stadt überging. Sie ist im Besitz von über
450 000 Büchern, 1 135 Handschriften, 2 362 Inkunabeln und 625 Frühdrucken
(z.T. im Gutenberg-Museum). – Angeschlossen ist das 1845 eingerichtete
Stadtarchiv. Aus der Zeit der politischen und wirtschaftlichen Blüte der Stadt
(12.-15. Jh.) besitzt es nur relativ wenige Akten und Urkunden, die meist den
Kriegen zum Opfer fielen. Das alte Kurmainzer Staatsarchiv kam 1815 an Bayern. So sind heute im Stadtarchiv nur Bestände der Stadtverwaltung und der
aufgelösten Stifte und Klöster: über 8 000 alte Urkunden, eine Siegel- und eine
Autographensammlung, ferner Nachlässe sowie historische Karten, Pläne und
Bilder. – Im ersten Obergeschoß das ***Münzkabinett** mit ca. 6 000 römischen
und etwa 7000 kurmainzischen Münzen sowie Medaillen aus dem Mittelalter
und der Neuzeit (Auswahl in Wechselausstellungen).

Beim KAISERTOR mündet die Kaiserstraße in die Rheinallee.
An der Südecke das *Hotel Mainzer Hof* (früher 'Metropol'; im
Volksmund 'Millionenbau'), dessen vom Kriege verschonte, her-
vorragende Jugendstilfassade (1903/04) bedauerlicherweise 1956
entfernt wurde. Bis zum Zoll- und Binnenhafen folgen noch das
FRAUENLOBTOR (mit originellem "Narrenschiff"-Brunnen von
Richard Heß, 1980/81) und das FELDBERGTOR.

Die wichtigste Verbindung für den Durchgangsverkehr entlang
dem altstädtischen Rheinufer ist die in Höhe des Südbahnhofs be-

ginnende **Rheinstraße** (Fortsetzung der von der Weisenauer Auto-
bahn-Rheinbrücke heranführenden Weisenauer Straße) mit der
Rheinallee als nordwestlicher Fortsetzung vom Schloßtor bis ins
Mombacher Industriegebiet (Schiersteiner Autobahn-Rheinbrücke).
Die Rheinstraße verläuft, nur in ihrem südöstlichen Abschnitt durch
einen oder zwei Häuserblocks getrennt, parallel zur Rheinuferprome-

nade. Bemerkenswert ist hier vor allem der **Holzturm** (in der Kreuzung von Rheinstraße und Holzstraße), ein als 'Neuer Turm' im Zuge der mittelalterlichen Stadtmauer seit der Mitte des 14. Jhs.
bekannter stattlicher Tortturm, in dem u.a. 1802/
03 der Schinderhannes bis zu seiner Hinrichtung
gefangengehalten wurde (unzugänglich); unten im
Bogen Hochwassermarken von 1565 und 1784.
Östlich gegenüber, Holzstr. Nr. 36, die Abt.
Mainz I der Fachhochschule des Landes Rheinland-Pfalz (Ingenieurwissenschaften, Design).
Nordwestlich neben dem Holzturm das Studienge-
bäude des Fachbereichs Vermessung der Fachhochschule. Am Untergeschoß ein *Betonrelief* mit
historischen Lokaldarstellungen (röm. Brücke;
Barbarossas Reichsfest 1184; Schwedenbrücke 1630). Ferner unterhalb, gegenüber dem neuen Rathaus, ein um 1750 erbautes und um
1980 als Neubau rekonstruiertes *Barockhaus* (Nr. 49; Hotel 'Stadt
Coblenz'); westlich dahinter das ehem. Heiliggeistspital (s. S. 83).

IV. NEUSTADT · INDUSTRIEGEBIET · HÄFEN

Das als Mainzer Neustadt bezeichnete Stadtgebiet wird im Südosten
gegen die Altstadt von der breiten Kaiserstraße, im Nordwesten und Norden
von den Eisenbahnanlagen der Strecke Mainz-Wiesbaden und im Nordosten
vom Rhein begrenzt. Die Bebauung des einst *Gartenfeld* genannten flachen
Geländes mit sich weitgehend regelmäßig rechtwinklig schneidenden Straßen-
zügen erfolgte erst seit dem ausgehenden 19. Jh., nachdem die bastionären
Stadtbefestigungen niedergelegt waren. Es handelt sich vorwiegend um eine
städtische Wohngegend, die nach den Zerstörungen des Zweiten Weltkrieges
ebenso eng wie zuvor wiederaufgebaut wurde und erst durch die gezielten
Sanierungsmaßnahmen der letzten Jahre (u.a. Belebung der Fassaden durch
farbenfrohe Anstriche, Erweiterung der Grünzonen) freundlichere Züge angenommen hat. Wenngleich sich der Tourist einen Besuch der Neustadt ver-
sagen mag, so sei doch auf einiges Bemerkenswerte hingewiesen:
Unweit westlich der Christuskirche liegt der 117er EHRENHOF
für die 1914-18 Gefallenen des Mainzer Infanterieleibregiments mit
einer Löwenplastik sowie ein Ehrenmal der 263. Inf. Div. für ihre
Gefallenen des Zweiten Weltkrieges. An der Nordostseite des Platzes das humanistische *Rabanus-Maurus-Gymnasium;* nordwestlich
gegenüber die *Neuapostolische Kirche.* An der vom 117er Ehrenhof
nordwestwärts ausgehenden Forsterstraße (Nr. 2) das *neue Haus
der Jüdischen Gemeinde.* Die 1911-12 erbaute und 1938 von den Na-

tionalsozialisten verwüstete Hauptsynagoge (ehem. Altstadtsynagoge s.S. 91) befand sich ca. 400 m westlich an der Stelle des Hauptzollamtes; im Vorgarten eine Gedenktafel.

Nordöstlich vom Hauptbahnhof (Bonifaziusstraße) steht die kathol. Pfarrkirche **St. Bonifaz,** die 1890−93 als erste Kirche der Neustadt erbaut worden war. Nach Kriegszerstörung (1945) ist sie 1954 durch Hugo Becker wiedererstanden (Eingang Boppstraße); der Turm erst 1962 errichtet. 1969 übernahmen die Kapuziner (seit 1618, mit Unterbrechung 1802−54, in Mainz) die Kirche. Am BONIFAZIUS-PLATZ ein großer **Hochhauskomplex** (Einkaufszentrum mit Restaurants, Bundesbahn-Verwaltung u.a.). Unweit nordöstlich, Gartenfeldstraße 20, das Geburtshaus von Curt Goetz (1888-1960).

Nördlich davon, am Valenciaplatz der Neubau des Polizeipräsidiums, in dem auch eine kriminologische Lehrsammlung untergebracht ist. Die Rheinalle führt vom Kaisertor (s.S. 107) an den **Stadtwerken** (links; Nr. 41) vorbei zu dem 1881-87 erbauten Z o l l - u n d B i n n e n h a f e n für Spedition und Lagerei. Seit 1981 verbindet die sog. Grüne Brücke, eine von Dieter Magnus als Kunstlandschaft mit immergrüner Bepflanzung konzipierte Fußgängerplattform, über die Rheinallee hinweg die Neustadt mit dem Rheinufer am Feldbergplatz. Ecke Kaiser-Karl-Ring das *Fahrzeugdepot* der Städtischen Verkehrsbetriebe. − Im Rhein die langgestreckte Insel PETERSAUE, wo Kaiser Ludwig der Fromme 840 starb; heute dort das Mainzer *Wasserwerk.* Am Nordwestende der Neustadt liegt das **Jenaer Glaswerk.**

Im thüringischen Jena gründeten 1884 der Chemiker und Glastechniker *Friedrich Otto Schott* (1851−1936), der Universitätsmechaniker *Carl Zeiss* (1816−88) und der Physiker *Ernst Abbe* (1840−1905) das **Jenaer Glaswerk Schott & Genossen,** das später in die 1889 von Abbe gegründete CARL-ZEISS-STIFTUNG (Sitz seit 1949 in Heidenheim) eingebracht wurde. Am Ende des Zweiten Weltkrieges evakuierten US-Truppen den Gründersohn *Erich Schott* (geb. 1891) zusammen mit Wissenschaftlern und Technikern nach Westdeutschland; das Werk wurde enteignet. Der fast legendäre 'Zug der 41 Glasmacher' führte schließlich nach Mainz, wo man 1951 mit dem Aufbau eines neuen Werkes begann. − Auf einem Areal von rund 300 000 qm werden heute optische, chemisch und thermisch resistente sowie temperaturwechselbeständige Gläser, Glaskeramik für Teleskopspiegelträger, Glaskolben für Fernsehgeräte, Bauisolierglas u.a. hochwertige Gläser hergestellt. − Die Schott-Gruppe beschäftigt insgesamt rund 14 000 Mitarbeiter.

Nordöstlich gegenüber die *Blendax-Werke* und jenseits des Nordbahnhofes (Kaiserbrücke) das *Erdal-Werk.* Weiter nordwestlich schließt die INGELHEIMER AUE an, die 1882 durch einen Damm mit dem Ufer verbunden wurde und jetzt ein bedeutendes **I n d u - s t r i e g e b i e t** darstellt (*Kraftwerke Mainz−Wiesbaden,* die zentrale Energieversorgung für beide Städte; *Resart-Kalkhof, Hakle* u.a.). − Der ehem. Mombacher Floßhafen ist zu einem modernen I n d u - s t r i e h a f e n ausgebaut; entlang dem Südufer die 1946 gegründete *Rheinwerft* und das *Deutsche Nestlé-Werk.*

V. RINGS UM DIE ALTSTADT
Hauptbahnhof · Kästrich

Am Westrand der Altstadt liegt der 1884 erbaute, 1939 und 1954 erneuerte **Hauptbahnhof,** zugleich Sammelpunkt für die Personennahverkehrsmittel. Rings um den BAHNHOFSPLATZ verschiedene Hotels und Gaststätten; im Hause der Hamburg-Mannheimer Versicherung der Mainzer Verkehrsverein mit dem Auskunftsbüro *Tourist Information* (Nr. 2; Öffnungszeiten s.S. 10). Bemerkenswert die einheitliche Bebauung vom Ende des 19. Jhs. an der SCHOTTSTRASSE (kurze Verbindung nordöstlich zur Kaiserstraße). – Vom Hauptbahnhof führt die A l i c e n s t r a ß e südöstlich bergauf zu dem verkehrsreichen ALICENPLATZ (links die Parcusstraße zur Kaiserstraße; halblinks die Binger Straße zum Münsterplatz; rechts die Alicenbrücke über die Bahnanlagen zum Binger Schlag). Weiter aufwärts zum **Kästrich** (früher *Kestrich;* wohl von latein. 'castrum', nach dem röm. Heerlager), der einst (Anfang des 19. Jhs. noch etwa zwischen Gau- und Münsterstraße) mit Wein bestandenen, heute weitgehend zugebauten und von der Eisenbahn durchtunnelten Hanghöhe. Von der KUPFERBERGTERRASSE (früher Mathildenterrasse) bietet sich ein umfassender *Blick über die türmereiche Stadt. Hier (Nr. 15-19) liegt die bekannte **Sektkellerei Kupferberg** (Eingang Nr. 19; Privatparkplätze vor dem Haus).

Der Mainzer *Christian Adalbert Kupferberg* (1824–76) gründete 1847 in Neustadt an der Haardt (Weinstraße) seine erste Sektkellerei. Die heutige Firma **Christian Adalbert Kupferberg & Cie.** *(Commandit-Gesellschaft auf Actien)* etablierte sich 1850 in Mainz und wird seither von der Familie Kupferberg geführt. – Bodenfunde belegen, daß schon die Römer auf dem Kästrich Weinbau betrieben. Im Mittelalter befanden sich hier die Keller des nahegelegenen Altmünsterklosters. Teile davon erwarb Kupferberg und baute sie zu

einer großen Anlage aus, die heute über 60 *Gewölbekeller in sieben Etagen und nach verschiedenen Richtungen unter der Erde umfassen und damit die tiefst geschichteten Sektkellereianlagen der Welt sind. Mit ihrem natürlichen Klima (u.a. dank prächtigem Kellerschimmel) und ihren sommers wie winters gleichbleibenden Temperaturen bieten sie die besten Voraussetzungen für die Reifelagerung des Sektes. – Die wichtigsten Kupferberg-S e k t s o r t e n heißen "Gold", "Riesling Brut", "Fürst Bismarck Sect" (alle weiß) und "Spätburgunder" (rot).

In der auch kulturgeschichtlich interessanten **Haus-Sammlung** (Eintritt s. Besuchsordnung) sind Erinnerungsstücke an eine über 2000jährige Weinhistorie an dieser Stelle der Stadt und an die Geschichte des Hauses Kupferberg vereinigt, die zusammen mit den Kellern, einer Sammlung von *Gläsern, Wein- und Trinkgefäßen* sowie von bemerkenswerten Kupferberg-*Werbegraphiken* der 'Belle Epoque' (1898–1914; Jugendstil) gezeigt werden. Von den großen *Weinfässern* sind besonders erwähnenswert das älteste von 1739, das Mainzer Stadtwappenfaß von 1886, das Kupferberg-Cuvéefaß (ein Mischfaß für 100 000 l) von 1888, ein Prunkfaß von 1894 und das Gutenbergfaß von 1900.

An der aufwendig mit viel Gold verzierten Häuserfront der Kupferbergterrasse Wappen der Fürstenhäuser, denen Kupferberg als Hoflieferant diente, und eine Gedenktafel (Nr. 17) an den Aufenthalt des Grafen *Otto von Bismarck-Schönhausen,* der für den 2.-8. August 1870 während des Feldzuges gegen Frankreich als Bundeskanzler und preußischer Außenminister hier Quartier genommen hatte ('Bismarck-Zimmer' im Innern). – Hinter den nach Kriegszerstörung wiederaufgebauten Firmengebäuden steht der **Alexanderturm** (um 1500), ein früher auch 'runder Windmühlen-', 'Pulver-' oder 'Wasserturm' genannter runder Turm der ehem. Stadtbefestigung, dessen Existenz in römische Zeit zurückreicht; schöner alter Garten.

An die Kupferberg-Sektkellerei grenzt südöstlich das Gelände der 1859 gegründeten **Mainzer Aktien-Brauerei** *(MAB;* jetzt *Binding-*Niederlassung), mit Kellern des ehem. Altmünsterklosters. Das Brauereihaus Kupferbergterrasse Nr. 23 ist zugleich das Sterbehaus von Peter Cornelius (1824-74; Gedenktafel). Bei Bauarbeiten auf dem Brauereigrund stieß man 1973 auf Teile der zweiten römischen Stadtmauer mit Spolien früherer römischer Bauten. 1985 wurde ein Tor des römischen Lagers gefunden. – Von der Kupferbergterrasse führt eine doppelläufige Treppenanlage direkt hinab zur Emmerich-Josef-Straße (geschlossene Bebauung des 19. Jhs.; Fahrzeuge benutzen die Terrassenstraße). – An der Straße K ä - s t r i c h (zwischen Drusus- und Gaustraße) ist ein längerer Mauerabschnitt der mittelalterlichen Befestigung erhalten.

Vom oberen Ende der Alicenstraße führt die A u g u s t u s s t r a ß e (links der Alexanderturm im Kupferberg-Gelände) im Bogen weiter aufwärts zum Grüngürtel auf den alten Schanzen. Auf halbem Wege rechts oben die ehem. BASTION ALEXANDER, ein Rest der Festungsanlagen des 17. Jhs., mit schönen Wohnhäusern im Park (bes. Auf der Bastei Nr. 3, im Jugendstil). Von der Augustusstraße durch die Trajan- bzw. die Germanikusstraße oder von der Kupferbergterrasse durch die Drususstraße erreicht man die BASTION MARTIN, eine barocke Wehrschanze (17. Jh.). In dem in klaren kubischen Formen der Darmstädter Bauhausidee für die Kunstschule errichteten Bau in der Grünanlage am **Pulverturm** – so benannt nach dem einst unweit gelegenen, von der Bundesfestung als Pulvermagazin genutzten Stadtturm, der 1857 katastrophal explodierte – waren während der Nachkriegszeit die Stadtverwaltung (jetzt im Rathaus), in den ersten Jahren nach 1945 auch noch die Kunstschule, der Südwestfunk und das Theater untergebracht; seit 1979 wird er von der Universität (Medizin. Fachbereiche) und Schulen für Heil- und Hilfsberufe genutzt. Die Straßen Am Pulverturm und Am Gautor münden südlich auf den weiten, von Parkanlagen (westl. Römerwall, östl. Drususwall) umgebenen F i c h t e p l a t z. An der Nordwestseite, zu Beginn des Parkes, das *Gautor* (von 1670); im Giebelfeld ein sein Gewand teilender St. Martin zu Pferde (Nachbildung).

Zitadelle

Südlich unmittelbar über der Altstadt thront auf dem JAKOBS-BERG die ehem. **Zitadelle** mit vier mächtigen, hochgemauerten Spitz-bastionen und tiefen Gräben ringsum. An der Stelle eines 1055 ge-gründeten Benediktinerklosters wurde unter Kurfürst Johann Schweikard von Kronberg 1620—29 eine erste, unter Kurfürst Johann Philipp von Schönborn 1659—61 eine zweite Befestigung angelegt. In den 1950 wiederaufgebauten früheren Kasernen und einigen Neu-bauten sind jetzt städtische Ämter sowie Schulen untergebracht.

Zitadelle

N

F

Kommandanten-
Bau

G

B   A

J

E

C

D

Eichelstein
(Drusus-
Denkmal)

0   50   100 m

A   Stadtplanungsamt
    Baudezernat
    Amt für Sanierungsmaßnahmen
    Zivilschutz

B   Vermessungsamt
    Amt für Verkehrswesen

C   Tiefbauamt
    Bauaufsichtsamt

    Stadtplanungsamt (Reproanlage)
    Kantine

D   Bauaufsichtsamt
    links: Preisbehörde
    rechts: Untere Wasserbehörde

E   G. Stresemann-Wirtschaftsschule

F   Staatl. Studienseminar
    (Pavillon)

G   Hochbauamt
    Stadtplanungsamt (Modellwerkstatt)
    Versicherungsamt

J   G. Stresemann-Wirtschaftsschule

Der Z i t a d e l l e n w e g führt als Fahrstraße zu dem 1696 an der Nordost-flanke aufgeführten imposanten **Kom-mandantenbau** (über der Einfahrt das kurfürstl. Schönbornsche Wappen). In einem gebogenen Gang durch diesen hindurch (an der Hofseite eine Sonnen-uhr zwischen zwei allegorischen Frau-enfiguren) gelangt man auf den anlagen-gezierten ZITADELLENHOF (Parkplätze). – Nahe der südlichen Spitze der sogen. *Eichelstein* (oder 'Adlerstein'), vermutlich der Rest von einem **Drusus-Denkmal**, das römische Legionare für den Stiefsohn des Kaisers Augustus errichtet haben sollen, nachdem er 9 n. Chr. auf dem Rückzug von der Elbe tödlich verunglückt war: eine urspr. mit Quadern bekleidete, heute noch etwa 12 m hohe Steinmasse aus Gußmauerwerk.

Vor dem Ostfuß der Zitadelle, über dem Zusammentreffen von Zitadellenweg, Salvator- und Wilhelmiterstraße, die 1949 nach Plänen von O. Bartning erbaute *Lutherkirche.* Unweit südöstlich das *Alice-Krankenhaus.*

Stadtpark · Volkspark

Der wohlgestaltete *Stadtpark, früher schlicht *Anlage* genannt, dehnt sich an der Anhöhe aus, die bis 1793 das von Kurfürst Lothar Franz von Schönborn nach französischen Vorbildern erbaute Lustschloß *Favorite* trug. Am Ostende des Parkes (Am Michelsberg), unmittelbar über der hier unterhalb beginnenden Eisenbahnbrücke zur Mainspitze, das große Stadtparkrestaurant und Café 'An der Favorite'. An der Terrasse (schöne Aussicht) die 1964/65 von Philipp Harth geschaffene lebensgroße Bronzeplastik *Esel* (1975 hier aufgestellt). Südwestlich die 1962 erbauten sogen. *Tropenhäuser* (Orchideenhaus, Kakteenhaus, Blütenhaus; Vogelhaus etwas abseits; Eintr. s. Besuchsordnung); weiterhin ein Freiluftschachfeld. Den oberen Teil des Stadtparkes (*Blick über den Rhein auf die Mainmündung) bildet der 1925 angelegte ROSENGARTEN (9 500 qm; 7 500 Pflanzen). Der Sage nach soll es in der Nähe des südlichen Eingangs einen Kreis von Bäumen geben, der die Stelle markiert, wo am 21. November 1803 der berüchtigte Räuberhauptmann Johannes Bückler, genannt Schinderhannes, mit 19 seiner Spießgesellen enthauptet und begraben wurde. Im unteren Parkteil der *Tritonbrunnen* (vgl. S. 92), ein Flamingoteich, ein Zwergziegengehege, ein Erinnerungsmal an das XI. Deutsche Bundesschießen von 1894 und ganz unten eine Blumenuhr. − Am Westrand des Stadtparkes erinnert die Straße Auf dem Albansberg an die 1329 abgebrochene Kirche (5. Jh.) des Reichsklosters St. Alban, in der bis zum 10./11. Jh. die Mainzer Erzbischöfe (auch Fastrada, Karls d. Gr. 3. Gemahlin) bestattet wurden.

Südöstlich jenseits der Straße Am Michelsberg setzt sich die Grünzone des Stadtparkes im **Volkspark** fort. Auf dem dortigen AUSSTELLUNGSGELÄNDE wird u.a. seit 1966 alljährlich der Mainzer Weinmarkt abgehalten. An der Südostecke des Volksparkes die *Jugendherberge* (Fort Weisenau). − Weisenau s. S. 129.

Bastionengrüngürtel · Universitätskliniken

Vom Hauptbahnhof bis zum Stadtpark zieht sich ein breiter Gürtel freundlicher Grünanlagen mit eingestreuten Villenvierteln hin, der im Verlauf der ehem. Festungsumwallung angelegt wurde. Vom Binger Schlag führt die Straße Am Linsenberg in Windungen recht steil bergan zum ehem. FORT JOSEF (an der Nordspitze ein Heldendenkmal des Ersten Weltkrieges) und dahinter zu dem sich überwiegend entlang der Südwestseite der Langenbeckstraße ausdehnenden Gelände der **Universitätskliniken** *(Klinikum).*

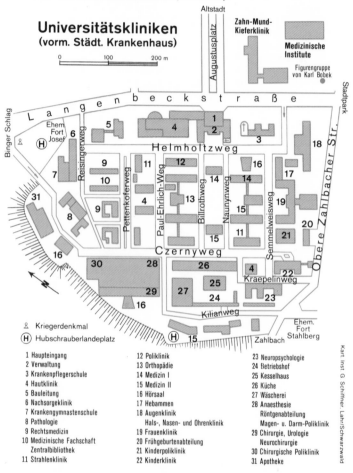

Universitätskliniken
(vorm. Städt. Krankenhaus)

0   100   200 m

Altstadt

Augustusplatz

Zahn-Mund-Kieferklinik

Medizinische Institute

Figurengruppe von Karl Bobek

Stadtpark

Binger Schlag

L a n g e n b e c k s t r a ß e

Reisingerweg

Ehem. Fort Josef

Helmholtzweg

Pettenkoferweg

Paul-Ehrlich-Weg

Billrothweg

Naunynweg

Semmelweisweg

Obere Zahlbacher Str.

C z e r n y w e g

Kraepelinweg

Kilianweg

Ehem. Fort Stahlberg

Kriegerdenkmal
Hubschrauberlandeplatz
Zahlbach

Karl Inst G Schiffner Lahr/Schwarzwald

1 Haupteingang
2 Verwaltung
3 Krankenpflegerschule
4 Hautklinik
5 Bauleitung
6 Nachsorgeklinik
7 Krankengymnastenschule
8 Pathologie
9 Rechtsmedizin
10 Medizinische Fachschaft Zentralbibliothek
11 Strahlenklinik

12 Poliklinik
13 Orthopädie
14 Medizin I
15 Medizin II
16 Hörsaal
17 Hebammen
18 Augenklinik Hals-, Nasen- und Ohrenklinik
19 Frauenklinik
20 Frühgeburtenabteilung
21 Kinderpoliklinik
22 Kinderklinik

23 Neuropsychologie
24 Betriebshof
25 Kesselhaus
26 Küche
27 Wäscherei
28 Anaesthesie Röntgenabteilung Magen- u. Darm-Poliklinik
29 Chirurgie, Urologie Neurochirurgie
30 Chirurgische Poliklinik
31 Apotheke

Nach der Säkularisierung der Mainzer Klosterspitäler infolge der Französischen Revolution wurde das *Rochushospital* zum ersten Mainzer allgemeinen Krankenhaus erklärt. Der rapide Anstieg der Bevölkerung machte einen Krankenhausneubau immer dringender notwendig. So entstand 1911–14 nach Plänen des Mainzer Baurates Adolf Gelius auf dem Gebiet der ehem. STAHLBERG-SCHANZE ein neues *Städtisches Krankenhaus* im Pavillonstil. Das zunächst 10 ha große Areal wurde 1928–30 um weitere 7,5 ha für Neubauten vergrößert. Nach teilweiser Kriegszerstörung wiederaufgebaut, ermöglichte das Stadtkrankenhaus der Medizinischen Fakultät der 1946 wiedergegründeten Universität die Mitbenutzung seiner Einrichtungen. 1954 verkaufte die Stadt dem Lande Rheinland-Pfalz das Krankenhaus, das seither den Namen **Universitätskliniken** oder kurz *Klinikum* führt (jetzt insgesamt 19 ha; Neubauten u.a. auch nordöstlich der Langenbeckstraße am Augustplatz).

Südlich vom Klinikum, in dem während der Nachkriegszeit entstandenen Wohngebiet 'Schlesisches Viertel' die 1954 erbaute kathol. *Heiligkreuzkirche* am Landwehrweg, ein Zentralbau mit fensterlosem Chor und dreistufiger Lichtkuppel, sowie die neue evang. *Melanchthonkirche* an der Beuthener Straße. – Die Langenbeckstraße setzt sich südostwärts in den Straßen An der Philippsschanze (rechts das Gutenberg-Gymnasium) und, jenseits der Pariser Straße (B 40), An der Goldgrube fort. Südwestlich der Zitadelle das *St. Vincenz- und Elisabeth-Krankenhaus* in ehem. Kasernen; dabei eine Gymnasialklosterschule. In der Grünanlage nördlich vor dem Krankenhaus eine *Peter-Cornelius-Büste* (von H. Lederer, 1928). – An der Südseite der Kreuzung An der Goldgrube und Freiligrathstraße das 1961 errichtete Gebäude des Wehrbereichskommandos IV der **Bundeswehr;** davor eine *Reiterbronze* von Heinz Hemrich. – Hechtsheim s. S. 129.

Im äußersten Südzipfel des eigentlichen Stadtgebietes befindet sich der Sitz der *Mainzer* **Akademie der Wissenschaften und der Literatur** (Geschwister-Scholl-Straße 2).

Der akute Notstand in der Forschung nach dem Zweiten Weltkrieg führte Gelehrte und Schriftsteller zusammen, die nach der Auflösung der Preußischen Akademie der Wissenschaften (Berlin) 1949 in Mainz eine neue Akademie gründeten, wobei die traditionelle Einteilung in eine *Mathematisch-naturwissenschaftliche Klasse* und eine *Geistes- und sozialwissenschaftliche Klasse* um eine *Literaturklasse* erweitert wurde (insgesamt 37 Kommissionen; 70–100 Mitglieder ohne Residenzpflicht).

Die **Bibliothek** verfügt heute über mehr als 40 000 Bücher. In dem 1971 eingerichteten Lion-Feuchtwanger-Gedächtnisraum die *Arbeitsstelle für Exilliteratur.* – Öffnungszeiten s. Besuchsordnung.

Binger Schlag · Hartenberg · Mombacher Straße

Vom Alicenplatz (200 m südöstl. vom Hauptbahnhof) südwestwärts auf der A l i c e n b r ü c k e über die Eisenbahnanlagen (links der Bahntunnel durch den Kästrich) zum sogen. BINGER SCHLAG, einer modernen Straßenverkehrsanlage in zwei Ebenen. Südwestlich oberhalb befindet sich das 1962 vollendete *Frei- und Hallenschwimmbad* auf dem TAUBERTSBERG, dahinter die 'Amerikanische Siedlung'. – Auf der W a l l s t r a ß e gelangt man bergan auf den HARTENBERG, wo sich früher das Fort Gonsenheim befand. Auf der Höhe, in einem neueren Bebauungsgebiet, neben verschiedenen Schulen (u.a. Bundesbahnschule) das kathol. *Oblatenkloster* (Drosselweg 3; Missionsarbeit, Verlag), die evang. *Auferstehungskirche* (Am Fort Gonsenheim 151) und der *Südwestfunk.*

Der **Südwestfunk** (SWF) ist eine Anstalt des öffentlichen Rechts der Bundesländer Rheinland-Pfalz und Baden-Württemberg (Sitz in Baden-Baden; Mitglied der ARD). Landesstudios Freiburg, Tübingen und Rheinland-Pfalz in Mainz.

Das **SWF-Landesstudio Rheinland-Pfalz** versorgt das Bundesland Rheinland-Pfalz mit regionalen Rundfunk- und Fernsehprogrammen (vorwiegend aktuelle Berichterstattung). In Kaiserslautern, Koblenz, Ludwigshafen und Trier unterhält das Landesstudio Zweigstudios. Die Organisationsstruktur des Landesstudios gliedert sich in die Bereiche *Studioleitung* und *Allgemeiner Dienst* (Programmdienst mit Pressebüro und Programmaustausch; Dokumentation, Verwaltung, Kfz.-Betrieb), Hauptabteilung *Fernsehen* (Ressorts 'Aktuelle Information', 'Politik, Gesellschaft und Sport', 'Wirtschaft und Wissenschaft' sowie 'Kultur'), Hauptabteilung *Hörfunk* (Ressorts 'Politik und Zeitgeschehen', 'Kultur-Wort', 'Kultur-Musik' und 'Landfunk') und Hauptabteilung *Produktion* (Fachgruppen Bild. Fernsehtechnik und Tontechnik). Personal und Produktionsmittel der Hauptabteilung Produktion werden für beide Medien weitgehend gemeinsam genutzt. Der SWF beschäftigt im Landesstudio Rheinland-Pfalz ca. 250 Mitarbeiter. Auf 'dem Funkhügel Hartenberg' konnte der Südwestfunk Ende September 1978 den Sendebetrieb aus seinem neu erbauten Landesstudio eröffnen. Damit war nach etwa 30 Jahren die Aufbauphase des Senders für sein Landesstudio abgeschlossen.

Das auf einer Grundfläche von ca. 4000 qm errichtete **Landesstudio** verfügt über 2 Fernsehstudios (Studio A, 400 qm, ausgerüstet mit allen notwendigen modernen Produktionsmitteln, die auch größere Produktionen mit Publikum erlauben) und das 100 qm große Studio B, aus dem vornehmlich die Fernsehlandesschau sowie die Abendschau-Moderationen für "Blick ins Land" gesendet werden.

Der Hörfunk verfügt über 2 Sendekomplexe mit Sprecherraum, 2 Regiekomplexe mit Sprecherraum, Bearbeitungs- und Funktionsräume.

Die zentrale Lage des Südwestfunk Landesstudios im Rhein-Main-Gebiet bringt es mit sich, daß seine technischen Anlagen auf dem Wege der Programm- und Produktionshilfen auch anderen Sendeanstalten zur Verfügung gestellt werden.

Vom Binger Schlag führt die M o m b a c h e r S t r a ß e (Kfz-Zufahrt über Alicen- und Augustusstraße bzw. Binger Straße und Römerwall) nordwestwärts zunächst als Hochstraße auf Stützen, später zu ebener Erde entlang den breiten Eisenbahnanlagen zwischen Haupt- und *Güterbahnhof.* Nach 600 m zweigt nach links die Fritz-Kohl-Straße bergauf zur Wallstraße ab; gleich links die *Sonnenbrauerei.* Etwa 200 m hinter der Abzweigung beginnt links der sich am Berghang bis zur Wallstraße hinaufziehende **Alte Jüdische Friedhof** *am Judensand,* auf dem mit Unterbrechungen bis 1880 bestattet wurde (Zutritt s. Besuchsordnung; Neuer Jüdischer Friedhof s. unten). − Mombach s. S. 122.

Im oberen Teil des Alten Judenfriedhofes wurden in den zwanziger Jahren dieses Jhs. die z.T. an verschiedenen anderen Stellen der Stadt gefundenen *mittelalterlichen Grabsteine (ca. 180) aufgestellt. Sechs stammen noch aus dem 11. Jh., darunter *der älteste von 1049,* zugleich der vermutlich älteste datierbare jüdische Originalgrabstein in Mitteleuropa; der des großen Rabbiners *Gerschom bar Jehuda* (um 960/65−1028 oder 1040); jener des Rabbi *Jakob ben Jakar* (†1063/64) sowie der des gelehrten Dichters *Meschullam ben Mosche ben Ithiel* (†1094/95). Die Steine für *Meschullam ben Kalonymus,* der um 1000 wirkte, und für *Simeon ben Isaak d. Gr.* (†1094/95) sind Nachbildungen aus dem 13. Jahrhundert.

Hauptfriedhof · Römersteine

Die vom (Münsterplatz, Alicenplatz und -brücke) Binger Schlag kommende B i n g e r S t r a ß e verzweigt sich nach etwa 300 m (rechts das Staatl. Hochschulinstitut für Musik) in die Untere Zahlbacher Straße (halblinks nach Zahlbach und Bretzenheim) und die nun als Schnellstraße ausgebaute Saarstraße (halbrechts in Richtung Universität, Gonsenheim, Autobahnring, ZDF). In dem großen Rechteck zwischen Saarstraße, Unterer Zahlbacher Straße, Xaveriusweg und Albert-Schweitzer-Straße (Südostflanke des Campus Universitatis) dehnt sich der große, 1803 unter dem französischen Präfekten Jeanbon Baron de St. André eingerichtete **Hauptfriedhof** aus. − Haupteingang und Leichenhalle nahe der Unteren Zahlbacher Straße; weitere Eingänge von der Saarstraße und von der Albert-Schweitzer-Straße (Eintr. s. Besuchsordnung).

Auf dem nach der einst hier befindlichen uralten Märtyrerkapelle St. Aureus (1793 zerstört) benannten **Aureusfriedhof** schöne private und öffentliche Grabmäler, Erinnerungsmonumente aus der französischen, österreichischen, hessischen und preußischen Garnisonszeit sowie Denkmäler aus den Kriegen von 1866, 1870 und 1914−18, ferner ein *Ehrenmal* (1925; 14 m hoher Obelisk) für die im Rheinland gestorbenen Soldaten der französischen Besatzungsarmee und eine 1926−28 errichtete *Gedächtnishalle* mit Freitreppe und Monumentalfigur von Hugo Lederer. Die neue Aureuskapelle von 1856 und das neugotische Leichenhaus von 1865 sind im Zweiten Weltkrieg zerstört worden. Nahe der Saarstraße das *Krematorium* mit Urnenhain. − Am Südende der **Neue Jüdische Friedhof** mit Totenhaus (in maurischem Stil), auf dem seit 1880 bestattet wird (Alter Jüdischer Friedhof s. oben).

Von den vielen bekannteren Persönlichkeiten, die auf dem Aureus-friedhof begraben liegen, seien genannt (chronologisch nach Todesjahr): der Präfekt *Jeanbon Baron de St. André* (†1813); F. v. Schillers Vetter *Johann Friedrich Schiller* (†1814); der Klubist, Schriftsteller und Historiker *Friedrich Lehne* (†1836); der Dialekt- und Heimatdichter *Friedrich Lennig* (†1838); der österreichische Militärkapellmeister *Georg Carl Zulehner* (†1847), Komponist des Mainzer Narrhallamarsches; der Maler und revolutionäre Schriftsteller *Nikolaus Müller* (†1851); der Richter und Historiker *Karl Schaab* (†1855); der Mainzer Dichterkomponist *Peter Cornelius* (†1874); die Schriftstellerin *Kathinka Zitz* (alias K. Halein; †1877); die Novellistin *Ida Gräfin von Hahn-Hahn* (†1880); der Romanschriftsteller *Konrad Kraus* (†1886); der sozialkritische Schriftsteller *Philipp Wasserburg* (alias Laicus; †1897); der Erfinder *Paul Haenlein* (†1905); die Erzählerin *Sophie Christ* (†1931); der Journalist *Eduard David* (†1930), erster Präsident der Deutschen Nationalversammlung; der Amateurornithologe *Jakob Moyat* (†1933); der Pädagoge und Lokalhistoriker *Ernst Neeb* (†1939); der bekannte Fastnachter *Seppel Glückert* (†1955); der Schriftsteller und Verleger *Richard Knies* (†1957); der Dramaturg und Lokalhistoriker *Karl Schramm* (†1969); die Malerin *Maria Ziegler* (†1970); der Journalist und Mitherausgeber der FAZ *Erich Dombrowski* (†1972).

Die von der Binger Straße abzweigende Untere Zahlbacher Straße führt südwärts an der östlichen Längsseite des Hauptfried-hofes (links das Dachdeckergeschäft des Fastnachtssängers Ernst Neger und die Moguntia-Gewürzmühle) und unweit unterhalb vom *St. Hildegardis-Krankenhaus* (rechts; auch Altenheim) vorüber zu dem dörflichen Vorort ZAHLBACH. Vor der engen Rechtskurve beginnen  rechts oben die ***Römersteine** genannten Stümpfe der Pfeiler für den einst hier das Zahlbachtal (mundartlich 'die Zaybach') überspannenden *römischen Aquädukt* (1. Jh. n. Chr., Teilrekonstruktion wird erwogen), auf dem Wasser von Quellen bei Finthen (Fintheim; von latein. 'ad fontes') etwa 6 km zum römischen Lager auf dem Kästrich heran-geführt wurde. Hübscher Spazierweg. An den Römersteinen ca. 600 m westwärts entlang den urpr. bis 35 m, jetzt noch bis 7 m hohen Pfeilerresten (einst insgesamt 500, jetzt nur noch ca. 50) bis zum Süd-rand des Campus Universitatis (s. S. 122). – Die kathol. *Pfarrkirche St. Achatius* von Zahlbach ist einer der seltenen Mainzer Bauten aus napoleonischer Zeit (1809/10). – Bretzenheim s. S. 125.

Universität

Westlich oberhalb der Altstadt, etwa 3 km vom Zentrum entfernt, erstreckt sich auf einem rund 87 ha großen Areal im spitzen Winkel zwischen dem Aureus-Friedhof (Hauptfriedhof) und der verkehrsreichen Saarstraße das nach Südwesten an freie Felder grenzende Gelände der **Johannes-Gutenberg-Universität** (volkstümlich 'Jogu'). Die Verwaltung und verschiedene Institute nutzen noch heute die alten Gebäude einer 1939 hier angelegten ehem. Flakkaserne, die im Laufe der Nachkriegszeit durch eine Vielzahl von neuen Zweckbauten ergänzt wurden. Bis auf wenige Ausnahmen ist hier der gesamte Universitätsbetrieb konzentriert. 1988 waren hier rund 26 000 Studenten eingeschrieben (davon etwa 1 500 Ausländer).

GESCHICHTE. – Mit einer Bulle vom 23. November 1476 hat Papst Sixtus IV. dem Kurfürsten *Diether von Isenburg* die Einrichtung eines Studium Generale in Mainz gestattet. Am 1. Oktober 1477 wurde die Universität feierlich eröffnet. Als erste Kollegiengebäude dienten das 'Haus zum Algesheimer', das 'Haus zum Gutenberg', aus dem der große Erfinder 1462 vertrieben worden war, und das 'Haus zum Schenkenberg', wo die Dominikaner besonderen Einfluß nahmen. Theologie, Juristerei, Philosophie und Medizin waren die Urfakultäten. Obwohl die Mediziner zunächst nur eine Lehrkanzel besaßen, gingen doch so berühmte Ärzte wie *Dietrich Gresemund* oder *Pollich von Mellerstadt* aus der Mainzer Universität hervor. Um die Wende vom 15. zum 16. Jh. lehrten in Mainz u.a. die Humanisten *Konrad Celtis, Petrus Ravennas* und *Johannes Reuchlin;* um 1515 richtete *Ulrich von Hutten* eine dreisprachige Akademie ein. Nach Luthers Thesenanschlag (31. 10. 1517 in Wittenberg) entbrannte in Mainz ein heftiger Geisteskampf und Lehrstreit, den die Jesuiten jedoch für sich entschieden; bis zur Ordensauflösung von 1733 blieb die Mainzer Universität fest in ihrer Hand. Als jesuitische Lateinschule (theolog. und philosoph. Fakultät) entstand 1615/6 – 18 die 'Domus universitatis'. Schwersten Schaden litt die Universität durch die schwedische Besetzung 1631 – 35. Seit der Mitte des 18. Jhs. herrschten am kurfürstlichen Hof dann Voltairianismus und Libertinismus. Unter dem letzten Kurfürsten *Friedrich Karl Josef von Erthal* (1744 – 1802) wurde die Universität im Geiste der Aufklärung neu geordnet. Infolge der Berufung berühmter Gelehrter wie *Samuel Thomas von Sömmering, Georg Forster,* sowie der Historiker *Niklas Vogt* und *Johannes von Müller* stieg die Studentenzahl auf über 600. Im Geiste der Toleranz gestattete die 'Universitas semper catholica' nun auch Protestanten und Juden die Promotion. Im Herbst 1798 übergaben die Mainzer Klubisten, unter denen sich die Mehrheit der Professoren befand, die Stadt den Franzosen; die Universität erlosch. Während die kameralistisch-staatswissenschaftliche Fakultät sofort einging, vegetierte die medizinische als 'Medizinische Spezialschule' bis in die zwanziger Jahre des 19. Jhs.; die philosophische, die theologische und die juristische Fakultät wurden zeitweise nach Aschaffenburg verlegt. Das Bischöfliche Priesterseminar mit den Theologieschulen unter den Bischöfen Colmar und Ketteler, der Universitätsfonds sowie die Hebammenlehranstalt (Accouchement) bildeten geistige und institutionelle Brücken von der "alten" zur "neuen" Universität. Zwar war die Mainzer Universität im Gefolge der Französischen Revolution praktisch erloschen, offiziell aber niemals aufgehoben worden, so daß die französische Militärregierung nach dem Zweiten Weltkrieg feststellen konnte: "Die Universität Mainz ist ermächtigt, ihre Tätigkeit ab 1. März 1946 wieder aufzunehmen". Sie erhielt nun den Namen 'Johannes-

Gutenberg-Universität Mainz'. Nach Festsetzung provisorischer Statuten (1949) und landesrechtlicher Verankerung (1961) gilt seit 1979 ein neues Hochschulgesetz. 1977 feierte die Universität ihr 500jähriges Bestehen.

ORGANISATION. − Zentrale Organe der Universität sind der Präsident und zwei Vizepräsidenten, die Versammlung (68 Mitglieder aus der Gruppe der Professoren, der wissenschaftlichen und künstlerischen Mitarbeiter sowie Hochschulassistenten und nichtwissenschaftlichen Mitarbeitern), der Senat (38 Mitglieder aus den o.g. Gruppen). Die herkömmlichen Fakultäten sind nunmehr in 19 sogen. **Fachbereiche** aufgegliedert:

Katholische Theologie − Evangelische Theologie − Rechts- und Wirtschaftswissenschaften − Medizin − Philosophie, Pädagogik − Sozialwissenschaften (Politikwissenschaften, Soziologie, Ethnologie, Publizistik, Psychologie) − Philologie I (Deutsch) − Philologie II (Anglistik, Amerikanistik) − Philologie III (Romanistik, Slawistik, Klassische Philologie; Archäologie, Kunstgeschichte u.a.) − Geschichtswissenschaften (auch Buchwesen, Musikwissenschaft) − Mathematik − Physik − Chemie und Pharmazie − Biologie (auch Mikrobiologie und Weinkunde) − Geowissenschaften (auch Edelsteinforschung, Institut in Idar-Oberstein) − Angewandte Sprachwissenschaft (ehem. Auslands- und Dometscherinst.; in Germersheim, 100 km rheinaufwärts) − Bildende Kunst (Am Taubertsberg 6) − Musik (Binger Str. 26) − Sport.

Universitätskliniken *(Klinikum)* s. S. 114.
Zentrale wissenschaftliche Einrichtungen: Studium Generale; Sprachlehranlage und Spracheninstitut; Rechenzentrum.

Selbständige wissenschaftliche Einrichtungen: *Max-Planck-Institut für Chemie* (Otto-Hahn-Institut) der Max-Planck-Gesellschaft (Göttingen/München), mit Abteilungen Chemie der Atmosphäre und physikalische Chemie der Isotope, Massenspektroskopie und Isotopenkosmologie, Kosmochemie sowie Kernphysik. *Max-Planck-Institut für Polymerforschung. − Institut für Europäische Geschichte* (Domus Universitatis), mit Abteilungen für Universalgeschichte und Abendländische Religionsgeschichte. − *Institut für Geschichtliche Landeskunde. − Institut für Cusanus-Forschung. − Forschungsinstitut für Wirtschaftspolitik. − Institut für Internationales Recht des Spar-, Giro- und Kreditwesen. − Karies-Forschungsinstitut* (Zahn-, Mund- und Kieferklinik). − *Interdisziplinärer Ausschuß für Umweltforschung.*

Der Haupteingang zu dem eingefriedeten CAMPUS UNIVERSITATIS befindet sich an der Westseite des Geländes (Kfz-Einfahrt über die Saarstraße). Das alte U-förmige **Hauptgebäude** umgibt von drei Seiten einen F o r u m U n i v e r s i t a t i s genannten Platz mit dem sogen. *Bürgerbrunnen,* einer Stiftung des Mainzer Papierindustriellen Hans Klenk (1963); an der Nordseite des Hofes eine *Gutenbergbüste,* nordwestlich vor der Hauswand ein spätrömischer *Steinsarkophag* (4. Jh.), der bei Bauarbeiten an der Saarstraße gefunden wurde. Jenseits des Bürgerbrunnens schließt das **Aulagebäude** mit dem *Auditorium Maximum* den Platz. Unweit nordwestlich, nahe der Saarstraße, steht der 1964 vollendete 'Bücherturm' der **Universitätsbibliothek** (z.Z. rund 1 Mio. Bände, über 800 Handschriften, einige Inkunabeln; medizin. Abt. im Klinikum), der eine *Jüdische Bibliothek* (5 500 Bücher) angegliedert ist (Öffnungszeiten s. Besuchsordnung). Weiter westlich, an der Nordseite des Jakob-Welder-Weges, die moderne Baugruppe für den Fachbereich

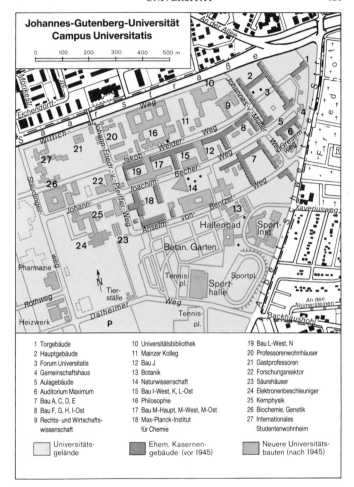

Johannes-Gutenberg-Universität
Campus Universitatis

0   100   200   300   400   500 m

1 Torgebäude	10 Universitätsbibliothek	19 Bau L-West, N
2 Hauptgebäude	11 Mainzer Kolleg	20 Professorenwohnhäuser
3 Forum Universitatis	12 Bau J	21 Gastprofessoren
4 Gemeinschaftshaus	13 Botanik	22 Forschungsreaktor
5 Aulagebäude	14 Naturwissenschaft	23 Säurehäuser
6 Auditorium Maximum	15 Bau I-West, K, L-Ost	24 Elektronenbeschleuniger
7 Bau A, C, D, E	16 Philosophie	25 Kernphysik
8 Bau F, G, H, I-Ost	17 Bau M-Haupt, M-West, M-Ost	26 Biochemie, Genetik
9 Rechts- und Wirtschafts- wissenschaft	18 Max-Planck-Institut für Chemie	27 Internationales Studentenwohnheim

Universitäts-
gelände

Ehem. Kasernen-
gebäude (vor 1945)

Neuere Universitäts-
bauten (nach 1945)

Philosophie; vor dem Eingang die Bronzeplastik "Jüngling mit
Pferd" (von R. Petermann, 1970).

Im Zentrum des Campus das Gebäude für Fachbereiche der **Na-
turwissenschaften;** in der Grünfläche davor ein geschwungen über-
wölbter Flachbau auf dreieckigem Grundriß für Hörsäle (z.T. un-
terirdisch). Am Bau der Juristen (Pl. 9) die Plastik "Wasservögel"

von E. Roeder. Wiederum westlich anschließend das **Max-Planck-Institut für Chemie** *(Otto-Hahn-Institut).* — Ganz im Westen des Campus befinden sich u.a. der *Elektronenbeschleuniger* (Mainzer Mikrotron) des Instituts für Kernphysik und der *Forschungsreaktor* (Triga Mark II) der Institute für Anorganische Chemie und für Kernchemie, in der äußersten Nordwestecke zwei internationale *Studentenwohnheime.* — Im südlichen Drittel des Campus dehnen sich der Botanische Garten und die Sportanlagen des Fachbereiches Sport (Sportinstitut, Hallenbad, Sporthalle, Stadion, Tennisplätze) aus.

Längs dem Südrand des heutigen Universitätsgeländes verlief einst der von Finthen ins römische Feldlager führende Aquädukt, dessen Überreste in einer Reihe von Pfeilerstümpfen sichtbar sind, die nahe der Südostecke des Campus beginnt (s. 'Römersteine' S. 118).

VI. ÄUSSERE STADTTEILE

(Entfernungen vom Dom bis zum jeweiligen alten Ortskern)
Lage s. Übersichtsplan S. 4.

Mombach · Mainzer Sand · Gonsenheim

Mombach (mundartlich 'Mumbach'; 4 km nordwestlich). — Industrievorort im wesentlichen südlich der Eisenbahnstrecke Mainz-Bingen (Bahnhof Mombach). Ausgedehnte Flächen nehmen die *MIP* (früher Klöckner-Humboldt-Deutz, Magirus-Deutz, Waggonfabrik Gebr. Gastell) und die chemische Fabrik *Degussa* ein; nördlich der Eisenbahn u.a. das neue *MVA-Druckhaus*, die *Feinmechanischen Werke Mainz (FWM)* sowie das Mainzer *Zentralklärwerk* mit zwei eiförmigen Faultürmen im UNTERFELD unmittelbar vor den verschlungenen Autobahnrampen (A 643; Schiersteiner Brücke s.S. 107). Trotz Ausweitung der Gewerbebetriebe spielen Obst- und Gemüseanbau eine wichtige Rolle. Mombach ist ein Stadtteil (seit 1907) mit eigenständiger Fastnachtstradition. — An der Kreuzung von Haupt- und Kreuzstraße eine klassizistische *Wegekapelle* von 1814. — Nach Süden und Südwesten große Wohnsiedlungen (z.T. Hochhäuser) und Sportanlagen, darunter das *Frei- und Hallenschwimmbad am Großen Sand.* — Am Westrand, jenseits der Autobahn, der *Waldfriedhof;* hier das Grab des Regisseurs Ludwig Berger (†1969).

In der Südwestecke der Mombacher Gemarkung erstreckt sich das Naturschutzgebiet (seit 1939) ***Mainzer Sand*** *(Großer Sand,* 33 ha; Erweiterung erwogen). In dem mit schütterem Kiefernwald bestandenen Mainzer Sandbruch, einem welligen Dünengelände aus kalkhaltigen diluvialen Flugsanden, bietet sich ein Beispiel höchst interessanter Sonderflora, ein Relikt aus der asiatisch-europäischen Steppenzeit (vor ca. 12000 Jahren). Als STEPPENFLORA hat sie daher Ähnlichkeiten mit jener Südungarns und Südrußlands. Die Pflanzen sind meist Überbleibsel einer postglazialen Wärmezeit.

Beispiele aus der Flora des Mainzer Sandes:

Im Frühjahr blühen u.a. Küchenschelle (Anemone pulsatilla), Großes Windröschen (Anemone silvestris), Adonisröschen (Adonis vernalis), Gelbes Sandfingerkraut (Potentilla arenaria), Roter Storchschnabel (Geranium sanguineum) und Schwarzwurzel (Scorzonera purpurea).
Im Sommer fallen dagegen auf: Blaugrünes Schillergras (Koehleri glauca), Sandwolfsmilch (Euphorbia gerardiana), Lieschgräser (Phleum boehmeri, Phleum arenarium), Federgräser (Stipa capillata, Stipa pennata; sehr selten), Haarstrang (Peucedanum creoselinum), Trinie (Trinia glauca), Mannstreu (Eryngium campestre), Silberscharte (Jurinea cyanoides; selten), Gipskraut (Gypsophila fastigiata), Graslilien (Anthericum liliago, Anthericum ramosum), Gelber Augentrost (Euprasia lutea) und Sandlotwurz (Onosma arenarium; einziger Standort in Deutschland).

Man durchstreife das Gelände nur auf den markierten Wegen, schone die Pfanzenbestände und nehme keine Grabungen vor.

Gonsenheim (mundartlich 'Gunsenum'; 5 km westlich). – Ausgedehnter Vorort (774 erstmals urkundlich erwähnt; 1938 widerwillig zu Mainz eingemeindet) zu beiden Seiten des vom *Gonsbach* durchflossenen Tales (Eisenbahnstrecke Mainz – Alzey; Bahnhof Gonsenheim), mit älteren Landhaus- und neueren Villenvierteln sowie modernen Wohnsiedlungen (z.T. Hochhäuser) und großer Panzerkaserne (US-Militär); bedeutender Gemüse- und Obstbau sowie bekannte Fastnachtstradition. – Am Ostrand das Mainzer *Sportstadion* (Dr.-Martin-Luther-King-Weg). Im Süden, nahe der Saarstraße, die Pharmazeutikafabrik *NOVO-Industrie* (Kantstr. 2; Gebäude von Arne Jacobsen; Kunstforum); nördlich davon auf der Höhe die moderne kathol. Kirche *St. Johannes Evangelist* (Dijonstraße), mit freistehendem kantigem Glockenturm. – Im alten Ortskern (nördl. vom Gonsbach) das *Rathaus,* ein ansehnlicher Bau von 1615, und die mächtige kathol. *St. Stephanskirche* ('Rheinhessen-Dom'; 1870–1906). Am Anfang der Breiten Straße (früher Kaiserstraße) die *Evang. Kirche;* weiter östlich die neuere kathol. *St. Canisiuskirche* (Alfred-Delp-Straße). In den Anlagen an der Kirchstraße eine bronzene *Bürgersäule.* – Zwischen den neuen Wohnkomplexen am Südrand des Mainzer Sandes und der Autobahn A 643; Anschlußstelle) ein kleiner *Tierpark,* eine *Waldsportanlage* und der *Waldfriedhof.*

Gonsenheim ist beliebt als Ausgangspunkt für Spaziergänge in den sich nordwestwärts erstreckenden **Gonsenheimer Wald** oder *Lennebergwald* (vorwiegend Kiefernforst; zum größeren Teil jenseits der Autobahn und außerhalb des Mainzer Stadtgebietes), mit einem Wegenetz von ca. 70 km (Wanderführungen durch den traditionsreichen Wander- und Lennebergverein Rheingold) und einem über 1 km langen Waldlehrpfad (Rundweg von der Franz-Stein-Hütte). – Lohnender Waldweg (¾ Std.) von der verträumten **Vierzehn-Nothelfer-Kapelle** über die *Wendelinuskapelle* (Stadtgrenze) auf den **Lenneberg** *(Leniaberg,* 225 m; Waldgaststätte, Trimm-Dich-Pfad), den man auch mit dem Fahrzeug auf der Lenneberg- und Heidesheimer Straße erreichen kann; vom *Lennebergturm* (1878) weiter *Rundblick.

Unweit südwestlich das 1909 erbaute *Schloß Waldthausen* (unzugängliches Bundeswehrareal) sowie eine Reitschule. – Abstieg vom Lenneberg südlich auf der Straße nach Finthen (½ St.), nördlich nach *Budenheim* (½ St.; gern besucht zur Frühlingsblüte und zum Spargelessen) oder nordöstlich nach Mombach (1 St.).

Finthen · Drais

Finthen (8 km westsüdwestlich). – Ländlicher Vorort (früher 'Fintheim', von latein. 'ad fontes' = bei den Quellen) außerhalb des Mainzer Autobahnringes (Kleeblatt-Anschlußstelle), vom *Aubach* durchflossen und von weiten Gemüse- und Obstkulturen umgeben, mit kathol. *Pfarrkirche St. Martin* von 1852–54 (Krypta und Turm alt; Schutzmantelmadonna des 16. Jhs.; Taufstein von 1492), schmuckem *Altem Rathaus* (jetzt Sparkasse; Arkaden), neuem *Bürgerhaus,* Markthalle und Getreidemühle (Fa. Hochhaus; auch Strohhülsen u. a. Packmittel); Waldorfschule seit 1979. – Im Norden entsteht seit 1973 die Trabantenstadt RÖMERQUELLE. (42 ha; Hoch- und Einfamilienhäuser für ca. 7 000 Bewohner). Sie erhielt ihren Namen nach der unweit unterhalb befindlichen Wasserstelle *Königsborn,* von der die Römer im 1. Jh. n. Chr. einen Aquädukt zum Lager auf dem Mainzer Kästrich führten (s. 'Römersteine' im Zahlbachtal); jüngste Funde lassen eine zweite römische Wasserleitung im Aubachtal vermuten. Noch weiter nördlich, jenseits der Autobahn nach Bingen, rechts auf der Höhe der *Verein für Deutsche Schäferhunde.* Der 1858 errichtete *Hessenstein* erinnert an den Lagerplatz des hessendarmstädtischen Armeekontingents bei der Belagerung von Mainz 1793. – Im Südwesten der von US-amerikanischem Militär belegte Flugplatz 'Finthen Airfield' für Hubschrauber (u. a. Lasthelikopter 'Flying Bananas' und 'Flying Cranes'); Zutritt möglich, sofern man sich den Kontrollvorschriften unterwirft. Hier auch der 'Luftfahrtverein Mainz' und der 'Wiesbadener Modellflug-Zirkus'.

Drais (9 km südwestlich). – Außerhalb des Autobahnringes inmitten landwirtschaftlich genutzter Felder gelegener, kleiner dörflicher Vorort mit kathol. *Pfarrkirche Maria Königin* von 1737 (1937 erweitert) und neuer *Sport- und Festhalle.* Aus der 1977 restaurierten Feldkapelle (1862) am südlichen Ortsausgang wurden 1971 die reizvollen Lindenholzfiguren der *14 Nothelfer* (Volkskunst; um 1835) geborgen und im Bischöflichen Dom- und Diözesanmuseum restauriert.

Bretzenheim

Bretzenheim (4 km südwestlich). – Großer Vorort mit engbebautem altem Ortskern sowie neueren Wohnsiedlungen (einige Hochhäuser), die sich südöstlich bis zur Pariser Straße (B 40; hier auch eine Bezirkssportanlage) erstrecken. – Großer Verbrauchermarkt nahe der Autobahn (A 60).

Funde aus der jüngeren Steinzeit, der Bronzezeit und den nachfolgenden vorgeschichtlichen Epochen bezeugen Niederlassungen ackerbautreibender Siedler zwischen *Zaybach* und *Wildgraben.* Erste schriftliche Quellen tauchen um die Mitte des 8. Jhs. auf. Die Namensherkunft ist nicht eindeutig geklärt: 'Brittinesheim', 'Britzinesheim' deuten auf die Siedlung eines Britto oder Britzi; andere Quellen nennen auch 'Villa Prittonum' oder 'Villa Brittanorum', in dessen Nähe 235 n. Chr. der römische Kaiser Marcus Aurelius Severus Alexander (vgl. S. 48) ermordet wurde.

Die 1720 erbaute kathol. *Pfarrkirche St. Georg* (schon im 8. Jh. erwähnt) ist ein einfacher Saalbau mit eingezogenem Chor und 1896 erneuertem Turm. Beachtung verdient die Innenausstattung des 18. Jhs. (Gemälde von J. M. Zick); Orgel (Werk und Empore) um 1800; Ewig-Licht-Ampel von 1698. Im Hof des Gemeindezentrums Plastiken von Richard Heß (1976/77). Unweit südöstlich das alte *Rathaus,* ein Fachwerkbau von 1575, mit kleinem ehem. Gefängnisturm.

Lerchenberg (ZDF)

Lerchenberg (7 km südwestlich; 205 m ü.d.M.) ist ein in den Jahren 1964–74 neu entstandener Stadtteil von Mainz. Das Gebiet von Mainz-Lerchenberg, auch Jubiläumssiedlung genannt, ist großenteils eine Schenkung des Landes Rheinland-Pfalz zur 2000-Jahr-Feier der Stadt Mainz im Jahre 1962. Hier befindet sich das Reha-Zentrum zur Ausbildung Blinder, die Elisabeth-Dicke-Schule. 1985 wurde die kathol. Kirche mit Auferstehungs- und Kreuzwegfenstern von Prof. Georg Meistermann erstellt.

Auf einem rund 1 Mio. qm großen Grundstück (1964 von der Stadt Mainz erworben) befindet sich in unmittelbarer Nähe zum Ortsteil Lerchenberg das **ZDF Sendezentrum Mainz**, mit direktem Anschluß an den Mainzer Autobahnring durch eine Schnellstraße. Der Aufbau des ZDF erfolgte in drei Bauabschnitten: Im ersten

Bauabschnitt (1966/67) entstanden der Übertragungs- und Kfz-Betrieb; im zweiten Abschnitt wurden von 1971 bis April 1974 das Hochhaus sowie die Gebäude für Haustechnik, Werkstätten und Kasino/Konferenzen erbaut; der dritte Bauabschnitt war am 6. Dezember 1984 mit der Inbetriebnahme des Sendebetriebsgebäudes als Kern des Sendezentrums abgeschlossen. Die Zeit der Provisorien (in 34 Gebäuden in Mainz und Wiesbaden) war vorbei; was am 1. April 1963 mit der ersten bundesweiten ZDF-Sendung ("Berlin-Melodie") in der Baracke von Eschborn bei Frankfurt begann und bis zur Umschaltung 1984 von der vorläufigen Sendezentrale Wiesbaden ausgestrahlt worden war, hatte nun auf dem Mainzer Lerchenberg sein endgültiges Zuhause gefunden.

Das **Zweite Deutsche Fernsehen (ZDF)** ist die erste öffentlich rechtliche überregionale zentrale Fernsehanstalt in der Bundesrepublik Deutschland. Seine Gründung erfolgte am 6. Juni 1961 mit der Unterzeichnung des Staatsvertrages über die Errichtung der Anstalt durch die Ministerpräsidenten der elf Bundesländer. Sitz des ZDF ist Mainz. Das ZDF hat mit den Landesrundfunkanstalten ARD (seit 1964) Koordinierungsabkommen abgeschlossen. Der erste Sendetag eines bundesweiten Vollprogramms war der 1. April 1963; seit dem 25. August 1967 bringt das ZDF seine Sendungen in Farbe. Die drei Organe der gemeinnützigen Fernsehanstalt sind: der *Fernsehrat* (66 Mitglieder), der *Verwaltungsrat* (9 Mitglieder) sowie der die Anstalt repräsentierende und für das Programm verantwortliche *Intendant* (z.Zt. Prof. Dieter Stolte), der für jeweils 5 Jahre vom Fernsehrat gewählt wird. – Das ZDF gliedert sich in fünf Geschäftsbereiche: Intendanz, Programmdirektion, Chefredaktion, Technische Direktion, Verwaltungsdirektion. Das ZDF ist als größte Fernsehanstalt des Kontinents Mitglied der "Eurovision" und anderer internationaler Institutionen. Es hat rund 3 800 festangestellte Mitarbeiter, davon etwa 400 Redakteure in 12 Hauptredaktionen mit 52 Senderedaktionen. Neben den 12 Inlandstudios unterhält das ZDF für eine umfassende aktuelle Berichterstattung 18 Auslandsstudios in Europa, Afrika, Asien und Amerika.

Die tägliche Sendezeit beträgt durchschnittlich ca. 11,5 Stunden; im Jahr 1986 wurden im Hauptprogramm 255 025 Minuten ausgestrahlt, davon 81,1 Prozent Erstsendungen und 18,9 Prozent Wiederholungen. Das Satelliten-Programm 3SAT weist 140 163 Sendeminuten aus, der Musikkanal 133 997 und der ZDF-Anteil am gemeinsamen Vormittagsprogramm mit der ARD beträgt 30 634 Minuten. Der Spartenanteil am Hauptprogramm des ZDF betrug 1986 (in Prozent): Kultur (8,9), Fernsehspiel und Film (21,0), Kinder, Jugend und Familie (9,8), Dokumentarspiel (2,2), Unterhaltung (7,4), Reihen- und Serien-Vorabend (5,4), Theater und Musik (4,7); Aktuelles (11,5), Innenpolitik (4,5), Außenpolitik (1,7), Gesellschafts- und Bildungspolitik (4,2), Wirtschafts-, Sozial- und Umweltpolitik (0,8), Sport (8,5), Politische Magazine (0,8), Werbefernsehen (2,4) und Programmverbindung (6,2). Seit 1. 12. 1984 gibt es *3SAT*, das erste deutschsprachige Satellitenprogramm aus der Bundesrepublik Deutschland, Österreich und der Schweiz. 3SAT enthält keine Werbung, es hat viele Originalübertragungen und aktuelle Sendungen, der Anteil des ZDF an den derzeit sechs Stunden Programm täglich beträgt 52,9 Prozent.

Die im Staatsvertrag festgelegte Werbezeit beträgt je Werktag 20 Minuten, aufgeteilt in vier Blöcke. Die Anstalt finanzierte sich auch 1987 zu 39 Prozent aus Werbeeinnahmen (ca. 605 Mio. DM) und zu 56 Prozent aus Gebühren (ca. 862 Mio. DM). Der Anteil des ZDF an den 11,20 DM Fernsehgebühren des Fernsehteilnehmers beträgt nur 30 Prozent (DM 3,36). Von den im ZDF-Etat für 1987 vorgesehenen 1 537 Mio. DM entfallen allein 768 Mio. DM auf Produktion und Ausstrahlung des Programms. Zu Trennung der kommerziellen Werbespots werden Trickfilmszenen eingespielt. Als Handlungsträger fungieren hier die weithin beliebten *Mainzelmännchen* (Anton, Berti, Conni, Det, Edi und Fritzchen). Diese 1963 von dem Wiesbadener Trickfilmzeichner Wolf Gerlach erdachten Wichte haben nicht unerheblich zur Popularisierung des ZDF beigetragen.

Anton, der Tolpatsch
Edi, der Schelm
Der kleine Conni
Der lustige Berti
Fritzchen
Der schlaue Det

Das ZDF informiert seine Zuschauer und die Öffentlichkeit durch regelmäßig aktuell erscheinende Publikationen wie Pressedienste, "ZDF-Journal", "Kultur im ZDF", Programmbroschüre "SPIEL IM ZDF" (monatlich), "Faszination Musik", ZDF-INFOS und Specials zu Programmpunkten sowie das 300seitige "ZDF-Jahrbuch" (Redaktion: Bruno Krammer). Alle Schriften werden kostenlos abgegeben. Alljährlich veranstaltet das ZDF (seit 1968) im Herbst die "Mainzer Tage der Fernseh-Kritik" mit bis zu 200 Teilnehmern. Die Beiträge und Ergebnisse dieses öffentlichen Diskussionsforums erscheinen in der Reihe "Fernseh-Kritik" im v. Hase & Koehler Verlag Mainz. – Eine Attraktion auf dem parkähnlich gestalteten, auch für Besucher zugänglichen ZDF-Gelände ist seit dem Sommer 1986 der "ZDF-Fernsehgarten" mit unterhaltenden und informierenden Sendungen direkt vom Rund der Freilichtanlage vor dem Sendeturm. Über 30 000 Besucher erfreuten sich während der zehn Sonntagsvormittag-Sendungen live vom ZDF. Weitere 56 000 Besucher besichtigten 1986 (überwiegend in Gruppen) das ZDF und seine Einrichtungen (siehe Besuchszeiten). Auch die Kunst hat offen und weithin sichtbar ihren Platz im ZDF gefunden. So im Grünen Plastiken verschiedener Künstler, wie ein stählernes "Licht-Wasser-Objekt" von H. Goepfert und J.P. Hölzinger (1974), die "Landmarke", eine 1975 von Martin u. Brigitte Matschinsky-Denninghoff gestaltete lose Gruppe von 9 feinkannelierten Chromnickelsäulen.

In das ZDF Sendezentrum gelangt man von der Essenheimer Landstraße (Schnellstraße von Mainz) durch die Haupteinfahrt. Pförtner beraten hier und kontrollieren die Einlaßberechtigung. Weithin sichtbares Kennzeichen sind der Rundbau (in mehreren Farbtönen) des Sendebetriebsgebäudes und das schmale 70 m hohe, 125 m lange, 19 m breite Hochhaus (Redaktions- und Verwaltungsgebäude mit 14 Stockwerken). Von diesem Hochhaus führt eine umbaute Fußgängerbrücke im ersten Stock zur dahinter liegenden zweistöckigen Haustechnik. Hier befinden sich EDV-Anlagen, Telefon- und Fernschreibvermittlung, Zentrale für das haustechnische Betriebssystem und technische Einrichtungen (Filmexpedition, Schneideräume, Hausdruckerei u.a.); hinter dem Hochhaus die farbige Tetraeder-Stahlskulptur "Modell B" (von E.J.K. Strahl, 1974). – Wiederum durch eine Gangbrücke (wechselnde Ausstellungen) mit dem Haustechnik-Gebäude verbunden, folgt ostwärts das Kasino-Gebäude, mit Empfangs- und Vorführräumen für Besucher, Schulungseinrichtungen, Konferenz- und Besprechungsräumen sowie im ersten Stock dem eigentlichen Kasino (Cafeteria, 600 Plätze; Coffeeshop, 190 Plätze; Club, 60 Plätze; Großküche für 2 000 Essen; SB-Laden, Friseur, Bankschalter). An der Breitwand der Eingangshalle unten das 21 x 3 m große Wandfresko "Poiesis" von Georg Meistermann (1974). Vor dem Eingang die Bronzeplastik "Spiralzeichen 73" von O. Wesendonck); in dem sich südostwärts öffnenden Freiraum die Bronzeskulptur "Rotation" (von Ursula Sax, 1974). In der östlichen Hälfte des Geländes liegen das Werkstätten-Gebäude mit Bühnenwerkstätten, Materiallager und Fundus, das Außenübertragungsgebäude und das Kraftfahrzeuggebäude für den Wagenpark (mit Tankstelle) sowie ein Bauhaus genannter Flachbau.

Im nordwestlichen Teil des Areals steht das mächtig wirkende Sendebetriebsgebäude. In diesem Rundbau sind die Betriebstechnik, drei Studios, aktuelle Redaktionen der Chefredaktion, die Abteilung Archiv, Bibliothek und Dokumentation sowie andere Bereiche der über 100 Berufsgruppen des ZDF untergebracht. Zwischen dem Hochhaus und dem Rundbau stehen auf dem "Platz der Köpfe" die von Prof. Horst Antes geschaffenen sechs Skulpturen aus Cor-Ten-Stahl (mit Edelrost), jede 4,20 m hoch und 1,09 m tief: Ein Forum von Kunst und Kommunikation, Grundsituationen des Menschen darstellend.

Die Essenheimer Straße erreicht 2 km südwestlich oberhalb der ZDF-Anschlußstelle eine markante Straßenkreuzung an der Mainzer Stadtgrenze. In der Ostecke das *Ober-Olmer Forsthaus*. Hier weilte *Johann Wolfgang von Goethe* vom 17. − 27. Juli 1793 als Gast des preußischen Gesandten am kurmainzischen Hof, Johann Friedrich Frh. von Stein (Gedenktafel). − Noch 2 km weiter südwestlich erhebt sich auf dem Ober-Olmer Gewann GALGEN-BUSCH (rechts der Straße nach Essenheim) der 99 m hohe stählerne **Fernmeldeturm** der *Funkübertragungsstelle Mainz 3.*

Marienborn · Ebersheim

Marienborn (erstmals erwähnt 994; 6 km südsüdwestlich). − Unmittelbar außerhalb des Autobahnzubringers (Kleeblatt-Anschlußstelle) gelegener Ort, dessen Bebauungsgebiet im Südwesten von der Eisenbahnstrecke Mainz-Alzey (Bahnhof Marienborn) und im Südosten von der Pariser Straße (B 40; heute A 63) begrenzt wird. Im alten Ortskern die kathol. *Wallfahrts- und Pfarrkirche St. Stephan* (1729−38), mit beachtenswertem Hochaltar von 1748. Am Ortsrand, Pariserstr. 1, jenseits der B 40, ein weiteres Quartier Goethes (28. 5. und 3. 6. 1793), das 1774 von der Churfürstl. Hofkammer errichtete Marienborner **Chausseehaus**. Hier schrieb er große Teile seiner Fabel "Reineke Fuchs". In den Jahren 1792/93, als die französischen Truppen am Rhein standen, diente das Gebäude u.a. Prinz Ludwig von Preußen und Herzog Karl August von Weimar als Unterkunft.

Ebersheim (11 km südlich). − Südlichster Mainzer Stadtteil, der 'Daumen' der Stadtbildfläche, mit großen Weinbauflächen. Die kathol. *Pfarrkirche St. Laurentius* wurde 1725−36 erbaut. Am östlichen Ortsende der alte *Töngeshof*. Im Südwesten der *Mühlberg*, mit 245 m ü.d.M. der höchste Mainzer Bodenpunkt.

Hechtsheim · Weisenau · Laubenheim

Hechtsheim (mundartlich 'Hexem'; 5 km südlich). – Großer, heterogener Vorort zu beiden Seiten der Autobahn (Anschlußstelle), mit Wohnsiedlungen, Industrie- und Gewerbeflächen sowie Ackerbau (auch Wein). Der alte Ortskern, mit der kathol. *Pfarrkirche St. Pankratius* (urspr. 1752), liegt südlich. Die evang. Pfarrkirche liegt westlich, ebenso das neue kathol. Gemeindezentrum. Großes fränkisches Gräberfeld "Frankenhöhe" aus dem 6. Jh.; Weinlehrpfad am Mittelweg.

Weisenau (3 km südöstlich). – Alter industrialisierter Vorort entlang dem Rheinufer (Eisenbahnstrecke Mainz–Worms; Bahnhof Weisenau) etwa zwischen Volkspark und Autobahn (Kleeblatt-Anschlußstelle; Weisenauer Brücke s. S. 107).

Zur Römerzeit bestand in der von Aresaken bewohnten Weisenauer Gegend (Vicus Aresacensis) ein Kohortenlager. Zahlreiche Funde aus der bedeutenden römischen Siedlung im Landesmuseum Mainz. Der neue Name *Wizinove* (später 'Wissenaue') taucht erst Ende des 12. Jhs. auf; eine 'Burg Weisenau' ist kurz danach bezeugt.

Als Wahrzeichen grüßt von der Höhe die 1739 erbaute kathol. *Pfarrkirche Mariä Himmelfahrt* (Turm von 1912), die nach Zerstörung im Zweiten Weltkrieg wiederhergestellt wurde. Unweit westlich (Grenzweg) befand sich das Ende des 8. Jhs. erwähnte St. Victorstift (1552 zerstört). Ober- und Unterstadt verbinden malerische Treppengäßchen. Durch häufige Kriegszerstörungen ist der Ort arm an historischen Bauwerken. Erhalten ist die Synagoge der ehem. bedeutenden Jüdischen Gemeinde in der Wormser Straße 31, die derzeit restauriert wird. Im Westen, unweit nördlich der Autobahn (Anschlußstelle; hier einst die 808 bezeugte Stiftskirche St. Maria in campis/am Feld, seit dem 14. Jh. Heiligkreuzstift) sowie entlang der Hechtsheimer Straße das ausgedehnte Werksgelände (z.T. auch auf Hechtsheimer Gebiet) der seit 1967 hier niedergelassenen Firma *IBM Deutschland* (v.a. EDV-Computerbau), mit Ausbildungszentrum und großem MAG-Apartment-Haus (Werkhotel). – Im Südosten ein großer K a l k s t e i n b r u c h , der zur Gewinnung von Portlandzement (Heidelberger Zementwerke) abgebaut wird.

Laubenheim (6 km südöstlich). – Alter Weinort (773 erstmals urkundlich erwähnt; Gräberfunde lassen auf eine fränkische Gründung des 6. Jhs. schließen) zu beiden Seiten der Eisenbahnstrecke Mainz–Worms (Haltep. Laubenheim), im Norden von der Autobahn (Kleeblatt-Anschlußstelle), im Osten vom Rheinufer (B 9) begrenzt. Am Nordrand des Ortskernes die kathol. *Pfarrkirche Mariä Heimsuchung* (18./19. Jh.), mit beachtenswertem Baldachinhochaltar. Im westlichen Teil die altbekannten W e i n b e r g e . Zwischen B 9 und Rheinufer die *Fürstenberger Au* (Campingplatz). – Nach

Süden erstreckt sich das L a u b e n h e i m e r R i e d . Etwa 15 ha des
insgesamt rund 170 ha großen, z.T. sumpfigen Geländes stehen unter Landschaftsschutz (Vogelschutzlehrpfad).

VII. RECHTSRHEINISCHE VORORTE

Die industriereichen ehem. Mainzer V o r o r t e r e c h t s d e s
R h e i n s sind bei der Aufteilung Deutschlands 1945 von Mainz
abgetrennt worden, da der Rhein hier die Grenze zwischen französischer und amerikanischer Besatzungszone bildete (vgl. Geschichte).

Amöneburg · Kastel · Kostheim

Die Orte n ö r d l i c h d e r M a i n m ü n d u n g unterstehen verwaltungs-
technisch der hessischen Landeshauptstadt W i e s b a d e n , haben jedoch ihre
herkömmlichen Namen bewahrt: *Mainz-Amöneburg, Mainz-Kastel* und *Mainz-
Kostheim,* 'AKK'-Vororte genannt (Nahverkehrsverbund Mainz-Wiesbaden).

Amöneburg, gegenüber der (Mainzer) Ingelheimer Aue und der
(Wiesbadener) P e t e r s a u e , hat die großen Portlandzementwerke
Dyckerhoff, deren stets rauchende helle Schornsteingruppe von über-
all in der Umgebung zu sehen ist, und die *Chemischen Werke Albert*
(Arzneimittel, Kunstharz), beide mit eigenen Hafenanlagen am
Rhein; Kalle-Werk in Biebrich. Im Nordosten, jenseits von Eisen-
und Autobahn, große Kalksteinbrüche in den sogen. M o s b a c h e r
S a n d e n , reiche Fundstätten eiszeitlicher Fossilien (s. *Paläontolog.
Sammlung des Mainzer Naturhistor. Museums).

Kastel (Schnellzugstation an der Strecke Wiesbaden–Frankfurt),
vor dem Ende der Mainzer Theodor-Heuss-Brücke (s. S. 106), ist der
römische Brückenkopf *Castellum Mattiacorum* (vgl. Abb. S. 43).

Bei Erdarbeiten an der Zehnthofstraße wurde Anfang 1962 der sogen. **Kasteler Schatzfund** gemacht. In einem Henkelkrug befanden sich rund 600 Ein-
zelstücke, darunter 13 römische Solidi (Goldmünzen; im Landesmuseum
Mainz) und etliche Silbermünzen sowie silberne Halsringe und zahlreiche
Edelmetallteile von militärischen Ausrüstungsstücken. Die Münzen erlauben
eine Datierung in die frühfränkische Zeit. Jüngster und sensationellster Fund
in Kastel (1986) sind die Reste eines römischen Triumphbogens aus der ersten
Hälfte des 1. Jhs. n. Chr. in der Großen Kirchenstraße. Er gehört zu den über-
lieferten Ehrenbögen des "Germanicus" und steht genau auf der Achse des
ehem. römischen Castellum und der einst weiterführenden Straße in das spätere Limesgebiet. Nach Ende des Römischen Reiches im Jahre 406 zerfiel der
Bogen. Seine Teile waren willkommenes Baumaterial für Klöster, Kirchen
und andere Befestigungen.

Weithin sichtbar ist die helle, spitztürmige kathol. *Pfarrkirche St.
Georg* (1690–1719 erbaut, 1935 vergrößert), die nach Zerstörung
im Zweiten Weltkrieg neu aufgebaut wurde; sie steht in der Flucht-
linie der Theodor-Heuss-Brücke, unweit dem Brückenkopfver-
kehrskreisel (darunter die Eisenbahn). Am R h e i n u f e r (*Blick
auf Mainz; Neugestaltung der Uferzone erwogen) die 1833 errichtete hufeisenförmige *Brückenkaserne* (1940 beschädigt; Wiederaufbau); sie beherbergt das "Historische Kasteler Zimmer" der Gesell-

schaft für Heimatgeschichte mit div. Exponaten und Relikten.
Nördlich außerhalb auf der Höhe, an der Erbenheimer Straße, die
Erbenheimer Warte, ein Rundturm von 1497.

Kostheim schließt südöstlich an Kastel und liegt zu beiden Seiten
der Eisenbahnstrecke Wiesbaden–Frankfurt (kein Bahnhof); der alte
Ortsteil (im Zentrum große Mehrzweckhalle) erstreckt sich südlich
bis zum *Main* (Straßenbrücke nach Gustavsburg); Hallenbad und
Sporthalle (1976). – Südwestlich davor die von Main, Floßhafen und
Rhein umspülte Insel M a a r a u e (1184 Barbarossa-Reichsfest), ein
reizvolles Naherholungsgebiet mit schönen Spazierwegen, Sport-
plätzen, Freischwimmbad (gegenüber der Mainspitze) und Campingplatz; schöner *Blick auf Mainz. – Industriegelände entlang dem
Nordufer des Floßhafens (Sauerstoffwerk und Hausgerätefabrik Lin-
de) sowie im Osten zwischen Mainhafen und Bahnanlagen (Apura-
Papierwerke); nördlich anschließend Weinbau. – Kostheim ist Sitz
der 'Mainz-Wiesbadener Personenschiffahrt Franz'.

Von Mainz aus gerne besucht wird das gut 5 km östlich von Kastel (Auto-
bahnanschluß A 671, S-Bahn-Verbindung Frankfurt–Wiesbaden) im Main-
Taunus-Kreis gelegene **Hochheim** *am Main* (125 m über NN, 16 500 Einw.).
755 n. Chr. wurde die Wein- und Sektstadt erstmals erwähnt, als die Gebeine
des heiligen Bonifatius nach Fulda überführt wurden. Oft wurde der Ort bzw.
das Gut Hochheim in seiner Geschichte verkauft, verschenkt oder verpachtet.
So gehörte es z.B. auch von 1273–1803 dem Domkapitel Mainz. Hochheim ist
bekannt durch seine weltberühmten Weinbergslagen wie 'Domdechaney',
'Kirchenstück', 'Hölle' oder 'Stein'. Die älteste rheinische Sektkellerei siedelte einst in Hochheim an.

Sehenswürdigkeiten: Kathol. *Pfarrkirche St. Peter und Paul* (1730–32, ein-
drucksvoller Hochaltar und Deckengemälde); auf dem 'Plan' *Madonnenstand-
bild* (1770); aus dem ehem. Befestigungsanlagen ist das sogenannte *'Küster-
haus'* (1746 erneuert) (südl. Maintor) noch erhalten, es wurde 1986 komplett
restauriert. Die Hochheimer Altstadt mit ihren zahlreichen Fachwerkbauten
lädt zum Spaziergehen ein. An den Besuch der englischen Königin Victoria
(1850) erinnert das neugotische *Victoria-Denkmal* in den Weinbergen. Königin Victoria wird der Ausspruch "Good Hock keeps off the doc!" zugesprochen. Hock ist die englische Bezeichnung für Rheinwein, und wurde vom Orts-
namen Hocheim abgeleitet.

Ginsheim-Gustavsburg · Bischofsheim

Die Orte s ü d l i c h d e s M a i n s gehören zum hessischen K r e i s G r o ß -
G e r a u : Gustavsburg und Ginsheim sind seit Mitte des 19. Jhs. zur Gemeinde
Ginsheim-Gustavsburg zusammengeschlossen; *Bischofsheim* ist eigenständig.
1930 Eingemeindung, 1945 Abtrennung (s. Geschichte).

Ginsheim mit regelmäßig bebautem Ortskern (Giebelhäuser)
wurde 1190 erstmals urkundlich erwähnt ('Gimmensheim'). Zwei
Römerstraßen kreuzten das Ginsheimer Gelände, auf dem später
eine Frankensiedlung entstand. Nach 1248 wechselt das Reichsdorf
mehrmals die Herrschaften, bis es 1600 an den Landgrafen Ludwig
V. von Hessen kam. 1930–46 war Ginsheim Mainz eingemeindet. –
Durch die idyllische Lage am Altrhein sowie durch die vorgelager-
ten Inseln Langenau, Nonnenau und Rabeninsel ist Ginsheim zu ei-

nem gernbesuchten Erholungsort geworden. Besonders sehenswert die evang. *Pfarrkirche* (1744—46 erbaut, nach Kriegszerstörung 1953 wiederhergestellt), ein reizvoll am Rheinarm gelegener Saalbau mit dreiseitigem Schluß und Haubendachreitern (Entwurf: Pfarrer Johann Konrad Lichtenberg); *Heimatmuseum* im ehem. Ginsheimer Rathaus.

Gustavsburg geht auf eine zunächst 'Pfaffenraub' genannte Sternfestung (mit sechs Bastionen und 30 m breiten Gräben) zurück, die König Gustav Adolf von Schweden 1631/32 vor der Mainmündung anlegen ließ (erst nach dessen Tod 'Gustavsburg' genannt), die jedoch bald darauf ihre militärische Bedeutung verlor und verfiel; nur geringe Spuren sind im Gelände noch sichtbar. Funde aus römischer Zeit (u.a. Grabmäler und Pfahlroste einer Römerbrücke) dokumentieren die hohe strategische Bedeutung der Mainspitze zur Römerzeit. Mit der Eröffnung der Eisenbahnlinie Darmstadt—Mainz am 27. Dezember 1858 entstand der Hafenbahnhof Gustavsburg. Bereits ein Jahr später beschloß man den Bau einer festen Eisenbahnbrücke über den Rhein oberhalb Mainz. Durch diesen Stromübergang sollten die linksrheinischen Strecken eine direkte Verbindung mit den Bahnen nach Darmstadt und Frankfurt erhalten. Die Ausführung des Brückenbaues wurde der Nürnberger Firma Klett & Co. (heute M.A.N.) übertragen, die am Rande des Festungsgrabens einen Montageplatz errichtete. Besondere Sehenswürdigkeiten sind die *Mainschleuse* und das *Fort Mainspitze*. Von 1930—45 war der Ort Mainz eingemeindet.

Bischofsheim liegt östlich von Gustavsburg (jenseits des Autobahnringes), gehörte 1930—45 zu Mainz und hat einen großen Verschiebebahnhof. Die evang. *Pfarrkirche* stammt von 1747. Am Frankfurter Damm der *Domstiftshof,* der im 18. Jh. als Zehnthof erbaut wurde.

VIII. AUSFLÜGE

Ingelheim *am Rhein* (16 km westlich, A 60; Bahnbus oftmals täglich; Eilzüge in 12 Min.; KD-Rheinschiffahrt). − Die schon von den Römern ('Noviomagus') besiedelte, seit 1969 zum Kreis Mainz-Bingen gehörige Rotweinstadt (22 000 Einw.) an der Mündung der *Selz* besteht aus mehreren auseinanderliegenden Ortsteilen (Stadtbusverbindungen).

In den Ingelheimer Gemarkungen wächst bester deutscher **Rotwein** (Früh- und Spätburgunder, Portugieser) und guter *Weißwein* (Müller-Thurgau, Silvaner, Riesling); daneben bedeutender Obstanbau (bes. Kirschen) und Feingemüseanbau (bes. Spargel); Großmarkthalle VOG. Ingelheim ist Stammsitz der bekannten chemischen Werke *C. H. Boehringer* (Arzneimittel); ferner gibt es Fabriken für elektrotechnische Geräte, landwirtschaftliche Chemikalien, Diagnosepharmaka u.a. − Als größter Sohn Ingelheims gilt der Hebraist, Theologe, Mathematiker und Geograph *Sebastian Münster* (*1488, †1552 in Basel; Hauptwerk "Kosmographie", 1544), dessen Porträt von Ch. Amberger auf die 100-DM-Note abgebildet ist. Der Jurist und Freiheitskämpfer *Martin Mohr* (1788−1865) lebte von 1834 bis zu seinem Tode in Ingelheim.

AUSKUNFT: *Amt für Kultur, Verkehr und Landwirtschaft,* Im Saal 3 (Tel. 0 61 32/78 20). − HOTELS: *Kaiser Karl* (garni; 30 B), Binger Str. 75; *Reisinger,* 12 B., St. Kilianstraße; *Erholung* (20 B.), Bahnhofstr. 16; u.a. − CAMPINGPLATZ am Rheinufer in Frei-Weinheim (westl. vom Hafen). − RESTAURANTS (Spez.: Spargel, bis Ende Juni): *Seeterrasse,* Im Blumengarten 62; Histor. Gaststätte *Zur Alten Post,* Mainzer Str. 67; *Ratsstube,* Marktplatz 15; *Au Vigneron,* Grundstraße (gelobt); *Rheinkrone,* Dammstr. 14; *Korkenzieher,* Ingelheim-Süd, Marktplatz.

VERANSTALTUNGEN (alljährlich wiederkehrend): Zur Fastnachtszeit *'Ingelumer Fassenacht'* (Karneval); im Mai *Internationale Tage* (seit 1959; Ausstellungen und Veranstaltungen zu allen Kulturbereichen); am letzten Wochenende im Juli *Hafenfest* auf der Jungau in Frei-Weinheim; im Herbst traditionelles *Rotweinfest* (vom letzten Wochenende im September bis zum ersten Wochenende im Oktober) im historischen Burggelände; *Kirchweihfeste* ('Kerb'; September/Oktober) in Nieder-Ingelheim, Frei-Weinheim, Groß-Winternheim und Sporkenheim.

In NIEDER-INGELHEIM (130 m) erhebt sich an der Binger Straße die kathol. **Remigiuskirche** (742 erwähnt), mit einem reich gegliederten romanischen Turm aus dem 12./13. Jh. (bemerkenswerter Türsturz); Hochaltar von Johann Jakob Juncker (1775).

Historische Bedeutung erlangte Ingelheim durch die 807 erstmals erwähnte *Kaiserpfalz* ('Saal') Karls d. Gr., von der nur geringe Reste erhalten sind; dorthin führt von der Ostseite des Rathausplat-

zes die Straße 'Im Saal'. Die im 10. Jh. erbaute, im 12. Jh. in ihrer
heutigen Form gestaltete und zuletzt 1960−64 renovierte evang.
Saalkirche steht auf den Grundmauern der Pfalzkapelle. Das Portal
des Langhauses war früher an der Stelle des heutigen Kirschgarten-
tores. Der große westliche Glockenturm wurde 1861 angebaut; das
reich geschnitzte Kirchengestühl stammt aus dem 17. Jahrhundert.

Die Anlage der **Kaiserpfalz** (Modell beim Rathaus) ist heute anhand der Reste
schwer verständlich. Auch die 1908–14 von Chr. Rauch und 1960−70 von
W. Sager durchgeführten Grabungen haben nur teilweise gesicherte Indizien
geliefert. Eindeutig aus karolingischer Zeit stammen die *Aula Palatina* ('Aula
Regia', der Ort etlicher Reichstage), von der Teile der östlichen Längswand
und der Apsis mit Fensterspuren und einem Kämpferstein bewahrt sind, und
die unterirdische *Badeanlage,* nördlich vom Chor der Saalkirche. Die in großen Partien überkommene W e h r m a u e r ist spätgotisch (im Kern staufisch;
Heidesheimer Tor östl., Zuckerbergtor südl.). − Erst Karls d. Gr. Sohn Ludwig
der Fromme vollendete die Pfalz. Barbarossa befestigte sie, Karl IV. begründete
1354 im Palast ein geistliches Stift, das 1576 wieder aufgehoben wurde. Die
Franzosen zerstörten die Anlage 1689 vollständig, der Rest wurde in der Folge
abgetragen und überbaut. Die Umgebung der Pfalz, den sogen. 'Ingelheimer
Grund', verpfändete Karl IV. 1375 an die Kurpfalz, bei der das Gebiet blieb,
bis es 1815 an das Großherzogtum Hessen überging.

Nordöstlich vom Bahnhof das *Blumengarten-Sportzentrum,* mit
schönem Frei- und Hallenschwimmbad. − Etwa auf halbem Wege zwischen Nieder- und Ober-Ingelheim das *Fridtjof-Nansen-Haus* (1957)
der Volkshochschule (u.a. Akademie für Politische Weiterbil-
dung), nahebei eine 1949 eingerichtete *Sternwarte.*

Das höher gelegene OBER-INGELHEIM (140 m) entwickelte sich
erst im 14. Jh. und war einst Sitz von Hofleuten und Rittergeschlech-
tern. Am Ostrand bietet die spätgotische evang. **Burgkirche,** umgeben
von einer mittelalterlichen Wehranlage des 15. Jh., ein höchst male-
risches Bild. Der mächtige romanische Turm ist mit einem Zinnen-
kranz und das Kirchenschiff an der Westseite mit Schießerkern be-
wehrt. In der Kirche zahlreiche, z.T. gute Grabsteine des Ingelheimer
Adels. Am Marktplatz das *Alte Rathaus* von 1827, mit dem 'Rotwein-
saal'. Von der ansehnlichen ehem. O r t s b e f e s t i g u n g sind Mauern, Rundtürme, ein großer Zwinger (Freilichtbühne) und zwei Tore
(Uffhubtor südöstl., Ohrenbrücker Tor südwestl.) erhalten. Am Jung-
fernpfad erinnert ein Gedenkstein an die 1841 erbaute und 1938 von
den Nationalsozialisten zerstörte Synagoge. − Nördlich am Rhein
liegt der Ortsteil FREI-WEINHEIM, mit dem Industriehafen und die
Wagenfähre nach Mittelheim; schönes Rheingaupanorama.

UMGEBUNG. − Vor dem östlichen Ortsausgang (Mainzer Straße) schöner Blick von der sogen. **Steig** (Hotel Multatuli), einer Höhe mit dem *Napole-
onstein* (Obelisk zur Erinnerung an den Bau der Straße durch Napoleon, mit
dt. und französ. Inschrift), und dem *Multatuli-Haus* des niederländischen
Schriftstellers Eduard Douwes Dekker (alias 'Multatúli'; 1820−1887), der in
seinem Roman "Max Havelaar" (1860; dt. 1875) die Ausbeutung auf Java an-
klagte. Unweit das Landschaftsschutzgebiet am *Rabenkopf,* reizvolle Fern-
sicht. − ½ St. westlich von Ober-Ingelheim die **Waldeck** (232 m; Gasth.), eine

aussichtsreiche Anhöhe mit 37 m hohem Bismarckturm von 1912. Von dort ½ St. über die *Richardshöhe* (240 m) hinab nach Gau-Algesheim.

Nach Oppenheim (20 km südöstlich rheinaufwärts; B 9 'Liebfrauenstraße', Bahnbus mehrmals täglich; Eilzüge in 15 Min.; keine regelmäßige Schiffsverbindung). – Die Landverkehrswege verlaufen dicht am linken Rheinufer, rechts steigen sogleich die Rebhänge der *Rheinhessischen Rheinfront* an. Der eisenhaltige rote Tonschiefer (Rotliegendes) bietet hervorragenden Boden für die hiesigen Spitzenweine und ist zugleich ein farbiges Merkmal der Landschaft.

Nackenheim (14 km; 88 m ü.d.M.; 3 700 Einw.) ist ein bekannter Weinort (Engelsberg, Fenchelsberg, Rothenberg), mit großer Kapselfabrik und Ziegelei; Geburtsort des Schriftstellers Carl Zuckmayer (s. Mainzer Persönlichkeiten). Auf der Höhe die barocke *St. Gereonkirche* (1716; 1902 erweitert). *Rathaus* von 1751. Im Rhein die Inseln 'Kisselwörth' u. 'Sändchen'.

R h e i n h ö h e n w e g : Lohnende Weinbergwanderung (10 km; 3 St.) von Nackenheim über die Niersteiner Warte, Nierstein und die Ruine Landskrone nach Oppenheim mit partienweise großartiger Aussicht.

3 km nordwestlich von Nackenheim liegt **Bodenheim** (93 m; 5 000 Einw.), alter Weinort (794 erwähnt) mit besten Lagen (Hoch, St. Alban, Westrum, Silberberg). Kathol. *Pfarrkirche St. Alban* (1828 – 30); *Fachwerkrathaus* von 1608; Molsbergsches Haus (1614) u.a. Fachwerkhäuser. – Gasthof 'Zur Alten Gutsremise' (15 B). Aus Bodenheim kommen die bekannten 'Dr. Hillers Pfefferminz.'

Nierstein (19 km; 89 m ü.d.M.; 6 700 Einw.), die größte Weinbaugemeinde am Rhein, gehört zu den international bekannten Weinorten und der 'Niersteiner' zu den führenden Gewächsen (über 600 ha Rebfläche; Pettenthal, Hipping, Kreuzberg, Findling, Glöck, Bildstock, Hölle, Burgweg, Orbel u.a. Lagen), ausgezeichnet durch milde aromatische Säure. Daneben Heimatmuseum, Malzfabrik, Schifffahrtsbetriebe, Kalksteinbruch.

GESCHICHTE: Jungsteinzeitliche Grabfunde (Gefäße vom 'Rössen-Niersteiner Typ'). Die ehem. römische Militärstation *Buconica* war im Mittelalter zunächst reichsunmittelbares Dorf, wurde dann kurpfälzisch und 1689 durch die Franzosen zerstört, 1816 hessisch; seit 1969 zum rheinland-pfälzischen Kreis Mainz – Bingen gehörig.

HOTELS: *Rhein-Hotel* (30 B.; Terasse mit Rheinblick; Diätküche), Mainzer Str. 16; *Zum Alten Vater Rhein* (20 B.), Große Fischergasse 4; *Rheinischer Hof* (16 B.), Mainzer Str. 28. – Motel *Sironahof* (18 B.), Sironastr. 6. – Mehrere *Weinschänken*. – VOLKSFESTE: *Winzerfest*, Anfang August; *Backfischfest*, Mitte September. – WAGENFÄHRE über den Rhein auf halbem Wege nach Oppenheim.

Nierstein zieht sich hübsch am linken Rheinufer hin und dehnt sich südwestwärts 2 km in ein Seitental bis nach *Schwabsburg* (Burgruine; Weinberge) aus. Im Ortskern die 1782−87 erbaute evang. *Martinskirche* (Chorturm unten aus dem 12. Jh.; Querschiff und Westchor von 1896; Taufstein 14. Jh.; einige Renaissance-Grabmäler); ringsum mittelalterliche Friedhofsbefestigung, mit romanischem Ost- tor. *Altes Rathaus* von 1838; Malzfabrik (Rheinstraße) im ehem. Dal- berg-Herdingschen Schloß; Fachwerkhäuser des 18. Jhs. − Am Berg die schlicht-barocke kathol. *St. Kiliankirche* (1772−74; urspr. früh- roman. Basilika); mit romanischem Turm. − Nordwestlich in den Weinbergen die *Niersteiner Warte*, ein Signalturm des 12. Jhs. (Aussicht). − Am südlichen Ortsausgang, unweit der Fähre, rechts das *Sironabad*, eine römische Badehalle mit Votivstein (vermutlich über dem Quellheiligtum der kelto-röm. Göttin Sirona), gespeist von Schwefel- und Süßwasserquellen (1802 wiederentdeckt und nach röm. Vorbildern rekonstruiert).

Oppenheim (20 km, 84 m ü.d.M.; 5 500 überwiegend evang. Einw.), Mittelpunkt des rheinhessischen Qualitätsweinbaus, liegt am südöst- lichen Abhang über dem linken Rheinufer bei einem alten Fluß- übergang und wird überragt von der weithin sichtbaren St. Kathari- nenkirche sowie der Burgruine Landskrone. Neben Weinbau, -handel und -brennerei sind Textilfabriken, Obstanbau, der Rheinhafen und ein reger Fremdenverkehr wichtige Wirtschaftsfaktoren. Oppenheim ist Sitz der 1895 gegründeten Landes-Lehr- und Versuchsanstalt für Wein- und Gartenbau (u.a. Fachbibliothek, Sammlungen, Muster- kellerei, Versuchsländereien) sowie des Landesamtes für Umwelt- schutz. Dt. Weinbaumuseum im Aufbau.

Der **Weinbau,** in der Hauptsache W e i ß w e i n , ist Oppenheims wichtigster, bereits 764 erwähnter Erwerbszweig. Die meisten Bewohner sind direkt oder indirekt mit dem Weinbau beschäftigt. Unter der Stadt reiht sich ein Wein- keller an den anderen. Auf den Oppenheimer Rebflächen (über 200 ha Ceri- thienkalkboden) wachsen die berühmten Lagen *Goldberg* (edel-blumig), *Kröten- brunnen, Sackträger* (schwer), *Reisekahr* und *Kreuz* (lieblich), *Schloßberg* (mit 'Rauchton'), *Kugel, Zuckerberg, Daubhaus* u.a. Der Weinhandel und -export ist neben dem von Mainz und Worms führend in Rheinhessen.

GESCHICHTE. − Von einer römischen Rheinuferstraße durchzogen, wur- de die Oppenheimer Gegend vermutlich zwischen dem 5. und 7. Jh. von Franken besiedelt. Erstmals urkundlich ist der Ort 764 genannt; 774 schenkte Karl d. Gr. das Hofgut *Obbenheim* mit seiner Kirche der Abtei Lorsch. 1008 Verleihung des Marktrechtes durch Kaiser Heinrich II. Im Jahre 1147 trat Lorsch seine Rechte wieder an den Kaiser ab, der Oppenheim um 1225 zur reichsunmittelbaren Stadt erhob. Bis 1240 wurde die Stadtbefestigung ange- legt. 1254 ist Oppenheim neben Mainz und Worms führendes Gründungsmit- glied des Rheinischen Städtebundes. Bis zum 15. Jh. erlebte es seine Blüte- zeit als *Freie Reichsstadt;* das wichtigste Zeugnis dieser Zeit ist noch die St. Katharinenkirche, die seit 1258 zur Diözese Mainz gehörte, während der südliche Teil der Stadt dem Bistum Worms zugesprochen wurde. − Mit dem Niedergang des Kaisertums verlor Oppenheim seine Reichsunmittelbarkeit. 1315−53 dem Mainzer Erzbischof verpfändet, seit Kaiser Rupprecht, der

1410 auf der Burg Landskrone starb, in erblicher Pfandschaft der Kurpfalz. Formal blieben die reichsstädtischen Rechte zwar bestehen, doch praktisch sank Oppenheim zu einer pfälzischen Amtsstadt herab. – Auf der Reise zum Wormser Reichstag 1521 übernachtete *Martin Luther* in Oppenheim und soll hier das Lied "Ein feste Burg ist unser Gott" gedichtet haben. Der bekannte Kupferstecher *Matthäus Merian d.Ä.* lebte 1617–21 in Oppenheim. – 1631 erzwang Gustav Adolf von Schweden bei Oppenheim den Rheinübergang gegen die Spanier (Schwedensäule s. Umgebung). 1689 vernichteten die Franzosen das alte Stadtbild und wertvolle Kunstschätze; 1797 französische Kantonsstadt, 1815 hessisch (seit 1852 Kreisstadt). Handel, Industrie und Fremdenverkehr brachten im 19. Jh. neuen Aufschwung; im Zweiten Weltkrieg blieb die Stadt unzerstört. Im Zuge der rheinland-pfälzischen Kreisreform von 1969 ging Oppenheim seiner Funktion als Verwaltungssitz verlustig, entwickelt sich jedoch in dem neugeschaffenen Kreis Mainz–Bingen zu einem regen Mittelzentrum.

AUSKUNFT: *Verkehrsverein,* Merianstr. 2 (Tel. 06133/2763). – HOTELS: *Kurpfalz* (35 B.; Spez. Fischgerichte, Diätküche; große Weinkarte), Wormser Str. 2; *Goldene Krone* (24 B.), Markt 4; *Weinhaus Haas* (20 B.), Markt 22; *Zum Storchen* (18 B.), Mainzer Str. 1; u.a. – Mehrere gemütliche Gaststätten und Weinstuben. – CAMPINGPLATZ im 'Oppenheimer Wäldchen' am Rhein. – HALLENBAD. – SEGELFLUGGELÄNDE südöstlich. – RHEINFÄHREN (Wagenfähren) 1 km nördlich zum Kornsand (Geinsheim) sowie 11 km südöstlich (über Guntersblum) oder 10 km (rechtsrhein. bei Erfelden) zum Kühkopf (s. Umgebung). – FAHRRADVERLEIH am Bahnhof.

KONZERTE im Westchor der St. Katharinenkirche. – VOLKSFESTE: *Wäldcheskerb,* Weinfest zu Pfingsten; *Weintage* Anfang August; *St. Katharinenmarkt* und *Federweißerfest* am letzten Oktoberwochenende. – WEINKOSTPROBEN im Rathausprobierkeller (für Besuchergruppen nach Voranmeldung beim Verkehrsverein; Unkostenbeitrag). – Waldlehrpfad; Schießsportanlage.

Die malerische Mainzer Straße und alte Gäßchen führen hinan zum Stadtkern. Am Marktplatz das *Rathaus* (im 16. Jh. als Kaufhaus erbaut); unweit südlich die kathol. **St. Bartholomäuskirche** (14. Jh.; barocke Altarfiguren von J.S.B. Pfaff und F.M. Hiernle). Westlich (durch die Krämerstraße) das *Gautor* (1566 erneuert), der einzige erhaltene Wehrturm. Auf dem Friedhof das Grab des Erbauers des Berliner Reichstagsgebäudes Paul Wallot (†1912); Aussicht auf die Weinberge.

Vom Marktplatz weiter bergauf zur ***St. Katharinenkirche,** seit 1320 Kollegiatstiftskirche, seit 1555 evang. Pfarrkirche; eine der bedeutendsten Leistungen der Gotik am Rhein (Bauabschnitte deutlich erkennbar; Schauseite nach Süden).

BAUGESCHICHTE: Die unteren Teile des westlichen Turmpaares (um 1240, Obergeschoß um 1470) sind noch von der romanischen Kirche. 1265–1317 wurden der Ostchor und das Querschiff, bis 1370 das hochgotische Langhaus, die Querschiffgiebel und der achtseitige Vierungsturm (Helm Ende 19. Jh.) errichtet. Zuletzt baute 1415–25 *Madern Gerthener* den großen Westchor für die Stiftsgeistlichkeit an; sein Gewölbe 1689 vernichtet. Er wurde erst bei der allgemeinen Restaurierung der Kirche 1878–90 provisorisch wieder instandgesetzt; 1934–37 zog man das Gewölbe nach alten Mustern neu ein.

Das ÄUSSERE der Kirche, im Norden ganz einfach, entfaltet im Süden zwischen den romanischen Türmen und dem Querschiff seine ganze Pracht. Das hochgotische Maßwerk löst die Schwere der Wand auf, die reiche Plastik steigert sich von unten nach oben; am Sockel die kleinen Spitzbogenfenster der Seitenkapellen, darüber die breiten Fenster des Seitenschiffes mit ihren zwei großen Rosen (*Oppenheimer Rose, rechts) und etwas zurückgesetzt darüber das Maßwerk des Mittelschiffes sowie ein Auslaufen aller Teile in Fialen, Wimpergen, Kreuzblumen und Wasserspeiern. Der spätgotische Westchor führt ein mächtiges Eigenleben (16 m hohe Fenster). Der eigentliche Haupteingang (geschl.) am südlichen Querschiff.

Das INNERE (Eingang am Treppenaufgang; Gebühr) der Basilika wirkt fast wie eine Hallenkirche: hohe Seitenschiffe, weitgespannte Joche, Betonung der Breite des kurzen Mittel- und Seitenschiffes durch *Seitenkapellen* nach französischem Vorbild. Eine Besonderheit des schlichten Ostchores sind die *Seitenchöre*. Durch das Portal zwischen den Türmen gelangt man in den großen *W e s t c h o r* (13 m breites Netzgewölbe; Konzerte); das vortreffliche Portal an der Ostwand (Verkündigungsrelief) stammt von einem Lettner, der den Westchor und das Langhaus nicht so stark wie heute voneinander schied. Nördlich das *Kirchenmuseum.* – Die Inneneinrichtung ist fast gänzlich verlorengegangen: beachtenswerte z.T. noch alte *Glasmalereien* (dunkle, warme Farben). Bemerkenswert sind mehrere G r a b d e n k m ä l e r , besonders *Wolf von Dalberg* und *Agnes von Sickingen* (†1522 und 1517) im südl. Querschiff und *Anna von Dalberg* (†1410 mit 11 Jahren; 'weicher' Stil) im Seitenchor.

Turmbesteigung (168 Stufen), lohnender Rundblick.

Auf der Nordseite der Kirche liegt die gotische **Michaelskapelle.** Unten ein *Beinhaus,* wohl das größte in Deutschland (Gebeine von etwa 20 000 Toten des 15.–17. Jhs.); darüber eine gotische Totenleuchte.

Nordöstlich der St. Katharinenkirche der *Ritterbrunnen* (Geschlechterbrunnen; Renaissance, 1546), mit dreiseitigem Aufbau (oben die Wappen der in diesen Richtungen liegenden Adelshöfe); westl. die *Landes-Lehr- und Versuchsanstalt für Wein- und Gartenbau* (Besichtigung möglich). Vom Ritterbrunnen auf der Dalberger Straße weiter bergan zur Ruine der **Burg Landskrone** (Reichsfeste des 12. Jhs.; im 15. Jh. erweitert, 1689 zerstört) mit *Rundblick auf die Stadt, die Rheinebene mit dem Kühkopf (s. Umgebung) und bei gutem Wetter bis zum Odenwald und nach Worms. Unterhalb eine Gaststätte und ein Gedenkstein für die Notlandung des Grafen Zeppelin auf seiner ersten Fernfahrt mit dem Luftschiff 1908; ringsum Weinberge.

UMGEBUNG. Auf der Rheinstraße ¼ St. ostwärts das *Oppenheimer Wäldchen* (über 20 ha) in der Rheinkehle. – Südöstlich am gegenüberliegenden Rheinufer das von der Schleife des Altrheins gebildete **Naturschutzgebiet Kühkopf,** mit der ursprünglichen Vegetation des Hessischen Rieds (alter Baumbestand; seltene Pflanzen und Vögel); Fähren dorthin s. S. 136, auch Brücke Stockstadt–Guntershausen. – *Schwedensäule* (1631 von König Gustav Adolf an der Stelle seines Rheinüberganges errichtet) am Nordufer des Altrheinbogens, unweit der Knoblochsaue.

Von Oppenheim auf der 'Liebfrauenstraße' (B 9; Ausbau im Gange) südwärts über die Weinorte *Dienheim, Guntersblum, Alsheim* und *Osthofen* noch 26 km bis **Worms.**

IX. DER RHEIN

Der **Rhein** (Name vermutl. keltisch; latein. *Rhenus,* franz. *Rhin,* niederländ. *Rijn,* engl. *Rhine*) ist die bedeutendste Wasserstraße und zugleich der landschaftlich schönste Strom Europas. Der insgesamt 1320 km lange Fluß entsteht im ostschweizerischen Kanton Graubünden aus *Vorderrhein* und *Hinterrhein,* die sich zum *Alpenrhein* vereinen. Er durchfließt den B o d e n - s e e , bildet danach den *Rheinfall* bei Schaffhausen und fließt als *Hochrhein* nach Basel. Dort wendet er sich nach Norden und durchzieht als *Oberrhein* die O b e r r h e i n i s c h e T i e f e b e n e . Zwischen Mainz und Bingen fließt er in westliche Richtung und durchströmt dann nordwestwärts als *Mittelrhein* das R h e i n i s c h e S c h i e f e r g e b i r g e ; unterhalb von Bonn heißt er *Niederrhein.* Auf niederländischem Gebiet verzweigt sich der Rhein in mehrere Mündungsarme, die sich in die Nordsee ergießen.

Am Mittellauf des Rheins haben der RHEINGAU (rechts) und RHEIN-HESSEN (links) mit zusammen rund 100 km Uferlänge Anteil. Beide Landschaften liegen im westlichen M a i n z e r B e c k e n , das den nördlichen Abschluß der grabenförmigen Senke der Oberrheinischen Tiefebene bildet und wie diese einen im Tertiär erfolgten Einbruch bezeichnet. – Der Rheingau und das Rheinhessische Hügelland waren überflutet und wurden erst in geologisch jüngerer Zeit voneinander getrennt. Wieweit das Wasser früher reichte, zeigen die interessanten, fossilienreichen Ablagerungen, die in Sand- und Mergelgruben bei Gau-Algesheim, Sprendlingen und Weinheim sichtbar werden. Der Strom, der bei Mainz angesichts der Taunuswand unvermittelt nach Westen abbiegt, ändert bei Bingen wieder seine Richtung und fließt mitten durch das Rheinische Schiefergebirge, quer zu dessen Aufbau, indem er unterhalb von Bingen den harten Quarzitzug von Hunsrück und Taunus **teilt.** In diesem widerstandsfähigen Gestein konnte er nur ein schluchtartig enges Tal bilden. Das Gebirge hob sich seit dem mittleren Tertiär allmählich, währenddessen sich der Rhein in einer vorgezeichneten Mulde stufenweise einschnitt und eine Terrassenlandschaft schuf; Rheinschotter ist daher in verschiedenen Höhen zu finden.

Der **Wasserstand** des Rheins (vgl. Mainzer Pegel, S. 106) ist der gleichmäßigste aller deutschen Flüsse. Tage mit für die Schiffahrt unzureichender Wasserführung sind selten (Sept./Okt.). Ausgleichend wirken die zahlreichen Nebenflüsse, als deren größter bei Mainz der vielbefahrene *Main* (kanalisiert; Rhein-Main-Donau-Großschiffahrtsweg im Ausbau) mündet; bei Bingen fließt von Süden die *Nahe,* bei Lahnstein von Osten die *Lahn* und bei Koblenz von Südwesten die *Mosel* zu. Das milde Klima läßt den Rhein nur selten zufrieren; Treibeis kommt jedoch häufiger vor. – Es besteht ein verhältnismäßig starkes **Stromgefälle:** Basel 250 m, Mainz 80 m, Koblenz 60 m, Emmerich nur noch 10 m über dem Meeresspiegel.

Die **Breite** des Rheins ist zwischen Mainz und Bingen mit etwa 400–800 m am größten. Im Durchbruchstal verengt er sich am Binger Loch auf 250 m und an der Loreley auf 90–150 m; bei Köln ist er wieder etwa 350 m breit. – Der Fluß verwildert gern und bildet **Inseln;** sie werden bis Bingen 'Aue', unterhalb 'Werthe' genannt und bereichern die Landschaft.

Die **Schiffahrt** muß zwischen Bingen und St. Goar wegen des starken Gefälles und der Enge die schwierigste Strecke bewältigen. Die Stromverwaltungen sind bemüht, den Rhein durch Ausbaggern des Gerölls und

Sprengung der gefährlichen Klippen schiffbar zu erhalten. Die künstlich geschaffene Fahrrinne ist durch Bojen, Baken und Schwimmstangen markiert; an unübersichtlichen Stellen regeln Warnampeln (einst Flaggen, Bälle, Drehzeichen; früher 'Wahrschauer') die Berg- und Talfahrt. Rechtlich ist die auf deutschem Gebiet dem Bundesverkehrsministerium (Wasser- und Schiffahrtsdirektion Mainz) unterstehende Rheinschiffahrt seit 1831 internationalisiert. – Unmittelbar entlang beiden Ufern des Mittelrheins verlaufen äußerst verkehrsreiche *Eisenbahnstrecken* sowie *Bundesstraßen* (linksrhein. B 9 'Rheingoldstraße'; rechtsrhein. B 42 'Loreley-Burgenstraße').

Die **Köln-Düsseldorfer Deutsche Rheinschiffahrt AG** ('KD'; Hauptsitz: 5 Köln 1, Frankenwerft 15, Tel. 02 21/2 08 81, Telex 08/882 723; Agentur u.a. in Mainz, s. S. 28) versieht den regelmäßigen P e r s o n e n v e r k e h r auf dem Rhein mit einer Flotte von 18 gut eingerichteten Motorschiffen und Dampfern ('Die weißen Schiffe der KD'; Restaurants an Bord). Der Schiffahrtsdienst beginnt alljährlich zu Ostern und endet Mitte Oktober (Hauptsaison Juli und August). – *Gemeinsamer KD/DB-Service:* An jeder KD-Agentur (nicht bei der DB) kann man seine Eisenbahnfahrkarte gegen eine Übergangsgebühr in einen entsprechenden Schiffsfahrschein (und umgekehrt; auch nur bei der KD) umschreiben lassen. – Die KD bietet darüber hinaus diverse *organisierte Rheinreisen* (Schweiz–Frankreich–Deutschland–Niederlande) mit wohlausgerüsteten Kabinenschiffen an.

Die reizvolle Uferlandschaft und der gute Ausbau des Strombettes lohnen eine Fahrt mit dem eigenen M o t o r - oder P a d d e l b o o t, wobei man auf den Rheininseln zelten kann. Der *Deutsche Kanu-Verband (DKV)* hat viele Bootshäuser, Wanderheime, Zeltplätze und Kanustationen eingerichtet, über die "Das Deutsche Fluß- und Zeltwanderbuch" informiert. Auskunft und Beratung für Wassersportfreunde erteilt auch der *ADAC*. Zahlreiche Spezialkarten für die Flußschiffahrt sind im Buchhandel erhältlich. – Infolge der hochgradigen Wasserverschmutzung ist der F i s c h b e s t a n d im Rhein bedrohlich dezimiert, der Fischfang (früher v.a. Salm) praktisch erloschen. Vom B a d e n im Fluß muß dringend abgeraten werden.

Die wichtigsten Orte, Brücken, Fähren und Inseln sowie die zahlreichen Burgen und anderen Sehenswürdigkeiten sind in der Übersicht "Der Rhein zwischen Mainz/Wiesbaden und Koblenz" schematisch dargestellt.

RHEINHESSEN

RHEINGAU

Linkes Rheinufer *Rheingoldstraße* (B 9) 90 km	Rhein Stromkilometer 500–591/2	Rechtes Rheinufer *Loreley-Burgenstraße* (B 42) 100 km
Altstadt	THEODOR-HEUSS-BRÜCKE	Kastel
Neustadt	Petersaue (Brücke)	
MAINZ	Ingelheimer Aue	**WIESBADEN**
Häfen	KAISERBRÜCKE	
Mombach		
		Amöneburg (chem. Industrie)
	Rettbergsaue (Personenfähre)	Biebrich (Schloß)
	SCHIERSTEINER BAB-BRÜCKE	Schierstein
Lenneberg (175 m) Budenheim	*Personenfähre*	Niederwalluf Ruine
Heidesheim	Eltviller Aue	**Eltville** (Burg) Scharfenstein
		Kiedrich Kloster Eberbach
Heidenfahrt	Mariannenaue	Erbach (Schloß Reinhartshausen)
		Hattenheim (Schloß Reichartshausen)
		Hallgarten
Ingelheim		**Oestrich** Hallgarter Zange
Ingelheim-Nord	*Autofähre*	Mittelheim (581 m)
(Frei-Weinheim)		
Waldeck		**Winkel** Schloß Vollrads
(205 m)	Fulder Aue	*Schloß Johannisberg Ruine
Gau-Algesheim		**Geisenheim** Schwarzenstein
Rochusberg (Kapelle)	Rüdesheimer Aue	Kloster
Burg Klopp **Bingen**	*Autofähre – Personenfähre*	**Rüdesheim** St. Hildegardis
		Niederwalddenkmal
		Mühlstein
		Ruine Ehrenfels
Bingerbrück	Nahemündung (links)	
	Mäuseturm	
	Binger Loch	
*Burg Rheinstein	*Personenfähre*	**Assmannshausen**
Klemenskapelle		
*Burg Reichenstein		Teufelskädrich (418 m)
Trechtingshausen		
Burg Sooneck		
Heimburg Niederheimbach	Lorcher Werth	
	Autofähre	**Lorch**
Ruine Fürstenberg Rheindiebach	Wispermündung (rechts)	Ruine Nollig
		Lorchhausen
*Burg Stahleck **Bacharach**		
	Bacharacher Werth	
	'Wildes Gefähr'	
	Kauber Werth	
	***Pfalz** (Pfalzgrafenstein)	**Kaub** Burg Gutenfels
	Personenfähre	
Ruine *Schönburg		Roßstein (307 m)
(Liebfrauenkirche) **Oberwesel**		
	'Sieben Jungfrauen' (Klippen)	
	Tauberwerth	
	Kammereck (Echo)	***Loreleyfelsen**
Ruine *Rheinfels **St. Goar**	*Autofähre*	**St. Goarshausen** Burg Katz
		Wellmich Burg Maus
Prinzenstein	Rheinwerth	
		Kestert
Bad Salzig	*Personenfähre*	*Brüderburgen Liebenstein und Sterrenberg
		Kloster Bornhofen
		Kamp-Bornhofen
Boppard		
	Autofähre	
	Rheinschlinge	Filsen
		Osterspai Schloß Liebeneck
Spay		
Königstuhl **Rhens**		Braubach *Marksburg
Schloß Stolzenfels	*Personenfähre*	Lahnstein *Burg Lahneck
	Lahnmündung (rechts)	
Rittersturz	SÜDBRÜCKE	
	HORCHHEIMER BRÜCKE	Horchheim
Oberwerth		
	Personenfähre	**KOBLENZ**
KOBLENZ	PFAFFENDORFER BRÜCKE	Pfaffendorf
Innenstadt	*Personenfähre*	Ehrenbreitstein (*Feste)
	Moselmündung	
	(links; *Deutsches Eck)	

Rheinhöhenweg Bingerbrück–Koblenz 95 km

Rheinhöhenweg Wiesbaden–Ehrenbreitstein 155 km

REGISTER

Baedekers
Allianz 🏛 Reiseführer

Stand 1989

Baedeker
Ihr Stadtführer

Stand 1989